RACINE II

THÉATRE COMPLET
DE RACINE

II

JEAN RACINE

THÉATRE COMPLET

II

BAJAZET
MITHRIDATE
IPHIGÉNIE
PHÈDRE
ESTHER
ATHALIE

Chronologie, préface et notices
par
André Stegmann
professeur au Centre d'études supérieures
de la Renaissance de Tours

GF

FLAMMARION

NOTICE
SUR
BAJAZET

Hôtel de Bourgogne : 5 janvier 1672.
Édition originale : achevé d'imprimer,
20 février 1672.

En écrivant une tragédie qui se passe en Turquie, Racine innove moins qu'il ne semble. Le goût de l'Orient dans la littérature apparaît en France dès le XVIᵉ siècle, et les tragédies de thème oriental forment, en France et en Italie, un véritable « cycle ».

Sensible au reproche d'avoir habillé ses Grecs à la française, Racine veille à s'informer exactement des mœurs turques [1].

Les critiques, Mme de Sévigné dès la représentation, Barbier d'Aucour trois ans plus tard, contestèrent pourtant l'exactitude de la couleur locale — psychologique surtout — et Racine en 1676 répondit patiemment aux objections : c'est qu'il avait gagné la partie. Les critiques chicanières reconnaissent explicitement la qualité de la pièce, dont le succès fut considérable.

A la même date, Thomas Corneille essayait dans *Ariane* d'attraper la manière nouvelle, et son grand aîné, tournant le dos au goût du public, surprenait une fois de plus avec l'admirable tragédie crépusculaire de *Pulchérie*.

Il n'y a pas lieu d'isoler « *la grande tuerie* » de *Bajazet* de la production de Racine. Les personnages — turcs ou

---

1. Il souligne le fait dans sa première préface et indique une des sources qu'il a utilisées.

non — sont de la grande famille racinienne. Même violence
à peine contenue chez Atalide et chez Roxane, tendresse
généreuse quand elles croient au bonheur, sursaut de
violence quand la jalousie les mord. Lucidité qui s'aveugle
volontairement, dans un instinct de sauvegarde devant la
trop dure vérité nue, blasphème amer contre un Destin
inexplicablement implacable. Il est caractéristique que
Racine confia à la Champmeslé non le rôle de Roxane, mais
celui d'Atalide.

L'originalité particulière de *Bajazet* est de mieux faire
apprécier les procédés du tragique racinien : un lieu
étouffant et sans issue, le caractère de dénouement d'une
longue crise dans l'instant choisi pour l'action, le méca-
nisme fatal qui entraîne les personnages soudés les uns
aux autres dans leurs diverses réactions et dans l'écrou-
lement final d'un fragile château de cartes sentimental.

BAJAZET

PREMIÈRE PRÉFACE [1]

Quoique le sujet de cette tragédie ne soit encore dans aucune histoire imprimée, il est pourtant très véritable. C'est une aventure arrivée dans le Sérail, il n'y a pas plus de trente ans. M. le comte de Cézy était alors ambassadeur à Constantinople. Il fut instruit de toutes les particularités de la mort de Bajazet; et il y a quantité de personnes à la cour qui se souviennent de les lui avoir entendu conter, lorsqu'il fut de retour en France. M. le chevalier de Nantouillet est du nombre de ces personnes. Et c'est à lui que je suis redevable de cette histoire, et même du dessein que j'ai pris d'en faire une tragédie. J'ai été obligé pour cela de changer quelques circonstances. Mais comme ce changement n'est pas fort considérable, je ne pense pas aussi qu'il soit nécessaire de le marquer au lecteur. La principale chose à quoi je me suis attaché, ç'a été de ne rien changer ni aux mœurs ni aux coutumes de la nation. Et j'ai pris soin de ne rien avancer qui ne fût conforme à l'histoire des Turcs et à la nouvelle Relation de l'Empire Ottoman, que l'on a traduite de l'anglais. Surtout je dois beaucoup aux avis de Monsieur de la Haye, qui a eu la bonté de m'éclaircir sur toutes les difficultés que je lui ai proposées.

[SECONDE] PRÉFACE [2]

Sultan Amurat, ou Sultan Morat, empereur des Turcs, celui qui prit Babylone en 1638, a eu quatre frères. Le

1. Ne se lit que dans l'édition originale.
2. Préface des éditions de 1676, 1687 et, à l'exception du dernier paragraphe, 1697.

premier, c'est à savoir Osman, fut empereur avant lui, et régna environ trois ans, au bout desquels les janissaires lui ôtèrent l'empire et la vie. Le second se nommait Orcan. Amurat, dès les premiers jours de son règne, le fit étrangler. Le troisième était Bajazet, prince de grande espérance; et c'est lui qui est le héros de ma tragédie. Amurat, ou par politique, ou par amitié, l'avait épargné jusqu'au siège de Babylone. Après la prise de cette ville, le Sultan victorieux envoya un ordre à Constantinople pour le faire mourir. Ce qui fut conduit et exécuté à peu près de la manière que je le représente. Amurat avait encore un frère, qui fut depuis le Sultan Ibrahim, et que ce même Amurat négligea comme un prince stupide, qui ne lui donnait point d'ombrage. Sultan Mahomet, qui règne aujourd'hui, est fils de cet Ibrahim, et par conséquent neveu de Bajazet.

Les particularités de la mort de Bajazet ne sont encore dans aucune histoire imprimée. M. le comte de Cézy était ambassadeur à Constantinople lorsque cette aventure tragique arriva dans le Sérail. Il fut instruit des amours de Bajazet et des jalousies de la Sultane. Il vit même plusieurs fois Bajazet, à qui on permettait de se promener quelquefois à la pointe du Sérail, sur le canal de la mer Noire. M. le comte de Cézy disait que c'était un prince de bonne mine. Il a écrit depuis les circonstances de sa mort. Et il y a encore plusieurs personnes de qualité qui se souviennent de lui en avoir entendu faire le récit lorsqu'il fut de retour en France.

Quelques lecteurs pourront s'étonner qu'on ait osé mettre sur la scène une histoire si récente. Mais je n'ai rien vu dans les règles du poème dramatique qui dût me détourner de mon entreprise. A la vérité, je ne conseillerais pas à un auteur de prendre pour sujet d'une tragédie une action aussi moderne que celle-ci, si elle s'était passée dans le pays où il veut faire représenter sa tragédie, ni de mettre des héros sur le théâtre, qui auraient été connus de la plupart des spectateurs. Les personnages tragiques doivent être regardés d'un autre œil que nous ne regardons d'ordinaire les personnages que nous avons vus de si près. On peut dire que le respect que l'on a pour les héros augmente à mesure qu'ils s'éloignent de nous : *major e longinquo reverentia.* L'éloignement des pays répare en quelque sorte la trop grande proximité des temps. Car le peuple ne met guère de différence entre ce qui est, si j'ose ainsi parler, à mille ans de lui, et ce qui en est à mille lieues. C'est ce qui fait, par exemple, que les personnages turcs, quelque modernes qu'ils soient, ont de la dignité sur notre théâtre. On les regarde de bonne heure comme anciens. Ce sont des mœurs et des coutumes toutes différentes. Nous avons si peu de commerce avec les princes et les autres personnes qui vivent dans le Sérail que nous les considérons, pour ainsi dire, comme des gens qui vivent dans un autre siècle que le nôtre.

C'était à peu près de cette manière que les Persans étaient anciennement considérés des Athéniens. Aussi le poète Eschyle ne fit point de difficulté d'introduire dans une tragédie la mère de Xerxès, qui était peut-être encore vivante, et de faire représenter sur le théâtre d'Athènes la désolation de la cour de Perse après la déroute de ce prince. Cependant ce même Eschyle s'était trouvé en personne à la bataille de Salamine, où Xerxès avait été vaincu. Et il s'était trouvé encore à la défaite des lieutenants de Darius, père de Xerxès, dans la plaine de Marathon. Car Eschyle était homme de guerre, et il était frère de ce fameux Cynégire dont il est tant parlé dans l'Antiquité, et qui mourut si courageusement en attaquant un des vaisseaux du roi de Perse.

[Je me suis attaché à bien exprimer dans ma tragédie ce que nous savons des mœurs et des maximes des Turcs. Quelques gens ont dit que mes héroïnes étaient trop savantes en amour et trop délicates pour des femmes nées parmi des peuples qui passent ici pour barbares. Mais sans parler de tout ce qu'on lit dans les relations des voyageurs, il me semble qu'il suffit de dire que la scène est dans le Sérail. En effet, y a-t-il une cour au monde où la jalousie et l'amour doivent être si bien connus que dans un lieu où tant de rivales sont enfermées ensemble, et où toutes ces femmes n'ont point d'autre étude, dans une éternelle oisiveté, que d'apprendre à plaire et à se faire aimer ? Les hommes vraisemblablement n'y aiment pas avec la même délicatesse. Aussi ai-je pris soin de mettre une grande différence entre la passion de Bajazet et les tendresses de ses amantes. Il garde au milieu de son amour la férocité de la nation. Et si l'on trouve étrange qu'il consente plutôt de mourir que d'abandonner ce qu'il aime et d'épouser ce qu'il n'aime pas, il ne faut que lire l'histoire des Turcs. On verra partout le mépris qu'ils font de la vie. On verra en plusieurs endroits à quel excès ils portent les passions, et ce que la simple amitié est capable de leur faire faire. Témoin un des fils de Soliman, qui se tua lui-même sur le corps de son frère aîné, qu'il aimait tendrement, et que l'on avait fait mourir pour lui assurer l'Empire.]

PERSONNAGES

BAJAZET, frère du Sultan Amurat.
ROXANE, Sultane, favorite du Sultan Amurat.
ATALIDE, fille du sang ottoman.
ACOMAT, grand vizir.
OSMIN, confident du grand vizir.
ZATIME, esclave de la Sultane.
ZAIRE, esclave d'Atalide.

La scène est à Constantinople, autrement dit Byzance,
dans le Sérail du Grand Seigneur.

ACTE PREMIER

SCÈNE PREMIÈRE

ACOMAT, OSMIN

ACOMAT

Viens, suis-moi. La Sultane en ce lieu se doit rendre.
Je pourrai cependant te parler et t'entendre.

OSMIN

Et depuis quand, Seigneur, entre-t-on dans ces lieux,
Dont l'accès était même interdit à nos yeux ?
Jadis une mort prompte eût suivi cette audace.

ACOMAT

Quand tu seras instruit de tout ce qui se passe,
Mon entrée en ces lieux ne te surprendra plus.
Mais laissons, cher Osmin, les discours superflus.
Que ton retour tardait à mon impatience!
Et que d'un œil content je te vois dans Byzance!
Instruis-moi des secrets que peut t'avoir appris
Un voyage si long pour moi seul entrepris.
De ce qu'ont vu tes yeux parle, en témoin sincère :
Songe que du récit, Osmin, que tu vas faire
Dépendent les destins de l'empire ottoman.
Qu'as-tu vu dans l'armée, et que fait le Sultan ?

OSMIN

Babylone, Seigneur, à son prince fidèle,
Voyait sans s'étonner notre armée autour d'elle;
Les Persans rassemblés marchaient à son secours,
Et du camp d'Amurat s'approchaient tous les jours.
Lui-même, fatigué d'un long siège inutile,
Semblait vouloir laisser Babylone tranquille,

Et sans renouveler ses assauts impuissants,
Résolu de combattre, attendait les Persans.
Mais comme vous savez, malgré ma diligence,
Un long chemin sépare et le camp et Byzance ;
Mille obstacles divers m'ont même traversé,
Et je puis ignorer tout ce qui s'est passé.

ACOMAT

Que faisaient cependant nos braves janissaires ?
Rendent-ils au Sultan des hommages sincères ?
Dans le secret des cœurs, Osmin, n'as-tu rien lu ?
Amurat jouit-il d'un pouvoir absolu ?

OSMIN

Amurat est content, si nous le voulons croire,
Et semblait se promettre une heureuse victoire.
Mais en vain par ce calme il croit nous éblouir :
Il affecte un repos dont il ne peut jouir.
C'est en vain que forçant ses soupçons ordinaires,
Il se rend accessible à tous les janissaires :
Il se souvient toujours que son inimitié
Voulut de ce grand corps retrancher la moitié,
Lorsque pour affermir sa puissance nouvelle,
Il voulait, disait-il, sortir de leur tutelle.
Moi-même j'ai souvent entendu leurs discours ;
Comme il les craint sans cesse, ils le craignent toujours.
Ses caresses n'ont point effacé cette injure.
Votre absence est pour eux un sujet de murmure.
Ils regrettent le temps, à leur grand cœur si doux,
Lorsque assurés de vaincre ils combattaient sous vous.

ACOMAT

Quoi ! tu crois, cher Osmin, que ma gloire passée
Flatte encor leur valeur et vit dans leur pensée ?
Crois-tu qu'ils me suivraient encore avec plaisir,
Et qu'ils reconnaîtraient la voix de leur vizir ?

OSMIN

Le succès du combat réglera leur conduite :
Il faut voir du Sultan la victoire ou la fuite.
Quoique à regret, Seigneur, ils marchent sous ses lois,
Ils ont à soutenir le bruit de leurs exploits :
Ils ne trahiront point l'honneur de tant d'années.
Mais enfin le succès dépend des destinées.
Si l'heureux Amurat, secondant leur grand cœur,
Aux champs de Babylone est déclaré vainqueur,

Vous les verrez soumis rapporter dans Byzance
L'exemple d'une aveugle et basse obéissance.
Mais si dans le combat le destin plus puissant
Marque de quelque affront son empire naissant,
S'il fuit, ne doutez point que fiers de sa disgrâce,
A la haine bientôt ils ne joignent l'audace,
Et n'expliquent, Seigneur, la perte du combat
Comme un arrêt du ciel qui réprouve Amurat.
Cependant, s'il en faut croire la renommée,
Il a depuis trois mois fait partir de l'armée
Un esclave chargé de quelque ordre secret.
Tout le camp interdit tremblait pour Bajazet :
On craignait qu'Amurat par un ordre sévère
N'envoyât demander la tête de son frère.

ACOMAT

Tel était son dessein. Cet esclave est venu :
Il a montré son ordre, et n'a rien obtenu.

OSMIN

Quoi, Seigneur! le Sultan reverra son visage,
Sans que de vos respects il lui porte ce gage ?

ACOMAT

Cet esclave n'est plus. Un ordre, cher Osmin,
L'a fait précipiter dans le fond de l'Euxin.

OSMIN

Mais le Sultan, surpris d'une trop longue absence,
En cherchera bientôt la cause et la vengeance.
Que lui répondrez-vous ?

ACOMAT

                    Peut-être avant ce temps
Je saurai l'occuper de soins plus importants.
Je sais bien qu'Amurat a juré ma ruine;
Je sais à son retour l'accueil qu'il me destine.
Tu vois, pour m'arracher du cœur de ses soldats,
Qu'il va chercher sans moi les sièges, les combats :
Il commande l'armée; et moi, dans une ville,
Il me laisse exercer un pouvoir inutile.
Quel emploi, quel séjour, Osmin, pour un vizir !
Mais j'ai plus dignement employé ce loisir :
J'ai su lui préparer des craintes et des veilles,
Et le bruit en ira bientôt à ses oreilles.

OSMIN

Quoi donc ? Qu'avez-vous fait ?

ACOMAT

                              J'espère qu'aujourd'hui
Bajazet se déclare, et Roxane avec lui.

OSMIN

Quoi! Roxane, Seigneur, qu'Amurat a choisie
Entre tant de beautés dont l'Europe et l'Asie
Dépeuplent leurs Etats et remplissent sa cour ?
Car on dit qu'elle seule a fixé son amour.
Et même il a voulu que l'heureuse Roxane,
Avant qu'elle eût un fils, prît le nom de sultane.

ACOMAT

Il a fait plus pour elle, Osmin : il a voulu
Qu'elle eût dans son absence un pouvoir absolu.
Tu sais de nos sultans les rigueurs ordinaires :
Le frère rarement laisse jouir ses frères
De l'honneur dangereux d'être sortis d'un sang
Qui les a de trop près approchés de son rang.
L'imbécile Ibrahim, sans craindre sa naissance,
Traîne, exempt de péril, une éternelle enfance.
Indigne également de vivre et de mourir,
On l'abandonne aux mains qui daignent le nourrir.
L'autre, trop redoutable, et trop digne d'envie,
Voit sans cesse Amurat armé contre sa vie.
Car enfin Bajazet dédaigna de tout temps
La molle oisiveté des enfants des sultans.
Il vint chercher la guerre au sortir de l'enfance,
Et même en fit sous moi la noble expérience.
Toi-même tu l'as vu courir dans les combats,
Emportant après lui tous les cœurs des soldats,
Et goûter, tout sanglant, le plaisir et la gloire
Que donne aux jeunes cœurs la première victoire.
Mais malgré ses soupçons, le cruel Amurat,
Avant qu'un fils naissant eût rassuré l'État,
N'osait sacrifier ce frère à sa vengeance,
Ni du sang ottoman proscrire l'espérance.
Ainsi donc pour un temps Amurat désarmé
Laissa dans le Sérail Bajazet enfermé.
Il partit, et voulut que fidèle à sa haine
Et des jours de son frère arbitre souveraine,
Roxane, au moindre bruit, et sans autres raisons,
Le fît sacrifier à ses moindres soupçons.

Pour moi, demeuré seul, une juste colère
Tourna bientôt mes vœux du côté de son frère.
J'entretins la Sultane, et cachant mon dessein,
Lui montrai d'Amurat le retour incertain,
Les murmures du camp, la fortune des armes.
Je plaignis Bajazet; je lui vantai ses charmes,
Qui par un soin jaloux dans l'ombre retenus,
Si voisins de ses yeux, leur étaient inconnus.
Que te dirai-je enfin ? La Sultane éperdue
N'eut plus d'autres désirs que celui de sa vue.

OSMIN

Mais pouvaient-ils tromper tant de jaloux regards
Qui semblent mettre entre eux d'invincibles remparts ?

ACOMAT

Peut-être il te souvient qu'un récit peu fidèle
De la mort d'Amurat fit courir la nouvelle.
La Sultane, à ce bruit feignant de s'effrayer,
Par des cris douloureux eut soin de l'appuyer.
Sur la foi de ses pleurs ses esclaves tremblèrent;
De l'heureux Bajazet les gardes se troublèrent;
Et les dons achevant d'ébranler leur devoir,
Leurs captifs dans ce trouble osèrent s'entrevoir.
Roxane vit le prince. Elle ne put lui taire
L'ordre dont elle seule était dépositaire.
Bajazet est aimable. Il vit que son salut
Dépendait de lui plaire, et bientôt il lui plut.
Tout conspirait pour lui. Ses soins, sa complaisance,
Ce secret découvert, et cette intelligence,
Soupirs d'autant plus doux qu'il les fallait celer,
L'embarras irritant de ne s'oser parler,
Même témérité, périls, craintes communes,
Lièrent pour jamais leurs cœurs et leurs fortunes.
Ceux mêmes dont les yeux les devaient éclairer,
Sortis de leur devoir, n'osèrent y rentrer.

OSMIN

Quoi! Roxane d'abord leur découvrant son âme,
Osa-t-elle à leurs yeux faire éclater sa flamme ?

ACOMAT

Ils l'ignorent encore; et jusques à ce jour,
Atalide a prêté son nom à cet amour.
Du père d'Amurat Atalide est la nièce;
Et même avec ses fils partageant sa tendresse,
Elle a vu son enfance élevée avec eux.
Du prince en apparence elle reçoit les vœux;

Mais elle les reçoit pour les rendre à Roxane,
Et veut bien sous son nom qu'il aime la Sultane.
Cependant, cher Osmin, pour s'appuyer de moi,
L'un et l'autre ont promis Atalide à ma foi.

OSMIN

Quoi ? vous l'aimez, Seigneur ?

ACOMAT

                              Voudrais-tu qu'à mon âge
Je fisse de l'amour le vil apprentissage ?
Qu'un cœur qu'ont endurci la fatigue et les ans
Suivît d'un vain plaisir les conseils imprudents ?
C'est par d'autres attraits qu'elle plaît à ma vue :
J'aime en elle le sang dont elle est descendue.
Par elle Bajazet, en m'approchant de lui,
Me va contre lui-même assurer un appui.
Un vizir aux sultans fait toujours quelque ombrage :
A peine ils l'ont choisi, qu'ils craignent leur ouvrage.
Sa dépouille est un bien qu'ils veulent recueillir,
Et jamais leurs chagrins ne nous laissent vieillir.
Bajazet aujourd'hui m'honore et me caresse;
Ses périls tous les jours réveillent sa tendresse.
Ce même Bajazet, sur le trône affermi,
Méconnaîtra peut-être un inutile ami.
Et moi, si mon devoir, si ma foi ne l'arrête,
S'il ose quelque jour me demander ma tête...
Je ne m'explique point, Osmin; mais je prétends
Que du moins il faudra la demander longtemps.
Je sais rendre aux sultans de fidèles services;
Mais je laisse au vulgaire adorer leurs caprices,
Et ne me pique point du scrupule insensé
De bénir mon trépas quand ils l'ont prononcé.
   Voilà donc de ces lieux ce qui m'ouvre l'entrée,
Et comme enfin Roxane à mes yeux s'est montrée.
Invisible d'abord elle entendait ma voix,
Et craignait du Sérail les rigoureuses lois.
Mais enfin bannissant cette importune crainte,
Qui dans nos entretiens jetait trop de contrainte,
Elle-même a choisi cet endroit écarté,
Où nos cœurs à nos yeux parlent en liberté.
Par un chemin obscur une esclave me guide,
Et... Mais on vient. C'est elle, et sa chère Atalide.
Demeure; et s'il le faut, sois prêt à confirmer
Le récit important dont je vais l'informer.

SCÈNE II

ROXANE, ATALIDE, ZATIME, ZAIRE,
ACOMAT, OSMIN

ACOMAT

La vérité s'accorde avec la renommée,
Madame. Osmin a vu le Sultan et l'armée.
Le superbe Amurat est toujours inquiet;
Et toujours tous les cœurs penchent vers Bajazet :
D'une commune voix ils l'appellent au trône.
Cependant les Persans marchaient vers Babylone,
Et bientôt les deux camps aux pieds de son rempart
Devaient de la bataille éprouver le hasard.
Ce combat doit, dit-on, fixer nos destinées;
Et même, si d'Osmin je compte les journées,
Le ciel en a déjà réglé l'événement,
Et le Sultan triomphe ou fuit en ce moment.
Déclarons-nous, Madame, et rompons le silence.
Fermons-lui dès ce jour les portes de Byzance;
Et sans nous informer s'il triomphe ou s'il fuit,
Croyez-moi, hâtons-nous d'en prévenir le bruit.
S'il fuit, que craignez-vous ? S'il triomphe, au contraire,
Le conseil le plus prompt est le plus salutaire.
Vous voudrez, mais trop tard, soustraire à son pouvoir
Un peuple dans ses murs prêt à le recevoir.
Pour moi, j'ai su déjà par mes brigues secrètes
Gagner de notre loi les sacrés interprètes :
Je sais combien crédule en sa dévotion
Le peuple suit le frein de la religion.
Souffrez que Bajazet voie enfin la lumière :
Des murs de ce palais ouvrez-lui la barrière.
Déployez en son nom cet étendard fatal,
Des extrêmes périls l'ordinaire signal.
Les peuples, prévenus de ce nom favorable,
Savent que sa vertu le rend seule coupable.
D'ailleurs un bruit confus, par mes soins confirmé,
Fait croire heureusement à ce peuple alarmé
Qu'Amurat le dédaigne, et veut loin de Byzance
Transporter désormais son trône et sa présence.
Déclarons le péril dont son frère est pressé;
Montrons l'ordre cruel qui vous fut adressé.

Surtout qu'il se déclare et se montre lui-même,
Et fasse voir ce front digne du diadème.

ROXANE

Il suffit. Je tiendrai tout ce que j'ai promis.
Allez, brave Acomat, assembler vos amis.
De tous leurs sentiments venez me rendre compte;
Je vous rendrai moi-même une réponse prompte.
Je verrai Bajazet. Je ne puis dire rien,
Sans savoir si son cœur s'accorde avec le mien.
Allez, et revenez.

SCÈNE III

ROXANE, ATALIDE, ZATIME, ZAIRE,

ROXANE

Enfin, belle Atalide,
Il faut de nos destins que Bajazet décide.
Pour la dernière fois je le vais consulter.
Je vais savoir s'il m'aime.

ATALIDE

Est-il temps d'en douter,
Madame ? Hâtez-vous d'achever votre ouvrage.
Vous avez du Vizir entendu le langage.
Bajazet vous est cher. Savez-vous si demain
Sa liberté, ses jours, seront en votre main ?
Peut-être en ce moment Amurat en furie
S'approche pour trancher une si belle vie.
Et pourquoi de son cœur doutez-vous aujourd'hui ?

ROXANE

Mais m'en répondez-vous, vous qui parlez pour lui ?

ATALIDE

Quoi! Madame, les soins qu'il a pris pour vous plaire,
Ce que vous avez fait, ce que vous pouvez faire,
Ses périls, ses respects, et surtout vos appas,
Tout cela de son cœur ne vous répond-il pas ?
Croyez que vos bontés vivent dans sa mémoire.

ROXANE

Hélas! pour mon repos que ne le puis-je croire ?
Pourquoi faut-il au moins que pour me consoler
L'ingrat ne parle pas comme on le fait parler ?

Vingt fois, sur vos discours pleine de confiance,
Du trouble de son cœur jouissant par avance,
Moi-même j'ai voulu m'assurer de sa foi,
Et l'ai fait en secret amener devant moi.
Peut-être trop d'amour me rend trop difficile;
Mais sans vous fatiguer d'un récit inutile,
Je ne retrouvais point ce trouble, cette ardeur,
Que m'avait tant promis un discours trop flatteur.
Enfin si je lui donne et la vie et l'Empire,
Ces gages incertains ne me peuvent suffire.

ATALIDE

Quoi donc ? à son amour qu'allez-vous proposer ?

ROXANE

S'il m'aime, dès ce jour il me doit épouser.

ATALIDE

Vous épouser ! O ciel ! que prétendez-vous faire ?

ROXANE

Je sais que des sultans l'usage m'est contraire :
Je sais qu'ils se sont fait une superbe loi
De ne point à l'hymen assujettir leur foi.
Parmi tant de beautés qui briguent leur tendresse,
Ils daignent quelquefois choisir une maîtresse;
Mais toujours inquiète avec tous ses appas,
Esclave, elle reçoit son maître dans ses bras;
Et sans sortir du joug où leur loi la condamne,
Il faut qu'un fils naissant la déclare sultane.
Amurat plus ardent, et seul jusqu'à ce jour,
A voulu que l'on dût ce titre à son amour.
J'en reçus la puissance aussi bien que le titre,
Et des jours de son frère il me laissa l'arbitre.
Mais ce même Amurat ne me promit jamais
Que l'hymen dût un jour couronner ses bienfaits;
Et moi, qui n'aspirais qu'à cette seule gloire,
De ses autres bienfaits j'ai perdu la mémoire.
Toutefois que sert-il de me justifier ?
Bajazet, il est vrai, m'a tout fait oublier.
Malgré tous ses malheurs, plus heureux que son frère,
Il m'a plu, sans peut-être aspirer à me plaire.
Femmes, gardes, vizir, pour lui j'ai tout séduit;
En un mot, vous voyez jusqu'où je l'ai conduit.
Grâces à mon amour, je me suis bien servie
Du pouvoir qu'Amurat me donna sur sa vie.

Bajazet touche presque au trône des sultans :
Il ne faut plus qu'un pas. Mais c'est où je l'attends.
Malgré tout mon amour, si dans cette journée
Il ne m'attache à lui par un juste hyménée,
S'il ose m'alléguer une odieuse loi,
Quand je fais tout pour lui, s'il ne fait tout pour moi,
Dès le même moment, sans songer si je l'aime,
Sans consulter enfin si je me perds moi-même,
J'abandonne l'ingrat, et le laisse rentrer
Dans l'état malheureux d'où je l'ai su tirer.
    Voilà sur quoi je veux que Bajazet prononce.
Sa perte ou son salut dépend de sa réponse.
Je ne vous presse point de vouloir aujourd'hui
Me prêter votre voix pour m'expliquer à lui :
Je veux que devant moi sa bouche et son visage
Me découvrent son cœur, sans me laisser d'ombrage ;
Que lui-même, en secret amené dans ces lieux,
Sans être préparé se présente à mes yeux.
Adieu : vous saurez tout après cette entrevue.

SCÈNE IV

ATALIDE, ZAIRE

ATALIDE

Zaïre, c'en est fait, Atalide est perdue.

ZAIRE

Vous !

ATALIDE

    Je prévois déjà tout ce qu'il faut prévoir.
Mon unique espérance est dans mon désespoir.

ZAIRE

Mais, Madame, pourquoi ?

ATALIDE

            Si tu venais d'entendre
Quel funeste dessein Roxane vient de prendre,
Quelles conditions elle veut imposer !
Bajazet doit périr, dit-elle, ou l'épouser.
S'il se rend, que deviens-je en ce malheur extrême ?
Et s'il ne se rend pas, que devient-il lui-même ?

ZAIRE

Je conçois ce malheur ; mais à ne point mentir,
Votre amour dès longtemps a dû le pressentir.

ATALIDE

Ah, Zaïre ! l'amour a-t-il tant de prudence ?
Tout semblait avec nous être d'intelligence :
Roxane, se livrant tout entière à ma foi,
Du cœur de Bajazet se reposait sur moi,
M'abandonnait le soin de tout ce qui le touche,
Le voyait par mes yeux, lui parlait par ma bouche ;
Et je croyais toucher au bienheureux moment
Où j'allais par ses mains couronner mon amant.
Le ciel s'est déclaré contre mon artifice.
Et que fallait-il donc, Zaïre, que je fisse ?
A l'erreur de Roxane ai-je dû m'opposer,
Et perdre mon amant pour la désabuser ?
Avant que dans son cœur cette amour fût formée,
J'aimais, et je pouvais m'assurer d'être aimée.
Dès nos plus jeunes ans, tu t'en souviens assez,
L'amour serra les nœuds par le sang commencés.
Elevée avec lui dans le sein de sa mère,
J'appris à distinguer Bajazet de son frère ;
Elle-même avec joie unit nos volontés ;
Et quoique après sa mort l'un de l'autre écartés,
Conservant, sans nous voir, le désir de nous plaire,
Nous avons su toujours nous aimer et nous taire.
Roxane, qui depuis, loin de s'en défier,
A ses desseins secrets voulut m'associer,
Ne put voir sans amour ce héros trop aimable :
Elle courut lui tendre une main favorable.
Bajazet étonné rendit grâce à ses soins,
Lui rendit des respects. Pouvait-il faire moins ?
Mais qu'aisément l'amour croit tout ce qu'il souhaite !
De ses moindres respects Roxane satisfaite
Nous engagea tous deux par sa facilité
A la laisser jouir de sa crédulité.
Zaïre, il faut pourtant avouer ma faiblesse :
D'un mouvement jaloux je ne fus pas maîtresse.
Ma rivale, accablant mon amant de bienfaits,
Opposait un Empire à mes faibles attraits ;
Mille soins la rendaient présente à sa mémoire ;
Elle l'entretenait de sa prochaine gloire.
Et moi, je ne puis rien. Mon cœur, pour tous discours,
N'avait que des soupirs, qu'il répétait toujours.

Le ciel seul sait combien j'en ai versé de larmes.
Mais enfin Bajazet dissipa mes alarmes.
Je condamnai mes pleurs, et jusques aujourd'hui
Je l'ai pressé de feindre, et j'ai parlé pour lui.
Hélas! tout est fini. Roxane méprisée
Bientôt de son erreur sera désabusée.
Car enfin Bajazet ne sait point se cacher :
Je connais sa vertu prompte à s'effaroucher.
Il faut qu'à tous moments, tremblante et secourable,
Je donne à ses discours un sens plus favorable.
Bajazet va se perdre. Ah! si, comme autrefois,
Ma rivale eût voulu lui parler par ma voix!
Au moins si j'avais pu préparer son visage!
Mais, Zaïre, je puis l'attendre à son passage :
D'un mot ou d'un regard je puis le secourir.
Qu'il l'épouse, en un mot, plutôt que de périr.
Si Roxane le veut, sans doute il faut qu'il meure.
Il se perdra, te dis-je. Atalide, demeure.
Laisse, sans t'alarmer, ton amant sur sa foi.
Penses-tu mériter qu'on se perde pour toi?
Peut-être Bajazet, secondant ton envie,
Plus que tu ne voudras aura soin de sa vie.

ZAÏRE

Ah! dans quels soins, Madame, allez-vous vous plonger?
Toujours avant le temps faut-il vous affliger?
Vous n'en pouvez douter, Bajazet vous adore.
Suspendez ou cachez l'ennui qui vous dévore.
N'allez point par vos pleurs déclarer vos amours.
La main qui l'a sauvé le sauvera toujours,
Pourvu qu'entretenue en son erreur fatale,
Roxane jusqu'au bout ignore sa rivale.
Venez en d'autres lieux enfermer vos regrets,
Et de leur entrevue attendre le succès.

ATALIDE

Hé bien! Zaïre, allons! Et toi, si ta justice
De deux jeunes amants veut punir l'artifice,
O Ciel, si notre amour est condamné de toi,
Je suis la plus coupable : épuise tout sur moi.

ACTE II

SCÈNE PREMIÈRE

BAJAZET, ROXANE

ROXANE

Prince, l'heure fatale est enfin arrivée
Qu'à votre liberté le ciel a réservée.
Rien ne me retient plus, et je puis dès ce jour
Accomplir le dessein qu'a formé mon amour.
Non que vous assurant d'un triomphe facile,
Je mette entre vos mains un Empire tranquille;
Je fais ce que je puis, je vous l'avais promis :
J'arme votre valeur contre vos ennemis;
J'écarte de vos jours un péril manifeste;
Votre vertu, Seigneur, achèvera le reste.
Osmin a vu l'armée : elle penche pour vous;
Les chefs de notre loi conspirent avec nous;
Le vizir Acomat vous répond de Byzance;
Et moi, vous le savez, je tiens sous ma puissance
Cette foule de chefs, d'esclaves, de muets,
Peuple que dans ses murs renferme ce palais,
Et dont à ma faveur les âmes asservies
M'ont vendu dès longtemps leur silence et leurs vies.
Commencez maintenant. C'est à vous de courir
Dans le champ glorieux que j'ai su vous ouvrir.
Vous n'entreprenez point une injuste carrière;
Vous repoussez, Seigneur, une main meurtrière :
L'exemple en est commun; et parmi les sultans,
Ce chemin à l'Empire a conduit de tout temps.
Mais pour mieux commencer, hâtons-nous l'un et l'autre
D'assurer à la fois mon bonheur et le vôtre.
Montrez à l'univers, en m'attachant à vous,
Que quand je vous servais, je servais mon époux;
Et par le nœud sacré d'un heureux hyménée
Justifiez la foi que je vous ai donnée.

BAJAZET

Ah! que proposez-vous, Madame ?

ROXANE

                              Hé quoi, Seigneur ?
Quel obstacle secret trouble notre bonheur ?

BAJAZET

Madame, ignorez-vous que l'orgueil de l'Empire...
Que ne m'épargnez-vous la douleur de le dire ?

ROXANE

Oui, je sais que depuis qu'un de vos empereurs,
Bajazet, d'un barbare éprouvant les fureurs,
Vit au char du vainqueur son épouse enchaînée,
Et par toute l'Asie à sa suite traînée,
De l'honneur ottoman ses successeurs jaloux
Ont daigné rarement prendre le nom d'époux.
Mais l'amour ne suit point ces lois imaginaires;
Et sans vous rapporter des exemples vulgaires,
Soliman (vous savez qu'entre tous vos aïeux
Dont l'univers a craint le bras victorieux,
Nul n'éleva si haut la grandeur ottomane),
Ce Soliman jeta les yeux sur Roxelane.
Malgré tout son orgueil, ce monarque si fier
A son trône, à son lit daigna l'associer,
Sans qu'elle eût d'autres droits au rang d'impératrice
Qu'un peu d'attraits peut-être, et beaucoup d'artifice,

BAJAZET

Il est vrai. Mais aussi voyez ce que je puis,
Ce qu'était Soliman, et le peu que je suis.
Soliman jouissait d'une pleine puissance :
L'Egypte ramenée à son obéissance,
Rhodes, des Ottomans ce redoutable écueil,
De tous ses défenseurs devenu le cercueil,
Du Danube asservi les rives désolées,
De l'empire persan les bornes reculées,
Dans leurs climats brûlants les Africains domptés,
Faisaient taire les lois devant ses volontés.
Que suis-je ? J'attends tout du peuple et de l'armée.
Mes malheurs font encor toute ma renommée.
Infortuné, proscrit, incertain de régner,
Dois-je irriter les cœurs au lieu de les gagner ?
Témoins de nos plaisirs, plaindront-ils nos misères ?
Croiront-ils mes périls et vos larmes sincères ?
Songez, sans me flatter du sort de Soliman,
Au meurtre tout récent du malheureux Osman.

Dans leur rébellion, les chefs des janissaires,
Cherchant à colorer leurs desseins sanguinaires,
Se crurent à sa perte assez autorisés
Par le fatal hymen que vous me proposez.
Que vous dirai-je enfin ? Maître de leur suffrage,
Peut-être avec le temps j'oserai davantage.
Ne précipitons rien, et daignez commencer
A me mettre en état de vous récompenser.

ROXANE

Je vous entends, Seigneur. Je vois mon imprudence;
Je vois que rien n'échappe à votre prévoyance.
Vous avez pressenti jusqu'au moindre danger
Où mon amour trop prompt vous allait engager.
Pour vous, pour votre honneur, vous en craignez les suites,
Et je le crois, Seigneur, puisque vous me le dites.
Mais avez-vous prévu, si vous ne m'épousez,
Les périls plus certains où vous vous exposez ?
Songez-vous que sans moi tout vous devient contraire,
Que c'est à moi surtout qu'il importe de plaire ?
Songez-vous que je tiens les portes du Palais,
Que je puis vous l'ouvrir ou fermer pour jamais,
Que j'ai sur votre vie un empire suprême,
Que vous ne respirez qu'autant que je vous aime ?
Et sans ce même amour, qu'offensent vos refus,
Songez-vous, en un mot, que vous ne seriez plus ?

BAJAZET

Oui, je tiens tout de vous; et j'avais lieu de croire
Que c'était pour vous-même une assez grande gloire,
En voyant devant moi tout l'Empire à genoux,
De m'entendre avouer que je tiens tout de vous.
Je ne m'en défends point, ma bouche le confesse,
Et mon respect saura le confirmer sans cesse :
Je vous dois tout mon sang. Ma vie est votre bien.
Mais enfin voulez-vous...

ROXANE

                              Non, je ne veux plus rien.
Ne m'importune plus de tes raisons forcées.
Je vois combien tes vœux sont loin de mes pensées.
Je ne te presse plus, ingrat, d'y consentir.
Rentre dans le néant dont je t'ai fait sortir.
Car enfin qui m'arrête ? et quelle autre assurance
Demanderais-je encor de son indifférence ?

L'ingrat est-il touché de mes empressements ?
L'amour même entre-t-il dans ses raisonnements ?
Ah! je vois tes desseins. Tu crois, quoi que je fasse,
Que mes propres périls t'assurent de ta grâce,
Qu'engagée avec toi par de si forts liens,
Je ne puis séparer tes intérêts des miens.
Mais je m'assure encore aux bontés de ton frère :
Il m'aime, tu le sais; et malgré sa colère,
Dans ton perfide sang je puis tout expier,
Et ta mort suffira pour me justifier.
N'en doute point, j'y cours, et dès ce moment même.
   Bajazet, écoutez, je sens que je vous aime.
Vous vous perdez. Gardez de me laisser sortir.
Le chemin est encore ouvert au repentir.
Ne désespérez point une amante en furie :
S'il m'échappait un mot, c'est fait de votre vie.

BAJAZET

Vous pouvez me l'ôter : elle est entre vos mains.
Peut-être que ma mort, utile à vos desseins,
De l'heureux Amurat obtenant votre grâce,
Vous rendra dans son cœur votre première place.

ROXANE

Dans son cœur ? Ah! crois-tu, quand il le voudrait bien,
Que si je perds l'espoir de régner dans le tien,
D'une si douce erreur si longtemps possédée,
Je puisse désormais souffrir une autre idée,
Ni que je vive enfin, si je ne vis pour toi ?
Je te donne, cruel, des armes contre moi,
Sans doute, et je devrais retenir ma faiblesse :
Tu vas en triompher. Oui, je te le confesse,
J'affectais à tes yeux une fausse fierté.
De toi dépend ma joie et ma félicité.
De ma sanglante mort ta mort sera suivie.
Quel fruit de tant de soins que j'ai pris pour ta vie!
Tu soupires enfin, et sembles te troubler.
Achève, parle.

BAJAZET

O ciel! Que ne puis-je parler ?

ROXANE

Quoi donc ? Que dites-vous ? et que viens-je d'entendre ?
Vous avez des secrets que je ne puis apprendre !
Quoi! de vos sentiments je ne puis m'éclaircir ?

BAJAZET

Madame, encore un coup, c'est à vous de choisir.
Daignez m'ouvrir au trône un chemin légitime,
Ou bien, me voilà prêt, prenez votre victime.

ROXANE

Ah! c'en est trop enfin, tu seras satisfait.
Holà! gardes, qu'on vienne.

SCÈNE II

ROXANE, ACOMAT, BAJAZET

ROXANE

                    Acomat, c'en est fait.
Vous pouvez retourner, je n'ai rien à vous dire.
Du sultan Amurat je reconnais l'empire.
Sortez. Que le Sérail soit désormais fermé,
Et que tout rentre ici dans l'ordre accoutumé.

SCÈNE III

BAJAZET, ACOMAT

ACOMAT

Seigneur, qu'ai-je entendu ? Quelle surprise extrême !
Qu'allez-vous devenir ? Que deviens-je moi-même ?
D'où naît ce changement ? Qui dois-je en accuser ?
O ciel !

BAJAZET

          Il ne faut point ici vous abuser.
Roxane est offensée et court à la vengeance.
Un obstacle éternel rompt notre intelligence.
Vizir, songez à vous, je vous en averti;
Et sans compter sur moi, prenez votre parti.

ACOMAT

Quoi ?

BAJAZET

        Vous et vos amis, cherchez quelque retraite.
Je sais dans quels périls mon amitié vous jette,

Et j'espérais un jour vous mieux récompenser.
Mais c'en est fait, vous dis-je, il n'y faut plus penser.

ACOMAT

Et quel est donc, Seigneur, cet obstacle invincible ?
Tantôt dans le Sérail j'ai laissé tout paisible.
Quelle fureur saisit votre esprit et le sien ?

BAJAZET

Elle veut, Acomat, que je l'épouse.

ACOMAT

Hé bien ?
L'usage des sultans à ses vœux est contraire;
Mais cet usage enfin, est-ce une loi sévère,
Qu'aux dépens de vos jours vous deviez observer ?
La plus sainte des lois, ah! c'est de vous sauver,
Et d'arracher, Seigneur, d'une mort manifeste
Le sang des Ottomans dont vous faites le reste.

BAJAZET

Ce reste malheureux serait trop acheté,
S'il faut le conserver par une lâcheté.

ACOMAT

Et pourquoi vous en faire une image si noire ?
L'hymen de Soliman ternit-il sa mémoire ?
Cependant Soliman n'était point menacé
Des périls évidents dont vous êtes pressé.

BAJAZET

Et ce sont ces périls et ce soin de ma vie
Qui d'un servile hymen feraient l'ignominie.
Soliman n'avait point ce prétexte odieux.
Son esclave trouva grâce devant ses yeux;
Et sans subir le joug d'un hymen nécessaire,
Il lui fit de son cœur un présent volontaire.

ACOMAT

Mais vous aimez Roxane.

BAJAZET

Acomat, c'est assez :
Je me plains de mon sort moins que vous ne pensez.
La mort n'est point pour moi le comble des disgrâces;
J'osai tout jeune encor la chercher sur vos traces;

Et l'indigne prison où je suis renfermé
A la voir de plus près m'a même accoutumé.
Amurat à mes yeux l'a vingt fois présentée.
Elle finit le cours d'une vie agitée.
Hélas! si je la quitte avec quelque regret...
Pardonnez, Acomat; je plains avec sujet
Des cœurs dont les bontés trop mal récompensées
M'avaient pris pour objet de toutes leurs pensées.

ACOMAT

Ah! si nous périssons, n'en accusez que vous,
Seigneur. Dites un mot, et vous nous sauvez tous.
Tout ce qui reste ici de braves janissaires,
De la religion les saints dépositaires,
Du peuple byzantin ceux qui plus respectés
Par leur exemple seul règlent ses volontés,
Sont prêts de vous conduire à la Porte sacrée
D'où les nouveaux sultans font leur première entrée.

BAJAZET

Hé bien! brave Acomat, si je leur suis si cher,
Que des mains de Roxane ils viennent m'arracher.
Du Sérail, s'il le faut, venez forcer la porte :
Entrez accompagné de leur vaillante escorte.
J'aime mieux en sortir sanglant, couvert de coups,
Que chargé, malgré moi, du nom de son époux.
Peut-être je saurai, dans ce désordre extrême,
Par un beau désespoir me secourir moi-même,
Attendre, en combattant, l'effet de votre foi,
Et vous donner le temps de venir jusqu'à moi.

ACOMAT

Hé! pourrai-je empêcher, malgré ma diligence,
Que Roxane d'un coup n'assure sa vengeance ?
Alors qu'aura servi ce zèle impétueux,
Qu'à charger vos amis d'un crime infructueux ?
Promettez. Affranchi du péril qui vous presse,
Vous verrez de quel poids sera votre promesse.

BAJAZET

Moi!

ACOMAT

Ne rougissez point. Le sang des Ottomans
Ne doit point en esclave obéir aux serments.
Consultez ces héros que le droit de la guerre
Mena victorieux jusqu'au bout de la terre :

Libres dans leur victoire, et maîtres de leur foi,
L'intérêt de l'Etat fut leur unique loi;
Et d'un trône si saint la moitié n'est fondée
Que sur la foi promise et rarement gardée.
Je m'emporte, Seigneur...

BAJAZET

Oui, je sais, Acomat,
Jusqu'où les a portés l'intérêt de l'Etat;
Mais ces mêmes héros, prodigues de leur vie,
Ne la rachetaient point par une perfidie.

ACOMAT

O courage inflexible! O trop constante foi,
Que même en périssant j'admire malgré moi!
Faut-il qu'en un moment un scrupule timide
Perde... Mais quel bonheur vous envoie Atalide?

SCÈNE IV

BAJAZET, ATALIDE, ACOMAT

ACOMAT

Ah! Madame, venez avec moi vous unir.
Il se perd.

ATALIDE

C'est de quoi je viens l'entretenir.
Mais laissez-nous. Roxane, à sa perte animée,
Veut que de ce palais la porte soit fermée.
Toutefois, Acomat, ne vous éloignez pas :
Peut-être on vous fera revenir sur vos pas.

SCÈNE V

BAJAZET, ATALIDE

BAJAZET

Hé bien! c'est maintenant qu'il faut que je vous laisse.
Le ciel punit ma feinte, et confond votre adresse.
Rien ne m'a pu parer contre ses derniers coups :
Il fallait ou mourir, ou n'être plus à vous.

De quoi nous a servi cette indigne contrainte ?
Je meurs plus tard : voilà tout le fruit de ma feinte.
Je vous l'avais prédit; mais vous l'avez voulu.
J'ai reculé vos pleurs autant que je l'ai pu.
Belle Atalide, au nom de cette complaisance,
Daignez de la Sultane éviter la présence.
Vos pleurs vous trahiraient : cachez-les à ses yeux,
Et ne prolongez point de dangereux adieux.

ATALIDE

Non, Seigneur. Vos bontés pour une infortunée
Ont assez disputé contre la destinée.
Il vous en coûte trop pour vouloir m'épargner.
Il faut vous rendre : il faut me quitter, et régner.

BAJAZET

Vous quitter ?

ATALIDE

       Je le veux. Je me suis consultée.
De mille soins jaloux jusqu'alors agitée,
Il est vrai, je n'ai pu concevoir sans effroi
Que Bajazet pût vivre et n'être plus à moi;
Et lorsque quelquefois de ma rivale heureuse
Je me représentais l'image douloureuse,
Votre mort (pardonnez aux fureurs des amants)
Ne me paraissait pas le plus grand des tourments.
Mais à mes tristes yeux votre mort préparée
Dans toute son horreur ne s'était pas montrée;
Je ne vous voyais pas ainsi que je vous vois,
Prêt à me dire adieu pour la dernière fois.
Seigneur, je sais trop bien avec quelle constance
Vous allez de la mort affronter la présence;
Je sais que votre cœur se fait quelques plaisirs
De me prouver sa foi dans ses derniers soupirs.
Mais hélas! épargnez une âme plus timide :
Mesurez vos malheurs aux forces d'Atalide;
Et ne m'exposez point aux plus vives douleurs
Qui jamais d'une amante épuisèrent les pleurs.

BAJAZET

Et que deviendrez-vous, si dès cette journée
Je célèbre à vos yeux ce funeste hyménée ?

ATALIDE

Ne vous informez point ce que je deviendrai.
Peut-être à mon destin, Seigneur, j'obéirai.

Que sais-je ? A ma douleur je chercherai des charmes.
Je songerai peut-être, au milieu de mes larmes,
Qu'à vous perdre pour moi vous étiez résolu,
Que vous vivez, qu'enfin c'est moi qui l'ai voulu.

BAJAZET

Non, vous ne verrez point cette fête cruelle.
Plus vous me commandez de vous être infidèle,
Madame, plus je vois combien vous méritez
De ne point obtenir ce que vous souhaitez.
Quoi ! cet amour si tendre, et né dans notre enfance,
Dont les feux avec nous ont crû dans le silence,
Vos larmes que ma main pouvait seule arrêter,
Mes serments redoublés de ne vous point quitter,
Tout cela finirait par une perfidie ?
J'épouserais, et qui ? (s'il faut que je le die)
Une esclave attachée à ses seuls intérêts,
Qui présente à mes yeux les supplices tout prêts,
Qui m'offre ou son hymen, ou la mort infaillible ;
Tandis qu'à mes périls Atalide sensible,
Et trop digne du sang qui lui donna le jour,
Veut me sacrifier jusques à son amour.
Ah ! qu'au jaloux Sultan ma tête soit portée,
Puisqu'il faut à ce prix qu'elle soit rachetée !

ATALIDE

Seigneur, vous pourriez vivre, et ne me point trahir.

BAJAZET

Parlez. Si je le puis, je suis prêt d'obéir.

ATALIDE

La Sultane vous aime ; et malgré sa colère,
Si vous preniez, Seigneur, plus de soin de lui plaire,
Si vos soupirs daignaient lui faire pressentir
Qu'un jour...

BAJAZET

                Je vous entends : je n'y puis consentir.
Ne vous figurez point que dans cette journée,
D'un lâche désespoir ma vertu consternée
Craigne les soins d'un trône où je pourrais monter,
Et par un prompt trépas cherche à les éviter.
J'écoute trop peut-être une imprudente audace ;
Mais sans cesse occupé des grands noms de ma race,
J'espérais que fuyant un indigne repos,
Je prendrais quelque place entre tant de héros.

Mais quelque ambition, quelque amour qui me brûle,
Je ne puis plus tromper une amante crédule.
En vain pour me sauver je vous l'aurais promis :
Et ma bouche et mes yeux, du mensonge ennemis,
Peut-être dans le temps que je voudrais lui plaire,
Feraient par leur désordre un effet tout contraire;
Et de mes froids soupirs ses regards offensés
Verraient trop que mon cœur ne les a point poussés.
O ciel! combien de fois je l'aurais éclaircie,
Si je n'eusse à sa haine exposé que ma vie,
Si je n'avais pas craint que ses soupçons jaloux
N'eussent trop aisément remonté jusqu'à vous!
Et j'irais l'abuser d'une fausse promesse ?
Je me parjurerais ? Et par cette bassesse...
Ah! loin de m'ordonner cet indigne détour,
Si votre cœur était moins plein de son amour,
Je vous verrais sans doute en rougir la première.
Mais pour vous épargner une injuste prière,
Adieu : je vais trouver Roxane de ce pas,
Et je vous quitte.

ATALIDE

Et moi, je ne vous quitte pas.
Venez, cruel, venez, je vais vous y conduire,
Et de tous nos secrets c'est moi qui veux l'instruire.
Puisque, malgré mes pleurs, mon amant furieux
Se fait tant de plaisir d'expirer à mes yeux,
Roxane, malgré vous, nous joindra l'un et l'autre.
Elle aura plus de soif de mon sang que du vôtre,
Et je pourrai donner à vos yeux effrayés
Le spectacle sanglant que vous me prépariez.

BAJAZET

O ciel! que faites-vous ?

ATALIDE

Cruel, pouvez-vous croire
Que je sois moins que vous jalouse de ma gloire ?
Pensez-vous que cent fois, en vous faisant parler,
Ma rougeur ne fût pas prête à me déceler ?
Mais on me présentait votre perte prochaine.
Pourquoi faut-il, ingrat, quand la mienne est certaine,
Que vous n'osiez pour moi ce que j'osais pour vous ?
Peut-être il suffira d'un mot un peu plus doux;
Roxane dans son cœur peut-être vous pardonne.
Vous-même, vous voyez le temps qu'elle vous donne.

A-t-elle, en vous quittant, fait sortir le Vizir ?
Des gardes à mes yeux viennent-ils vous saisir ?
Enfin, dans sa fureur implorant mon adresse,
Ses pleurs ne m'ont-ils pas découvert sa tendresse ?
Peut-être elle n'attend qu'un espoir incertain
Qui lui fasse tomber les armes de la main.
Allez, Seigneur. Sauvez votre vie et la mienne.

BAJAZET

Hé bien! Mais quels discours faut-il que je lui tienne ?

ATALIDE

Ah! daignez sur ce choix ne me point consulter.
L'occasion, le ciel pourra vous les dicter.
Allez. Entre elle et vous je ne dois point paraître :
Votre trouble ou le mien nous feraient reconnaître.
Allez, encore un coup, je n'ose m'y trouver.
Dites... tout ce qu'il faut, Seigneur, pour vous sauver.

ACTE III

SCÈNE PREMIÈRE

ATALIDE, ZAIRE

ATALIDE

Zaïre, il est donc vrai, sa grâce est prononcée ?

ZAIRE

Je vous l'ai dit, Madame : une esclave empressée,
Qui courait de Roxane accomplir le désir,
Aux portes du Sérail a reçu le Vizir.
Ils ne m'ont point parlé; mais mieux qu'aucun langage,
Le transport du Vizir marquait sur son visage
Qu'un heureux changement le rappelle au Palais,
Et qu'il y vient signer une éternelle paix.
Roxane a pris sans doute une plus douce voie.

ATALIDE

Ainsi de toutes parts les plaisirs et la joie
M'abandonnent, Zaïre, et marchent sur leurs pas.
J'ai fait ce que j'ai dû : je ne m'en repens pas.

ZAIRE

Quoi, Madame ? Quelle est cette nouvelle alarme ?

ATALIDE

Et ne t'a-t-on point dit, Zaïre, par quel charme,
Ou, pour mieux dire enfin, par quel engagement
Bajazet a pu faire un si prompt changement ?
Roxane en sa fureur paraissait inflexible.
A-t-elle de son cœur quelque gage infaillible ?
Parle. L'épouse-t-il ?

ZAIRE

                    Je n'en ai rien appris.
Mais enfin, s'il n'a pu se sauver qu'à ce prix,
S'il fait ce que vous-même avez su lui prescrire,
S'il l'épouse, en un mot...

ATALIDE

                    S'il l'épouse, Zaïre !

ZAIRE

Quoi ! vous repentez-vous des généreux discours
Que vous dictait le soin de conserver ses jours ?

ATALIDE

Non, non, il ne fera que ce qu'il a dû faire.
Sentiments trop jaloux, c'est à vous de vous taire.
Si Bajazet l'épouse, il suit mes volontés ;
Respectez ma vertu qui vous a surmontés ;
A ses nobles conseils ne mêlez point le vôtre ;
Et loin de me le peindre entre les bras d'une autre,
Laissez-moi sans regret me le représenter
Au trône, où mon amour l'a forcé de monter.
Oui, je me reconnais, je suis toujours la même.
Je voulais qu'il m'aimât, chère Zaïre : il m'aime ;
Et du moins cet espoir me console aujourd'hui,
Que je vais mourir digne et contente de lui.

ZAIRE

Mourir ! Quoi ? vous auriez un dessein si funeste ?

ATALIDE

J'ai cédé mon amant : tu t'étonnes du reste !
Peux-tu compter, Zaïre, au nombre des malheurs
Une mort qui prévient et finit tant de pleurs ?
Qu'il vive, c'est assez. Je l'ai voulu sans doute,
Et je le veux toujours, quelque prix qu'il m'en coûte.

Je n'examine point ma joie ou mon ennui :
J'aime assez mon amant pour renoncer à lui.
Mais hélas ! il peut bien penser avec justice
Que si j'ai pu lui faire un si grand sacrifice,
Ce cœur, qui de ses jours prend ce funeste soin,
L'aime trop pour vouloir en être le témoin.
Allons, je veux savoir...

ZAIRE

Modérez-vous, de grâce.
On vient vous informer de tout ce qui se passe :
C'est le Vizir.

SCÈNE II

ATALIDE, ACOMAT, ZAIRE

ACOMAT

Enfin nos amants sont d'accord,
Madame. Un calme heureux nous remet dans le port.
La Sultane a laissé désarmer sa colère.
Elle m'a déclaré sa volonté dernière ;
Et tandis qu'elle montre au peuple épouvanté
Du prophète divin l'étendard redouté,
Qu'à marcher sur mes pas Bajazet se dispose,
Je vais de ce signal faire entendre la cause,
Remplir tous les esprits d'une juste terreur,
Et proclamer enfin le nouvel empereur.
Cependant permettez que je vous renouvelle
Le souvenir du prix qu'on promit à mon zèle.
N'attendez point de moi ces doux emportements,
Tels que j'en vois paraître au cœur de ces amants.
Mais si par d'autres soins plus dignes de mon âge,
Par de profonds respects, par un long esclavage,
Tel que nous le devons au sang de nos sultans,
Je puis...

ATALIDE

Vous m'en pourrez instruire avec le temps.
Avec le temps aussi vous pourrez me connaître.
Mais quels sont ces transports qu'ils vous ont fait paraître ?

ACOMAT

Madame, doutez-vous des soupirs enflammés
De deux jeunes amants l'un de l'autre charmés ?

ATALIDE

Non ; mais à dire vrai ce miracle m'étonne.
Et dit-on à quel prix Roxane lui pardonne ?
L'épouse-t-il enfin ?

ACOMAT

Madame, je le crois.
Voici tout ce qui vient d'arriver devant moi.
  Surpris, je l'avoûrai, de leur fureur commune,
Querellant les amants, l'amour et la fortune,
J'étais de ce palais sorti désespéré.
Déjà, sur un vaisseau dans le port preparé
Chargeant de mon débris les reliques plus chères,
Je méditais ma fuite aux terres étrangères.
Dans ce triste dessein au Palais rappelé,
Plein de joie et d'espoir, j'ai couru, j'ai volé.
La porte du Sérail à ma voix s'est ouverte ;
Et d'abord une esclave à mes yeux s'est offerte,
Qui m'a conduit sans bruit dans un appartement
Où Roxane attentive écoutait son amant.
Tout gardait devant eux un auguste silence.
Moi-même, résistant à mon impatience
Et respectant de loin leur secret entretien,
J'ai longtemps immobile observé leur maintien.
Enfin, avec des yeux qui découvraient son âme,
L'une a tendu la main pour gage de sa flamme ;
L'autre, avec des regards éloquents, pleins d'amour,
L'a de ses feux, Madame, assurée à son tour.

ATALIDE

Hélas !

ACOMAT

Ils m'ont alors aperçu l'un et l'autre.
Voilà, m'a-t-elle dit, *votre prince et le nôtre.*
Je vais, brave Acomat, le remettre en vos mains.
Allez lui préparer les honneurs souverains.
Qu'un peuple obéissant l'attende dans le temple :
Le Sérail va bientôt vous en donner l'exemple.
Aux pieds de Bajazet alors je suis tombé,
Et soudain à leurs yeux je me suis dérobé,
Trop heureux d'avoir pu, par un récit fidèle,
De leur paix en passant vous conter la nouvelle,
Et m'acquitter vers vous de mes respects profonds.
Je vais le couronner, Madame, et j'en réponds.

SCÈNE III

ATALIDE, ZAIRE

ATALIDE

Allons, retirons-nous, ne troublons point leur joie.

ZAIRE

Ah! Madame, croyez...

ATALIDE

                              Que veux-tu que je croie ?
Quoi donc ? à ce spectacle irai-je m'exposer ?
Tu vois que c'en est fait : ils se vont épouser.
La Sultane est contente; il l'assure qu'il l'aime.
Mais je ne m'en plains pas, je l'ai voulu moi-même.
Cependant croyais-tu, quand jaloux de sa foi
Il s'allait plein d'amour sacrifier pour moi;
Lorsque son cœur tantôt m'exprimant sa tendresse,
Refusait à Roxane une simple promesse;
Quand mes larmes en vain tâchaient de l'émouvoir;
Quand je m'applaudissais de leur peu de pouvoir;
Croyais-tu que son cœur, contre toute apparence,
Pour la persuader trouvât tant d'éloquence ?
Ah! peut-être, après tout, que sans trop se forcer,
Tout ce qu'il a pu dire, il a pu le penser.
Peut-être en la voyant, plus sensible pour elle,
Il a vu dans ses yeux quelque grâce nouvelle.
Elle aura devant lui fait parler ses douleurs,
Elle l'aime, un Empire autorise ses pleurs,
Tant d'amour touche enfin une âme généreuse,
Hélas! que de raisons contre une malheureuse!

ZAIRE

Mais ce succès, Madame, est encore incertain.
Attendez.

ATALIDE

          Non, vois-tu, je le nîrais en vain.
Je ne prends point plaisir à croître ma misère.
Je sais pour se sauver tout ce qu'il a dû faire.
Quand mes pleurs vers Roxane ont rappelé ses pas,
Je n'ai point prétendu qu'il ne m'obéît pas;
Mais après les adieux que je venais d'entendre,
Après tous les transports d'une douleur si tendre,

Je sais qu'il n'a point dû lui faire remarquer
La joie et les transports qu'on vient de m'expliquer.
Toi-même, juge-nous, et vois si je m'abuse :
Pourquoi de ce conseil moi seule suis-je exclue ?
Au sort de Bajazet ai-je si peu de part ?
A me chercher lui-même attendrait-il si tard,
N'était que de son cœur le trop juste reproche
Lui fait peut-être, hélas! éviter cette approche ?
Mais non, je lui veux bien épargner ce souci :
Il ne me verra plus.

ZAIRE

Madame, le voici.

SCÈNE IV

BAJAZET, ATALIDE, ZAIRE

BAJAZET

C'en est fait, j'ai parlé : vous êtes obéie.
Vous n'avez plus, Madame, à craindre pour ma vie;
Et je serais heureux, si la foi, si l'honneur
Ne me reprochait point mon injuste bonheur,
Si mon cœur, dont le trouble en secret me condamne,
Pouvait me pardonner aussi bien que Roxane.
Mais enfin je me vois les armes à la main;
Je suis libre, et je puis contre un frère inhumain,
Non plus, par un silence aidé de votre adresse,
Disputer en ces lieux le cœur de sa maîtresse,
Mais par de vrais combats, par de nobles dangers,
Moi-même le cherchant aux climats étrangers,
Lui disputer les cœurs du peuple et de l'armée,
Et pour juge entre nous prendre la renommée.
Que vois-je ? Qu'avez-vous ? Vous pleurez!

ATALIDE

Non, Seigneur,
Je ne murmure point contre votre bonheur :
Le ciel, le juste ciel vous devait ce miracle.
Vous savez si jamais j'y formai quelque obstacle.
Tant que j'ai respiré, vos yeux me sont témoins
Que votre seul péril occupait tous mes soins;
Et puisqu'il ne pouvait finir qu'avec ma vie,
C'est sans regret aussi que je la sacrifie.

Il est vrai, si le ciel eût écouté mes vœux,
Qu'il pouvait m'accorder un trépas plus heureux.
Vous n'en auriez pas moins épousé ma rivale :
Vous pouviez l'assurer de la foi conjugale,
Mais vous n'auriez pas joint à ce titre d'époux
Tous ces gages d'amour qu'elle a reçus de vous.
Roxane s'estimait assez récompensée,
Et j'aurais en mourant cette douce pensée
Que vous ayant moi-même imposé cette loi,
Je vous ai vers Roxane envoyé plein de moi;
Qu'emportant chez les morts toute votre tendresse,
Ce n'est point un amant en vous que je lui laisse.

Que parlez-vous, Madame, et d'époux et d'amant?
O ciel! de ce discours quel est le fondement?
Qui peut vous avoir fait ce récit infidèle?
Moi, j'aimerais Roxane, ou je vivrais pour elle,
Madame! Ah! croyez-vous que, loin de le penser,
Ma bouche seulement eût pu le prononcer?
Mais l'un ni l'autre enfin n'était point nécessaire :
La Sultane a suivi son penchant ordinaire;
Et soit qu'elle ait d'abord expliqué mon retour
Comme un gage certain qui marquait mon amour,
Soit que le temps trop cher la pressât de se rendre,
A peine ai-je parlé que, sans presque m'entendre,
Ses pleurs précipités ont coupé mes discours.
Elle met dans ma main sa fortune, ses jours,
Et se fiant enfin à ma reconnaissance,
D'un hymen infaillible a formé l'espérance.
Moi-même, rougissant de sa crédulité
Et d'un amour si tendre et si peu mérité,
Dans ma confusion que Roxane, Madame,
Attribuait encore à l'excès de ma flamme,
Je me trouvais barbare, injuste, criminel.
Croyez qu'il m'a fallu, dans ce moment cruel,
Pour garder jusqu'au bout un silence perfide,
Rappeler tout l'amour que j'ai pour Atalide.
Cependant, quand je viens après de tels efforts
Chercher quelque secours contre tous mes remords,
Vous-même contre moi je vous vois irritée
Reprocher votre mort à mon âme agitée.
Je vois enfin, je vois qu'en ce même moment
Tout ce que je vous dis vous touche faiblement.
    Madame, finissons et mon trouble et le vôtre :

Ne nous affligeons point vainement l'un et l'autre.
Roxane n'est pas loin; laissez agir ma foi.
J'irai, bien plus content et de vous et de moi,
Détromper son amour d'une feinte forcée,
Que je n'allais tantôt déguiser ma pensée.
La voici.

ATALIDE

Juste ciel! où va-t-il s'exposer ?
Si vous m'aimez, gardez de la désabuser.

SCÈNE V

BAJAZET, ROXANE, ATALIDE

ROXANE

Venez, Seigneur, venez : il est temps de paraître,
Et que tout le Sérail reconnaisse son maître.
Tout ce peuple nombreux dont il est habité,
Assemblé par mon ordre, attend ma volonté.
Mes esclaves gagnés, que le reste va suivre,
Sont les premiers sujets que mon amour vous livre.
L'auriez-vous cru, Madame, et qu'un si prompt retour
Fît à tant de fureur succéder tant d'amour ?
Tantôt, à me venger fixe et déterminée,
Je jurais qu'il voyait sa dernière journée.
A peine cependant Bajazet m'a parlé,
L'amour fit le serment, l'amour l'a violé.
J'ai cru dans son désordre entrevoir sa tendresse :
J'ai prononcé sa grâce, et je crois sa promesse.

BAJAZET

Oui, je vous ai promis et j'ai donné ma foi
De n'oublier jamais tout ce que je vous dois;
J'ai juré que mes soins, ma juste complaisance
Vous répondront toujours de ma reconnaissance.
Si je puis à ce prix mériter vos bienfaits,
Je vais de vos bontés attendre les effets.

SCÈNE VI

ROXANE, ATALIDE

ROXANE

De quel étonnement, ô ciel! suis-je frappée!
Est-ce un songe ? et mes yeux ne m'ont-ils point trompée ?
Quel est ce sombre accueil, et ce discours glacé
Qui semble révoquer tout ce qui s'est passé ?
Sur quel espoir croit-il que je me sois rendue,
Et qu'il ait regagné mon amitié perdue ?
J'ai cru qu'il me jurait que jusques à la mort
Son amour me laissait maîtresse de son sort.
Se repent-il déjà de m'avoir apaisée ?
Mais moi-même tantôt me serais-je abusée ?
Ah!... Mais il vous parlait : quels étaient ses discours,
Madame ?

ATALIDE

Moi, Madame! Il vous aime toujours.

ROXANE

Il y va de sa vie au moins que je le croie.
Mais de grâce, parmi tant de sujets de joie,
Répondez-moi, comment pouvez-vous expliquer
Ce chagrin qu'en sortant il m'a fait remarquer ?

ATALIDE

Madame, ce chagrin n'a point frappé ma vue.
Il m'a de vos bontés longtemps entretenue;
Il en était tout plein quand je l'ai rencontré.
J'ai cru le voir sortir tel qu'il était entré.
Mais, Madame, après tout, faut-il être surprise
Que, tout prêt d'achever cette grande entreprise,
Bajazet s'inquiète, et qu'il laisse échapper
Quelque marque des soins qui doivent l'occuper ?

ROXANE

Je vois qu'à l'excuser votre adresse est extrême.
Vous parlez mieux pour lui qu'il ne parle lui-même.

ATALIDE

Et quel autre intérêt...

ROXANE

Madame, c'est assez.
Je conçois vos raisons mieux que vous ne pensez.
Laissez-moi. J'ai besoin d'un peu de solitude.
Ce jour me jette aussi dans quelque inquiétude.
J'ai, comme Bajazet, mon chagrin et mes soins,
Et je veux un moment y penser sans témoins.

SCÈNE VII

ROXANE, *seule*.

De tout ce que je vois que faut-il que je pense ?
Tous deux à me tromper sont-ils d'intelligence ?
Pourquoi ce changement, ce discours, ce départ ?
N'ai-je pas même entre eux surpris quelque regard ?
Bajazet interdit! Atalide étonnée!
O ciel! à cet affront m'auriez-vous condamnée ?
De mon aveugle amour seraient-ce là les fruits ?
Tant de jours douloureux, tant d'inquiètes nuits,
Mes brigues, mes complots, ma trahison fatale,
N'aurais-je tout tenté que pour une rivale ?
    Mais peut-être qu'aussi, trop prompte à m'affliger,
J'observe de trop près un chagrin passager.
J'impute à son amour l'effet de son caprice.
N'eût-il pas jusqu'au bout conduit son artifice ?
Prêt à voir le succès de son déguisement,
Quoi! ne pouvait-il pas feindre encore un moment ?
Non, non, rassurons-nous. Trop d'amour m'intimide.
Et pourquoi dans son cœur redouter Atalide ?
Quel serait son dessein ? Qu'a-t-elle fait pour lui ?
Qui de nous deux enfin le couronne aujourd'hui ?
Mais, hélas! de l'amour ignorons-nous l'empire ?
Si par quelque autre charme Atalide l'attire,
Qu'importe qu'il nous doive et le sceptre et le jour ?
Les bienfaits dans un cœur balancent-ils l'amour ?
Et sans chercher plus loin, quand l'ingrat me sut plaire,
Ai-je mieux reconnu les bontés de son frère ?
Ah! si d'une autre chaîne il n'était point lié,
L'offre de mon hymen l'eût-il tant effrayé ?
N'eût-il pas sans regret secondé mon envie ?
L'eût-il refusé même aux dépens de sa vie ?
Que de justes raisons... Mais qui vient me parler ?
Que veut-on ?

SCÈNE VIII

ROXANE, ZATIME

ZATIME

Pardonnez si j'ose vous troubler.
Mais, Madame, un esclave arrive de l'armée;
Et quoique sur la mer la porte fût fermée,
Les gardes sans tarder l'ont ouverte à genoux
Aux ordres du Sultan qui s'adressent à vous.
Mais ce qui me surprend, c'est Orcan qu'il envoie.

ROXANE

Orcan!

ZATIME

Oui, de tous ceux que le Sultan emploie,
Orcan, le plus fidèle à servir ses desseins,
Né sous le ciel brûlant des plus noirs Africains.
Madame, il vous demande avec impatience.
Mais j'ai cru vous devoir avertir par avance;
Et souhaitant surtout qu'il ne vous surprît pas,
Dans votre appartement j'ai retenu ses pas.

ROXANE

Quel malheur imprévu vient encor me confondre ?
Quel peut être cet ordre ? Et que puis-je répondre ?
Il n'en faut point douter, le Sultan inquiet
Une seconde fois condamne Bajazet.
On ne peut sur ses jours sans moi rien entreprendre,
Tout m'obéit ici. Mais dois-je le défendre ?
Quel est mon empereur ? Bajazet ? Amurat ?
J'ai trahi l'un. Mais l'autre est peut-être un ingrat.
Le temps presse. Que faire en ce doute funeste ?
Allons : employons bien le moment qui nous reste.
Ils ont beau se cacher. L'amour le plus discret
Laisse par quelque marque échapper son secret.
Observons Bajazet; étonnons Atalide;
Et couronnons l'amant, ou perdons le perfide.

ACTE IV

SCÈNE PREMIÈRE

ATALIDE, ZAIRE

ATALIDE

Ah! sais-tu mes frayeurs ? Sais-tu que dans ces lieux
J'ai vu du fier Orcan le visage odieux ?
En ce moment fatal, que je crains sa venue!
Que je crains... Mais dis-moi, Bajazet t'a-t-il vue ?
Qu'a-t-il dit ? Se rend-il, Zaïre, à mes raisons ?
Ira-t-il voir Roxane, et calmer ses soupçons ?

ZAIRE

Il ne peut plus la voir sans qu'elle le commande.
Roxane ainsi l'ordonne : elle veut qu'il l'attende.
Sans doute à cet esclave elle veut le cacher.
J'ai feint en le voyant de ne le point chercher.
J'ai rendu votre lettre, et j'ai pris sa réponse.
Madame, vous verrez ce qu'elle vous annonce.

ATALIDE *lit.*

Après tant d'injustes détours,
Faut-il qu'à feindre encor votre amour me convie?
Mais je veux bien prendre soin d'une vie
Dont vous jurez que dépendent vos jours.
Je verrai la Sultane; et par ma complaisance,
Par de nouveaux serments de ma reconnaissance,
J'apaiserai, si je puis, son courroux.
N'exigez rien de plus. Ni la mort, ni vous-même
Ne me ferez jamais prononcer que je l'aime,
Puisque jamais je n'aimerai que vous.
Hélas! Que me dit-il ? Croit-il que je l'ignore ?
Ne sais-je pas assez qu'il m'aime, qu'il m'adore ?
Est-ce ainsi qu'à mes vœux il sait s'accommoder ?
C'est Roxane, et non moi, qu'il faut persuader.
De quelle crainte encor me laisse-t-il saisie ?
Funeste aveuglement! Perfide jalousie!

Récit menteur ! Soupçons que je n'ai pu celer !
Fallait-il vous entendre ou fallait-il parler ?
C'était fait, mon bonheur surpassait mon attente.
J'étais aimée, heureuse, et Roxane contente.
Zaïre, s'il se peut, retourne sur tes pas.
Qu'il l'apaise. Ces mots ne me suffisent pas.
Que sa bouche, ses yeux, tout l'assure qu'il l'aime.
Qu'elle le croie enfin. Que ne puis-je moi-même,
Échauffant par mes pleurs ses soins trop languissants,
Mettre dans ses discours tout l'amour que je sens !
Mais à d'autres périls je crains de le commettre.

ZAIRE

Roxane vient à vous.

ATALIDE

Ah ! Cachons cette lettre.

SCÈNE II

ROXANE, ATALIDE, ZATIME, ZAIRE

ROXANE, *à Zatime.*

Viens. J'ai reçu cet ordre. Il faut l'intimider.

ATALIDE, *à Zaïre.*

Va, cours, et tâche enfin de le persuader.

SCÈNE III

ROXANE, ATALIDE, ZATIME

ROXANE

Madame, j'ai reçu des lettres de l'armée.
De tout ce qui s'y passe êtes-vous informée ?

ATALIDE

On m'a dit que du camp un esclave est venu ;
Le reste est un secret qui ne m'est pas connu.

ROXANE

Amurat est heureux, la fortune est changée,
Madame, et sous ses lois Babylone est rangée.

ATALIDE

Hé quoi ? Madame, Osmin...

ROXANE

Était mal averti,
Et depuis son départ cet esclave est parti.
C'en est fait.

ATALIDE

Quel revers !

ROXANE

Pour comble de disgrâces,
Le Sultan, qui l'envoie, est parti sur ses traces.

ATALIDE

Quoi ? les Persans armés ne l'arrêtent donc pas ?

ROXANE

Non, Madame. Vers nous il revient à grands pas.

ATALIDE

Que je vous plains, Madame ! et qu'il est nécessaire
D'achever promptement ce que vous vouliez faire !

ROXANE

Il est tard de vouloir s'opposer au vainqueur.

ATALIDE

O ciel !

ROXANE

Le temps n'a point adouci sa rigueur.
Vous voyez dans mes mains sa volonté suprême.

ATALIDE

Et que vous mande-t-il ?

ROXANE

Voyez : lisez vous-même.
Vous connaissez, Madame, et la lettre et le seing.

ATALIDE

Du cruel Amurat je reconnais la main.

Elle lit.

Avant que Babylone éprouvât ma puissance,
Je vous ai fait porter mes ordres absolus.
Je ne veux point douter de votre obéissance,
Et crois que maintenant Bajazet ne vit plus.

Je laisse sous mes lois Babylone asservie,
Et confirme en partant mon ordre souverain.
Vous, si vous avez soin de votre propre vie,
Ne vous montrez à moi que sa tête à la main.

ROXANE

Hé bien ?

ATALIDE

Cache tes pleurs, malheureuse Atalide.

ROXANE

Que vous semble ?

ATALIDE

Il poursuit son dessein parricide ;
Mais il pense proscrire un prince sans appui :
Il ne sait pas l'amour qui vous parle pour lui,
Que vous et Bajazet vous ne faites qu'une âme,
Que plutôt, s'il le faut, vous mourrez...

ROXANE

Moi, Madame?
Je voudrais le sauver, je ne le puis haïr.
Mais...

ATALIDE

Quoi donc ? Qu'avez-vous résolu ?

ROXANE

D'obéir.

ATALIDE

D'obéir !

ROXANE

Et que faire en ce péril extrême ?
Il le faut.

ATALIDE

Quoi ! ce prince aimable... qui vous aime,
Verra finir ses jours qu'il vous a destinés !

ROXANE

Il le faut. Et déjà mes ordres sont donnés.

ATALIDE

Je me meurs.

ZATIME

Elle tombe, et ne vit plus qu'à peine.

ROXANE

Allez, conduisez-la dans la chambre prochaine.
Mais au moins observez ses regards, ses discours,
Tout ce qui convaincra leurs perfides amours.

SCÈNE IV

ROXANE, *seule.*

Ma rivale à mes yeux s'est enfin déclarée :
Voilà sur quelle foi je m'étais assurée.
Depuis six mois entiers j'ai cru que nuit et jour
Ardente elle veillait au soin de mon amour;
Et c'est moi qui du sien ministre trop fidèle
Semble depuis six mois ne veiller que pour elle,
Qui me suis appliquée à chercher les moyens
De lui faciliter tant d'heureux entretiens,
Et qui même souvent, prévenant son envie,
Ai hâté les moments les plus doux de sa vie.
Ce n'est pas tout : il faut maintenant m'éclaircir
Si dans sa perfidie elle a su réussir;
Il faut... Mais que pourrais-je apprendre davantage ?
Mon malheur n'est-il pas écrit sur son visage ?
Vois-je pas, au travers de son saisissement,
Un cœur dans ses douleurs content de son amant ?
Exempte des soupçons dont je suis tourmentée,
Ce n'est que pour ses jours qu'elle est épouvantée.
N'importe. Poursuivons. Elle peut comme moi
Sur des gages trompeurs s'assurer de sa foi.
Pour le faire expliquer, tendons-lui quelque piège.
Mais quel indigne emploi moi-même m'imposé-je!
Quoi donc ? à me gêner appliquant mes esprits,
J'irai faire à mes yeux éclater ses mépris ?
Lui-même il peut prévoir et tromper mon adresse.
D'ailleurs l'ordre, l'esclave, et le Vizir me presse.
Il faut prendre parti, l'on m'attend. Faisons mieux :
Sur tout ce que j'ai vu fermons plutôt les yeux;
Laissons de leur amour la recherche importune;
Poussons à bout l'ingrat, et tentons la fortune.
Voyons si, par mes soins sur le trône élevé,
Il osera trahir l'amour qui l'a sauvé,
Et si, de mes bienfaits lâchement libérale,
Sa main en osera couronner ma rivale.

Je saurai bien toujours retrouver le moment
De punir, s'il le faut, la rivale et l'amant.
Dans ma juste fureur observant le perfide,
Je saurai le surprendre avec son Atalide;
Et d'un même poignard les unissant tous deux,
Les percer l'un et l'autre, et moi-même après eux.
Voilà, n'en doutons point, le parti qu'il faut prendre.
Je veux tout ignorer.

SCÈNE V

ROXANE, ZATIME

ROXANE

Ah! que viens-tu m'apprendre,
Zatime? Bajazet en est-il amoureux?
Vois-tu dans ses discours qu'ils s'entendent tous deux?

ZATIME

Elle n'a point parlé. Toujours évanouie,
Madame, elle ne marque aucun reste de vie
Que par de longs soupirs et des gémissements,
Qu'il semble que son cœur va suivre à tous moments.
Vos femmes, dont le soin à l'envi la soulage,
Ont découvert son sein pour leur donner passage.
Moi-même avec ardeur secondant ce dessein,
J'ai trouvé ce billet enfermé dans son sein.
Du prince votre amant j'ai reconnu la lettre,
Et j'ai cru qu'en vos mains je devais le remettre.

ROXANE

Donne. Pourquoi frémir? et quel trouble soudain
Me glace à cet objet et fait trembler ma main?
Il peut l'avoir écrit sans m'avoir offensée,
Il peut même... Lisons, et voyons sa pensée:
. . . .*Ni la mort, ni vous-même*
Ne me ferez jamais prononcer que je l'aime,
Puisque jamais je n'aimerai que vous.
Ah! de la trahison me voilà donc instruite.
Je reconnais l'appas dont ils m'avaient séduite.
Ainsi donc mon amour était récompensé,
Lâche, indigne du jour que je t'avais laissé?
Ah! je respire enfin; et ma joie est extrême
Que le traître une fois se soit trahi lui-même.

Libre des soins cruels où j'allais m'engager,
Ma tranquille fureur n'a plus qu'à se venger.
Qu'il meure. Vengeons-nous. Courez. Qu'on le saisisse.
Que la main des muets s'arme pour son supplice.
Qu'ils viennent préparer ces nœuds infortunés
Par qui de ses pareils les jours sont terminés.
Cours, Zatime, sois prompte à servir ma colère.

ZATIME

Ah! Madame.

ROXANE

Quoi donc ?

ZATIME

Si, sans trop vous déplaire,
Dans les justes transports, Madame, où je vous vois,
J'osais vous faire entendre une timide voix :
Bajazet, il est vrai, trop indigne de vivre,
Aux mains de ces cruels mérite qu'on le livre.
Mais tout ingrat qu'il est, croyez-vous aujourd'hui
Qu'Amurat ne soit pas plus à craindre que lui ?
Et qui sait si déjà quelque bouche infidèle
Ne l'a point averti de votre amour nouvelle ?
Des cœurs comme le sien, vous le savez assez,
Ne se regagnent plus quand ils sont offensés,
Et la plus prompte mort, dans ce moment sévère,
Devient de leur amour la marque la plus chère.

ROXANE

Avec quelle insolence et quelle cruauté
Ils se jouaient tous deux de ma crédulité !
Quel penchant, quel plaisir je sentais à les croire !
Tu ne remportais pas une grande victoire,
Perfide, en abusant ce cœur préoccupé,
Qui lui-même craignait de se voir détrompé.
Moi! qui de ce haut rang qui me rendait si fière,
Dans le sein du malheur t'ai cherché la première,
Pour attacher des jours tranquilles, fortunés,
Aux périls dont tes jours étaient environnés,
Après tant de bonté, de soin, d'ardeurs extrêmes,
Tu ne saurais jamais prononcer que tu m'aimes !
Mais dans quel souvenir me laissé-je égarer ?
Tu pleures, malheureuse ? Ah! tu devais pleurer
Lorsque d'un vain désir à ta perte poussée,
Tu conçus de le voir la première pensée.

Tu pleures ? Et l'ingrat, tout prêt à te trahir,
Prépare les discours dont il veut t'éblouir.
Pour plaire à ta rivale, il prend soin de sa vie.
Ah! traître, tu mourras. Quoi ? tu n'es point partie ?
Va. Mais nous-même, allons, précipitons nos pas.
Qu'il me voie, attentive au soin de son trépas,
Lui montrer, à la fois, et l'ordre de son frère,
Et de sa trahison ce gage trop sincère.
Toi, Zatime, retiens ma rivale en ces lieux.
Qu'il n'ait en expirant que ses cris pour adieux.
Qu'elle soit cependant fidèlement servie.
Prends soin d'elle : ma haine a besoin de sa vie.
Ah! si pour son amant facile à s'attendrir,
La peur de son trépas la fit presque mourir
Quel surcroît de vengeance et de douceur nouvelle
De le montrer bientôt pâle et mort devant elle,
De voir sur cet objet ses regards arrêtés
Me payer les plaisirs que je leur ai prêtés!
Va, retiens-la. Surtout garde bien le silence.
Moi... Mais qui vient ici différer ma vengeance ?

SCÈNE VI

ROXANE, ACOMAT, OSMIN

ACOMAT

Que faites-vous, Madame ? En quels retardements
D'un jour si précieux perdez-vous les moments ?
Byzance par mes soins presque entière assemblée
Interroge ses chefs, de leur crainte troublée;
Et tous, pour s'expliquer, ainsi que mes amis,
Attendent le signal que vous m'aviez promis.
D'où vient que, sans répondre à leur impatience,
Le Sérail cependant garde un triste silence ?
Déclarez-vous, Madame, et sans plus différer...

ROXANE

Oui, vous serez content, je vais me déclarer.

ACOMAT

Madame, quel regard, et quelle voix sévère,
Malgré votre discours, m'assurent du contraire ?
Quoi ? déjà votre amour, des obstacles vaincu...

ROXANE

Bajazet est un traître, et n'a que trop vécu.

ACOMAT

Lui!

ROXANE

Pour moi, pour vous-même, également perfide,
Il nous trompait tous deux.

ACOMAT

Comment ?

ROXANE

Cette Atalide,
Qui même n'était pas un assez digne prix
De tout ce que pour lui vous avez entrepris...

ACOMAT

Hé bien ?

ROXANE

Lisez. Jugez après cette insolence,
Si nous devons d'un traître embrasser la défense.
Obéissons plutôt à la juste rigueur
D'Amurat qui s'approche et retourne vainqueur;
Et livrant sans regret un indigne complice,
Apaisons le Sultan par un prompt sacrifice.

ACOMAT, *lui rendant le billet.*

Oui, puisque jusque-là l'ingrat m'ose outrager,
Moi-même, s'il le faut, je m'offre à vous venger,
Madame. Laissez-moi nous laver l'un et l'autre
Du crime que sa vie a jeté sur la nôtre.
Montrez-moi le chemin, j'y cours.

ROXANE

Non, Acomat,
Laissez-moi le plaisir de confondre l'ingrat.
Je veux voir son désordre, et jouir de sa honte.
Je perdrais ma vengeance en la rendant si prompte.
Je vais tout préparer. Vous cependant allez
Disperser promptement vos amis assemblés.

SCÈNE VII

ACOMAT, OSMIN

ACOMAT

Demeure. Il n'est pas temps, cher Osmin, que je sorte.

OSMIN

Quoi! jusque-là, Seigneur, votre amour vous transporte ?
N'avez-vous pas poussé la vengeance assez loin ?
Voulez-vous de sa mort être encor le témoin ?

ACOMAT

Que veux-tu dire ? Es-tu toi-même si crédule
Que de me soupçonner d'un courroux ridicule ?
Moi, jaloux ? Plût au ciel qu'en me manquant de foi,
L'imprudent Bajazet n'eût offensé que moi !

OSMIN

Et pourquoi donc, Seigneur, au lieu de le défendre...

ACOMAT

Et la Sultane est-elle en état de m'entendre ?
Ne voyais-tu pas bien, quand je l'allais trouver,
Que j'allais avec lui me perdre, ou me sauver ?
Ah! de tant de conseils événement sinistre !
Prince aveugle! Ou plutôt trop aveugle ministre !
Il te sied bien d'avoir en de si jeunes mains,
Chargé d'ans et d'honneurs, confié tes desseins,
Et laissé d'un vizir la fortune flottante
Suivre de ces amants la conduite imprudente.

OSMIN

Hé! laissez-les entre eux exercer leur courroux.
Bajazet veut périr; Seigneur, songez à vous.
Qui peut de vos desseins révéler le mystère,
Sinon quelques amis engagés à se taire ?
Vous verrez par sa mort le Sultan adouci.

ACOMAT

Roxane en sa fureur peut raisonner ainsi.
Mais moi, qui vois plus loin, qui, par un long usage,
Des maximes du trône ai fait l'apprentissage,

Qui d'emplois en emplois vieilli sous trois sultans,
Ai vu de mes pareils les malheurs éclatants,
Je sais, sans me flatter, que de sa seule audace
Un homme tel que moi doit attendre sa grâce,
Et qu'une mort sanglante est l'unique traité
Qui reste entre l'esclave et le maître irrité.

OSMIN

Fuyez donc.

ACOMAT

   J'approuvais tantôt cette pensée :
Mon entreprise alors était moins avancée.
Mais il m'est désormais trop dur de reculer.
Par une belle chute il faut me signaler,
Et laisser un débris du moins après ma fuite,
Qui de mes ennemis retarde la poursuite.
Bajazet vit encor. Pourquoi nous étonner ?
Acomat de plus loin a su le ramener.
Sauvons-le, malgré lui, de ce péril extrême,
Pour nous, pour nos amis, pour Roxane elle-même.
Tu vois combien son cœur, prêt à le protéger,
A retenu mon bras trop prompt à le venger.
Je connais peu l'amour; mais j'ose te répondre
Qu'il n'est pas condamné, puisqu'on le veut confondre,
Que nous avons du temps. Malgré son désespoir,
Roxane l'aime encore, Osmin, et le va voir.

OSMIN

Enfin que vous inspire une si noble audace ?
Si Roxane l'ordonne, il faut quitter la place.
Ce palais est tout plein...

ACOMAT

     Oui, d'esclaves obscurs,
Nourris loin de la guerre à l'ombre de ses murs.
Mais toi dont la valeur, d'Amurat oubliée,
Par de communs chagrins à mon sort s'est liée,
Voudras-tu jusqu'au bout seconder mes fureurs ?

OSMIN

Seigneur, vous m'offensez. Si nous mourez, je meurs.

ACOMAT

D'amis et de soldats une troupe hardie
Aux portes du Palais attend notre sortie.

La Sultane d'ailleurs se fie à mes discours.
Nourri dans le Sérail, j'en connais les détours;
Je sais de Bajazet l'ordinaire demeure.
Ne tardons plus, marchons. Et s'il faut que je meure,
Mourons, moi, cher Osmin, comme un vizir; et toi,
Comme le favori d'un homme tel que moi.

ACTE V

SCÈNE PREMIÈRE

ATALIDE, *seule*.

Hélas! je cherche en vain : rien ne s'offre à ma vue.
Malheureuse! Comment puis-je l'avoir perdue?
Ciel, aurais-tu permis que mon funeste amour
Exposât mon amant tant de fois en un jour?
Que pour dernier malheur, cette lettre fatale
Fût encor parvenue aux yeux de ma rivale?
J'étais en ce lieu même, et ma timide main,
Quand Roxane a paru, l'a cachée en mon sein.
Sa présence a surpris mon âme désolée;
Ses menaces, sa voix, un ordre m'a troublée.
J'ai senti défaillir ma force et mes esprits.
Ses femmes m'entouraient quand je les ai repris;
A mes yeux étonnés leur troupe est disparue.
Ah! trop cruelles mains qui m'avez secourue,
Vous m'avez vendu cher vos secours inhumains,
Et par vous cette lettre a passé dans ses mains.
Quels desseins maintenant occupent sa pensée?
Sur qui sera d'abord sa vengeance exercée?
Quel sang pourra suffire à son ressentiment?
Ah! Bajazet est mort, ou meurt en ce moment.
Cependant on m'arrête, on me tient enfermée.
On ouvre. De son sort je vais être informée.

SCÈNE II

ROXANE, ATALIDE, ZATIME

ROXANE

Retirez-vous.

ATALIDE

Madame... Excusez l'embarras...

ROXANE

Retirez-vous, vous dis-je, et ne répliquez pas.
Gardes, qu'on la retienne.

SCÈNE III

ROXANE, ZATIME

ROXANE

        Oui, tout est prêt, Zatime :
Orcan et les muets attendent leur victime.
Je suis pourtant toujours maîtresse de son sort.
Je puis le retenir. Mais s'il sort, il est mort.
Vient-il ?

ZATIME

       Oui, sur mes pas un esclave l'amène;
Et loin de soupçonner sa disgrâce prochaine,
Il m'a paru, Madame, avec empressement
Sortir, pour vous chercher, de son appartement.

ROXANE

Ame lâche, et trop digne enfin d'être déçue,
Peux-tu souffrir encor qu'il paraisse à ta vue ?
Crois-tu par tes discours le vaincre ou l'étonner ?
Quand même il se rendrait, peux-tu lui pardonner ?
Quoi ? ne devrais-tu pas être déjà vengée ?
Ne crois-tu pas encore être assez outragée ?
Sans perdre tant d'efforts sur ce cœur endurci,
Que ne le laissons-nous périr ?... Mais le voici.

SCÈNE IV

BAJAZET, ROXANE

ROXANE

Je ne vous ferai point des reproches frivoles :
Les moments sont trop chers pour les perdre en paroles.
Mes soins vous sont connus. En un mot, vous vivez,
Et je ne vous dirais que ce que vous savez.
Malgré tout mon amour, si je n'ai pu vous plaire,
Je n'en murmure point. Quoiqu'à ne vous rien taire,
Ce même amour peut-être et ces mêmes bienfaits
Auraient dû suppléer à mes faibles attraits.
Mais je m'étonne enfin que pour reconnaissance,
Pour prix de tant d'amour, de tant de confiance,
Vous ayez si longtemps par des détours si bas
Feint un amour pour moi que vous ne sentiez pas.

BAJAZET

Qui ? moi, Madame ?

ROXANE

                        Oui, toi. Voudrais-tu point encore
Me nier un mépris que tu crois que j'ignore ?
Ne prétendrais-tu point, par tes fausses couleurs,
Déguiser un amour qui te retient ailleurs,
Et me jurer enfin d'une bouche perfide
Tout ce que tu ne sens que pour ton Atalide ?

BAJAZET

Atalide, Madame ! O ciel ! Qui vous a dit...

ROXANE

Tiens, perfide, regarde, et démens cet écrit.

BAJAZET

Je ne vous dis plus rien. Cette lettre sincère
D'un malheureux amour contient tout le mystère ;
Vous savez un secret que, tout prêt à s'ouvrir,
Mon cœur a mille fois voulu vous découvrir.
J'aime, je le confesse ; et devant que votre âme
Prévenant mon espoir m'eût déclaré sa flamme,
Déjà plein d'un amour dès l'enfance formé,
A tout autre désir mon cœur était fermé.

Vous me vîntes offrir et la vie et l'Empire;
Et même votre amour, si j'ose vous le dire,
Consultant vos bienfaits, les crut, et sur leur foi
De tous mes sentiments vous répondit pour moi.
Je connus votre erreur; mais que pouvais-je faire ?
Je vis en même temps qu'elle vous était chère.
Combien le trône tente un cœur ambitieux!
Un si noble présent me fit ouvrir les yeux.
Je chéris, j'acceptai, sans tarder davantage,
L'heureuse occasion de sortir d'esclavage;
D'autant plus qu'il fallait l'accepter ou périr;
D'autant plus que vous-même, ardente à me l'offrir,
Vous ne craigniez rien tant que d'être refusée,
Que même mes refus vous auraient exposée,
Qu'après avoir osé me voir et me parler,
Il était dangereux pour vous de reculer.
Cependant je n'en veux pour témoin que vos plaintes :
Ai-je pu vous tromper par des promesses feintes ?
Songez combien de fois vous m'avez reproché
Un silence témoin de mon trouble caché.
Plus l'effet de vos soins et ma gloire étaient proches,
Plus mon cœur interdit se faisait de reproches.
Le Ciel, qui m'entendait, sait bien qu'en même temps
Je ne m'arrêtais pas à des vœux impuissants;
Et si l'effet enfin, suivant mon espérance,
Eût ouvert un champ libre à ma reconnaissance,
J'aurais par tant d'honneurs, par tant de dignités
Contenté votre orgueil, et payé vos bontés,
Que vous même peut-être...

ROXANE

                            Et que pourrais-tu faire ?
Sans l'offre de ton cœur par où peux-tu me plaire ?
Quels seraient de tes vœux les inutiles fruits ?
Ne te souvient-il plus de tout ce que je suis ?
Maîtresse du Sérail, arbitre de ta vie,
Et même de l'État, qu'Amurat me confie,
Sultane, et ce qu'en vain j'ai cru trouver en toi,
Souveraine d'un cœur qui n'eût aimé que moi :
Dans ce comble de gloire où je suis arrivée,
A quel indigne honneur m'avais-tu réservée ?
Traînerais-je en ces lieux un sort infortuné,
Vil rebut d'un ingrat que j'aurais couronné,
De mon rang descendue, à mille autres égale,
Ou la première esclave enfin de ma rivale ?

Laissons ces vains discours; et sans m'importuner,
Pour la dernière fois, veux-tu vivre et régner ?
J'ai l'ordre d'Amurat, et je puis t'y soustraire.
Mais tu n'as qu'un moment. Parle.

BAJAZET

Que faut-il faire ?

ROXANE

Ma rivale est ici. Suis-moi sans différer.
Dans les mains des muets viens la voir expirer.
Et libre d'un amour à ta gloire funeste,
Viens m'engager ta foi : le temps fera le reste.
Ta grâce est à ce prix, si tu veux l'obtenir.

BAJAZET

Je ne l'accepterais que pour vous en punir,
Que pour faire éclater aux yeux de tout l'Empire
L'horreur et le mépris que cette offre m'inspire.
Mais à quelle fureur me laissant emporter,
Contre ses tristes jours vais-je vous irriter ?
De mes emportements elle n'est point complice,
Ni de mon amour même et de mon injustice.
Loin de me retenir par des conseils jaloux,
Elle me conjurait de me donner à vous.
En un mot, séparez ses vertus de mon crime.
Poursuivez, s'il le faut, un courroux légitime,
Aux ordres d'Amurat hâtez-vous d'obéir;
Mais laissez-moi du moins mourir sans vous haïr.
Amurat avec moi ne l'a point condamnée :
Épargnez une vie assez infortunée.
Ajoutez cette grâce à tant d'autres bontés,
Madame. Et si jamais je vous fus cher...

ROXANE

Sortez.

SCÈNE V

ROXANE, ZATIME

ROXANE

Pour la dernière fois, perfide, tu m'as vue,
Et tu vas rencontrer la peine qui t'est due.

ZATIME

Atalide à vos pieds demande à se jeter,
Et vous prie un moment de vouloir l'écouter,
Madame : elle vous veut faire l'aveu fidèle
D'un secret important qui vous touche plus qu'elle.

ROXANE

Oui, qu'elle vienne; et toi, suis Bajazet qui sort,
Et quand il sera temps, viens m'apprendre son sort.

SCÈNE VI

ROXANE, ATALIDE

ATALIDE

Je ne viens plus, Madame, à feindre disposée,
Tromper votre bonté si longtemps abusée.
Confuse, et digne objet de vos inimitiés,
Je viens mettre mon cœur et mon crime à vos pieds.
Oui, Madame, il est vrai que je vous ai trompée :
Du soin de mon amour seulement occupée,
Quand j'ai vu Bajazet, loin de vous obéir,
Je n'ai dans mes discours songé qu'à vous trahir.
Je l'aimai dès l'enfance; et dès ce temps, Madame,
J'avais par mille soins su prévenir son âme.
La Sultane sa mère, ignorant l'avenir,
Hélas! pour son malheur, se plut à nous unir.
Vous l'aimâtes depuis. Plus heureux l'un et l'autre,
Si connaissant mon cœur, ou me cachant le vôtre,
Votre amour de la mienne eût su se défier!
Je ne me noircis point pour le justifier.
Je jure par le ciel, qui me voit confondue,
Par ces grands Ottomans dont je suis descendue,
Et qui tous avec moi vous parlent à genoux
Pour le plus pur du sang qu'ils ont transmis en nous :
Bajazet à vos soins tôt ou tard plus sensible,
Madame, à tant d'attraits n'était pas invincible.
Jalouse, et toujours prête à lui représenter
Tout ce que je croyais digne de l'arrêter,
Je n'ai rien négligé, plaintes, larmes, colère,
Quelquefois attestant les mânes de sa mère;
Ce jour même, des jours le plus infortuné,
Lui reprochant l'espoir qu'il vous avait donné,

Et de ma mort enfin le prenant à partie,
Mon importune ardeur ne s'est point ralentie,
Qu'arrachant, malgré lui, des gages de sa foi,
Je ne sois parvenue à le perdre avec moi.
    Mais pourquoi vos bontés seraient-elles lassées ?
Ne vous arrêtez point à ses froideurs passées.
C'est moi qui l'y forçai. Les nœuds que j'ai rompus
Se rejoindront bientôt, quand je ne serai plus.
Quelque peine pourtant qui soit due à mon crime,
N'ordonnez pas vous-même une mort légitime,
Et ne vous montrez point à son cœur éperdu
Couverte de mon sang par vos mains répandu.
D'un cœur trop tendre encore épargnez la faiblesse.
Vous pouvez de mon sort me laisser la maîtresse,
Madame; mon trépas n'en sera pas moins prompt.
Jouissez d'un bonheur dont ma mort vous répond;
Couronnez un héros dont vous serez chérie.
J'aurai soin de ma mort, prenez soin de sa vie.
Allez, Madame, allez. Avant votre retour,
J'aurai d'une rivale affranchi votre amour.

                      ROXANE

Je ne mérite pas un si grand sacrifice :
Je me connais, Madame, et je me fais justice.
Loin de vous séparer, je prétends aujourd'hui
Par des nœuds éternels vous unir avec lui.
Vous jouirez bientôt de son aimable vue.
Levez-vous. Mais que veut Zatime tout émue ?

                    SCÈNE VII
              ROXANE, ATALIDE, ZATIME

                      ZATIME

Ah ! venez vous montrer, Madame, ou désormais
Le rebelle Acomat est maître du Palais.
Profanant des sultans la demeure sacrée,
Ses criminels amis en ont forcé l'entrée.
Vos esclaves tremblants, dont la moitié s'enfuit,
Doutent si le Vizir vous sert ou vous trahit.

                      ROXANE

Ah, les traîtres ! Allons, et courons le confondre.
Toi, garde ma captive, et songe à m'en répondre.

SCÈNE VIII

ATALIDE, ZATIME

ATALIDE

Hélas! pour qui mon cœur doit-il faire des vœux?
J'ignore quel dessein les anime tous deux.
Si de tant de malheurs quelque pitié te touche,
Je ne demande point, Zatime, que ta bouche
Trahisse en ma faveur Roxane et son secret.
Mais, de grâce, dis-moi ce que fait Bajazet.
L'as-tu vu? Pour ses jours n'ai-je encor rien à craindre?

ZATIME

Madame, en vos malheurs je ne puis que vous plaindre.

ATALIDE

Quoi? Roxane déjà l'a-t-elle condamné?

ZATIME

Madame, le secret m'est sur tout ordonné.

ATALIDE

Malheureuse, dis-moi seulement s'il respire.

ZATIME

Il y va de ma vie, et je ne puis rien dire.

ATALIDE

Ah! c'en est trop, cruelle. Achève, et que ta main
Lui donne de ton zèle un gage plus certain.
Perce toi-même un cœur que ton silence accable,
D'une esclave barbare esclave impitoyable.
Précipite des jours qu'elle me veut ravir;
Montre-toi, s'il se peut, digne de la servir.
Tu me retiens en vain; et dès cette même heure,
Il faut que je le voie, ou du moins que je meure.

SCÈNE IX

ATALIDE, ACOMAT, ZATIME

ACOMAT

Ah! que fait Bajazet? Où le puis-je trouver,
Madame? Aurai-je encor le temps de le sauver?
Je cours tout le Sérail. Et même dès l'entrée
De mes braves amis la moitié séparée
A marché sur les pas du courageux Osmin;
Le reste m'a suivi par un autre chemin.
Je cours, et je ne vois que des troupes craintives
D'esclaves effrayés, de femmes fugitives.

ATALIDE

Ah! je suis de son sort moins instruite que vous.
Cette esclave le sait.

ACOMAT

　　　　　　　Crains mon juste courroux.
Malheureuse, réponds.

SCÈNE X

ATALIDE, ACOMAT, ZATIME, ZAIRE

ZAIRE

Madame!

ATALIDE

　　　　　　Hé bien, Zaïre?
Qu'est-ce?

ZAIRE

　　　　Ne craignez plus : votre ennemie expire.

ATALIDE

Roxane?

ZAIRE

Et ce qui va bien plus vous étonner,
Orcan lui-même, Orcan vient de l'assassiner.

ATALIDE

Quoi! lui?

ZAIRE

Désespéré d'avoir manqué son crime,
Sans doute il a voulu prendre cette victime.

ATALIDE

Juste Ciel! l'innocence a trouvé ton appui.
Bajazet vit encor; Vizir, courez à lui.

ZAIRE

Par la bouche d'Osmin vous serez mieux instruite,
Il a tout vu.

SCÈNE XI

ATALIDE, ACOMAT, ZAIRE, OSMIN

ACOMAT

Ses yeux ne l'ont-ils point séduite ?
Roxane est-elle morte ?

OSMIN

Oui, j'ai vu l'assassin
Retirer son poignard tout fumant de son sein.
Orcan, qui méditait ce cruel stratagème,
La servait à dessein de la perdre elle-même;
Et le Sultan l'avait chargé secrètement
De lui sacrifier l'amante après l'amant.
Lui-même, d'aussi loin qu'il nous a vus paraître :
Adorez, a-t-il dit, *l'ordre de votre maître,*
De son auguste seing reconnaissez les traits,
Perfides, et sortez de ce sacré palais.
A ce discours, laissant la Sultane expirante,
Il a marché vers nous, et d'une main sanglante
Il nous a déployé l'ordre dont Amurat
Autorise ce monstre à ce double attentat.
Mais, Seigneur, sans vouloir l'écouter davantage,
Transportés à la fois de douleur et de rage,
Nos bras impatients ont puni son forfait,
Et vengé dans son sang la mort de Bajazet.

ATALIDE

Bajazet!

ACOMAT

Que dis-tu ?

OSMIN

Bajazet est sans vie.
L'ignoriez-vous ?

ATALIDE

O ciel !

OSMIN

Son amante en furie,
Près de ces lieux, Seigneur, craignant votre secours,
Avait au nœud fatal abandonné ses jours.
Moi-même des objets j'ai vu le plus funeste,
Et de sa vie en vain j'ai cherché quelque reste :
Bajazet était mort. Nous l'avons rencontré
De morts et de mourants noblement entouré,
Que vengeant sa défaite et cédant sous le nombre,
Ce héros a forcés d'accompagner son ombre.
Mais puisque c'en est fait, Seigneur, songeons à nous.

ACOMAT

Ah ! destins ennemis, où me réduisez-vous ?
Je sais en Bajazet la perte que vous faites,
Madame. Je sais trop qu'en l'état où vous êtes
Il ne m'appartient point de vous offrir l'appui
De quelques malheureux qui n'espéraient qu'en lui.
Saisi, désespéré d'une mort qui m'accable,
Je vais, non point sauver cette tête coupable,
Mais, redevable aux soins de mes tristes amis,
Défendre jusqu'au bout leurs jours qu'ils m'ont commis.
Pour vous, si vous voulez qu'en quelque autre contrée
Nous allions confier votre tête sacrée,
Madame, consultez : maîtres de ce palais,
Mes fidèles amis attendront vos souhaits ;
Et moi, pour ne point perdre un temps si salutaire,
Je cours où ma présence est encor nécessaire ;
Et jusqu'au pied des murs que la mer vient laver,
Sur mes vaisseaux tout prêts je viens vous retrouver.

SCÈNE DERNIÈRE

ATALIDE, ZAIRE

ATALIDE

Enfin, c'en est donc fait ; et par mes artifices,
Mes injustes soupçons, mes funestes caprices,

Je suis donc arrivée au douloureux moment
Où je vois par mon crime expirer mon amant.
N'était-ce pas assez, cruelle destinée,
Qu'à lui survivre, hélas! je fusse condamnée?
Et fallait-il encor que pour comble d'horreurs,
Je ne pusse imputer sa mort qu'à mes fureurs?
Oui, c'est moi, cher amant, qui t'arrache la vie:
Roxane, ou le Sultan, ne te l'ont point ravie.
Moi seule, j'ai tissu le lien malheureux
Dont tu viens d'éprouver les détestables nœuds.
Et je puis, sans mourir, en souffrir la pensée?
Moi qui n'ai pu tantôt, de ta mort menacée,
Retenir mes esprits prompts à m'abandonner!
Ah! n'ai-je eu de l'amour que pour t'assassiner?
Mais c'en est trop. Il faut par un prompt sacrifice
Que ma fidèle main te venge et me punisse.

  Vous, de qui j'ai troublé la gloire et le repos,
Héros, qui deviez tous revivre en ce héros,
Toi, mère malheureuse, et qui dès notre enfance
Me connas son cœur dans une autre espérance,
Infortuné Vizir, amis désespérés,
Roxane, venez tous, contre moi conjurés,
Tourmenter à la fois une amante éperdue,

                                        Elle se tue.

Et prenez la vengeance enfin qui vous est due.

ZAIRE

Ah! Madame... Elle expire. O ciel! En ce malheur,
Que ne puis-je avec elle expirer de douleur?

NOTICE
SUR
MITHRIDATE

Hôtel de Bourgogne : 13 (?) janvier 1673.
Édition originale : achevé d'imprimer,
16 mars 1673.

Racine semble bien attaché à sa vocation d'auteur dramatique. Depuis 1667 il fait, comme ses prédécesseurs, jouer une pièce chaque année.

C'est avec le seul *Mithridate* que Racine tente visiblement de battre Corneille sur son propre terrain. Dans les historiens latins que cite la préface, le nom de Mithridate apparaît entre ceux de Nicomède et de Sertorius, deux héros cornéliens. Et de fait la critique contemporaine constata que l'habituelle tragédie amoureuse qu'on attendait de Racine se doublait d'une pièce politique.

Les ennemis du poète relevèrent les graves entorses faites à l'histoire : vingt-six années concentrées en une journée, Monime fiancée et non femme de Mithridate, l'amour de Xipharès, qui, selon l'histoire, eût été encore au berceau... Mais on ne prenait plus garde à ces remarques, après tous les succès qu'avait connus le poète. La pièce avait plu surtout au roi, qui, dix ans après, devait en demander encore la représentation.

Y avait-il une secrète ironie à l'égard de Corneille dans le choix d'un Mithridate champion de l'indépendance ? Nicomède avait incarné ce rôle dans la pièce qui porte son nom. Or, le Nicomède de l'histoire, une fois devenu roi du Pont, est l'allié des Romains. C'est lui qui hérite des dépouilles du vieux lutteur.

La pièce n'a d'ailleurs de cornélien que l'apparence. Malgré ses doctes références, Racine a tout inventé. *Mithridate* apparaît comme une synthèse des thèmes raciniens antérieurs. Xipharès et Pharnace sont, en moins forcenés, les frères ennemis de *la Thébaïde*. Que de vers menaçants chez le noble Xipharès :

> *Quelques malheurs qu'il en puisse avenir,*
> *Ce n'est que par ma mort qu'on la peut obtenir.* (I, 1.)

Mithridate, amoureux grisonnant comme Sertorius, a par instants l'hypocrisie d'un Créon et le sadisme raffiné d'un Néron. Le palais oriental où il tient Monime enfermée ressemble au sérail de Bajazet. La royale fiancée est sœur de la captive Andromaque par sa douceur et son trouble. Secrètement amoureuse de Xipharès et craignant pour la vie de son amant, elle est dans la situation de Junie et d'Atalide.

Des éléments nouveaux pourtant se font jour : ce n'est plus le poids d'un injuste destin qui écrase d'innocentes victimes. L'être humain apparaît plus libre, mais aussi plus responsable. Créon n'était qu'un ambitieux fourbe, Néron un indécis à la croisée des chemins. Mithridate est plus complexe. Racine lui-même, dans un inquiétant decrescendo, le peint ainsi : « *Son grand courage, sa finesse, sa dissimulation et enfin cette jalousie qui lui était si naturelle et qui a tant de fois coûté la vie à ses maîtresses.* »

Aux héroïnes désemparées succède une femme fière et modeste, inquiète et pourtant résolue devant l'amour, qui colore la pièce d'un pathétique en demi-teintes, absent des tragédies antérieures et qui se retrouvera dans *Iphigénie* et *Phèdre*.

Racine enfin utilise ici, plus et mieux qu'auparavant, son génie d'évocation, qui projette, par-delà la situation présente, un subtil jeu d'ombre et de lumière sur le passé des personnages. Cet effort pour retenir, comme une eau qui s'écoule, une précieuse vie vécue dans l'imagination et la mémoire, donne à *Mithridate* une dimension psychologique nouvelle et l'impression d'un art plus achevé.

MITHRIDATE

PRÉFACE [1]

Il n'y a guère de nom plus connu que celui de Mithridate. Sa vie et sa mort font une partie considérable de l'histoire romaine. Et sans compter les victoires qu'il a remportées, on peut dire que ses seules défaites ont fait presque toute la gloire de trois des plus grands capitaines de la République : [c'est à savoir, de Sylla, de Lucullus et de Pompée]. Ainsi je ne pense pas qu'il soit besoin de citer ici mes auteurs. Car, excepté quelque événement que j'ai un peu rapproché par le droit que donne la poésie, tout le monde reconnaîtra aisément que j'ai suivi l'histoire avec beaucoup de fidélité. [En effet, il n'y a guère d'actions éclatantes dans la vie de Mithridate qui n'aient trouvé place dans ma tragédie. J'y ai inséré tout ce qui pouvait mettre en jour les mœurs et les sentiments de ce prince, je veux dire sa haine violente contre les Romains, son grand courage, sa finesse, sa dissimulation, et enfin cette jalousie qui lui était si naturelle, et qui a tant de fois coûté la vie à ses maîtresses]. La seule chose qui pourrait n'être pas aussi connue que le reste, c'est le dessein que je lui fais prendre de passer dans l'Italie. Comme ce dessein m'a fourni une des scènes qui ont le plus réussi dans ma tragédie, je crois que le plaisir du lecteur pourra redoubler, quand il verra que presque tous les historiens ont dit ce que je fais dire ici à Mithridate.

Florus, Plutarque et Dion Cassius nomment les pays par où il devait passer. Appien d'Alexandrie entre plus dans

1. Les passages imprimés entre crochets ne se lisent pas dans l'édition originale.

le détail. Et après avoir marqué les facilités et les secours
que Mithridate espérait trouver dans sa marche, il ajoute
que ce projet fut le prétexte dont Pharnace se servit pour
faire révolter toute l'armée, et que les soldats, effrayés
de l'entreprise de son père, la regardèrent comme le désespoir d'un prince qui ne cherchait qu'à périr avec éclat.

Ainsi elle fut en partie cause de sa mort, qui est l'action
de ma tragédie. J'ai encore lié ce dessein de plus près à
mon sujet. Je m'en suis servi pour faire connaître à Mithridate les secrets sentiments de ses deux fils. On ne peut
prendre trop de précaution pour ne rien mettre sur le
théâtre qui ne soit très nécessaire. Et les plus belles scènes
sont en danger d'ennuyer, du moment qu'on les peut
séparer de l'action, et qu'elles l'interrompent au lieu de la
conduire vers la fin.

[Voici la réflexion que fait Dion Cassius sur ce dessein
de Mithridate : « Cet homme était véritablement né pour
entreprendre de grandes choses. Comme il avait souvent
éprouvé la bonne et la mauvaise fortune, il ne croyait rien
au-dessus de ses espérances et de son audace, et mesurait
ses desseins bien plus à la grandeur de son courage qu'au
mauvais état de ses affaires. Bien résolu, si son entreprise
ne réussissait point, de faire une fin digne d'un grand roi,
et de s'ensevelir lui-même sous les ruines de son Empire,
plutôt que de vivre dans l'obscurité et dans la bassesse. »

J'ai choisi Monime entre les femmes que Mithridate
a aimées. Il paraît que c'est celle de toutes qui a été la plus
vertueuse, et qu'il a aimée le plus tendrement. Plutarque
semble avoir pris plaisir à décrire le malheur et les sentiments de cette princesse. C'est lui qui m'a donné l'idée
de Monime ; et c'est en partie sur la peinture qu'il en a
faite que j'ai fondé un caractère que je puis dire qui
n'a point déplu. Le lecteur trouvera bon que je rapporte
ses paroles telles qu'Amyot les a traduites. Car elles ont
une grâce dans le vieux style de ce traducteur, que je ne
crois point pouvoir égaler dans notre langue moderne.

Cette-cy estoit fort renommée entre les Grecs, pource que
quelques sollicitations que luy sceut faire le Roy en estant
amoureux, jamais ne voulut entendre à toutes ses poursuites
jusqu'à ce qu'il y eust accord de mariage passé entre-eux, et
qu'il luy eust envoyé le diadème ou bandeau royal, et appellée
royne. La pauvre dame, depuis que ce roy l'eût espousée,
avoit vécu en grande déplaisance, ne faisant continuellement
autre chose que de plorer la malheureuse beauté de son corps,
laquelle au lieu d'un mary luy avoit donné un maistre, et au

lieu de compagnie conjugale, et que doit avoir une dame d'hon-
neur, luy avoit baillé une garde et garnison d'hommes barbares
qui la tenoient comme prisonnière loin du doux païs de la
Grèce, en lieu où elle n'avoit qu'un songe et une ombre de
biens, et au contraire avoit réellement perdu les véritables,
dont elle jouïssoit au païs de sa naissance. Et quand l'eunuque
fut arrivé devers elle, et luy eut fait commandement de par le
Roy qu'elle eust à mourir, adonc elle s'arracha d'alentour
de la teste son bandeau royal, et se le nouant alentour du col
s'en pendit. Mais le bandeau ne fut pas assez fort, et se rompit
incontinent. Et lors elle se prit à dire : « O maudit et malheu-
reux tissu, ne me serviras-tu point au moins à ce triste ser-
vice ? » En disant ces paroles, elle le jeta contre terre, cra-
chant dessus, et tendit la gorge à l'eunuque.

Xipharès était fils de Mithridate et d'une de ses femmes qui se nommait Stratonice. Elle livra aux Romains une place de grande importance, où étaient les trésors de Mithridate, pour mettre son fils Xipharès dans les bonnes grâces de Pompée. Il y a des historiens qui prétendent que Mithridate fit mourir ce jeune prince, pour se venger de la perfidie de sa mère.

Je ne dis rien de Pharnace. Car qui ne sait pas que ce fut lui qui souleva contre Mithridate ce qui lui restait de troupes, et qui força ce prince à se vouloir empoisonner, et à se passer son épée au travers du corps pour ne pas tomber entre les mains de ses ennemis ? C'est ce même Pharnace qui fut vaincu depuis par Jules César, et qui fut tué ensuite dans une autre bataille].

PERSONNAGES

MITHRIDATE, roi de Pont, et de quantité d'autres royaumes.
MONIME, accordée avec Mithridate, et déjà déclarée reine.
PHARNACE ⎱ fils de Mithridate, mais de différentes mères.
XIPHARÈS ⎰
ARBATE, confident de Mithridate, et gouverneur de la place de Nymphée.
PHŒDIME, confidente de Monime.
ARCAS, domestique de Mithridate.
GARDES.

La scène est à Nymphée, port de mer sur le Bosphore Cimmérien, dans la Taurique Chersonèse.

ACTE PREMIER

SCÈNE PREMIÈRE

XIPHARÈS, ARBATE

XIPHARÈS

On nous faisait, Arbate, un fidèle rapport :
Rome en effet triomphe, et Mithridate est mort.
Les Romains, vers l'Euphrate, ont attaqué mon père,
Et trompé dans la nuit sa prudence ordinaire.
Après un long combat, tout son camp dispersé
Dans la foule des morts en fuyant l'a laissé,
Et j'ai su qu'un soldat dans les mains de Pompée
Avec son diadème a remis son épée.
Ainsi ce roi qui seul a durant quarante ans
Lassé tout ce que Rome eut de chefs importants,
Et qui dans l'Orient balançant la fortune,
Vengeait de tous les rois la querelle commune,
Meurt, et laisse après lui, pour venger son trépas,
Deux fils infortunés qui ne s'accordent pas.

ARBATE

Vous, Seigneur ! Quoi ? l'ardeur de régner en sa place
Rend déjà Xipharès ennemi de Pharnace ?

XIPHARÈS

Non, je ne prétends point, cher Arbate, à ce prix
D'un malheureux Empire acheter le débris.
Je sais en lui des ans respecter l'avantage ;
Et content des États marqués pour mon partage,
Je verrai sans regret tomber entre ses mains
Tout ce que lui promet l'amitié des Romains.

ARBATE

L'amitié des Romains ? Le fils de Mithridate,
Seigneur ! Est-il bien vrai ?

XIPHARÈS

N'en doute point, Arbate.
Pharnace, dès longtemps tout Romain dans le cœur,
Attend tout maintenant de Rome et du vainqueur.
Et moi, plus que jamais à mon père fidèle,
Je conserve aux Romains une haine immortelle.
Cependant et ma haine et ses prétentions
Sont les moindres sujets de nos divisions.

ARBATE

Et quel autre intérêt contre lui vous anime ?

XIPHARÈS

Je m'en vais t'étonner. Cette belle Monime,
Qui du Roi notre père attira tous les vœux,
Dont Pharnace, après lui, se déclare amoureux...

ARBATE

Hé bien, Seigneur ?

XIPHARÈS

Je l'aime, et ne veux plus m'en taire
Puisque enfin pour rival je n'ai plus que mon frère.
Tu ne t'attendais pas sans doute à ce discours;
Mais ce n'est point, Arbate, un secret de deux jours.
Cet amour s'est longtemps accru dans le silence.
Que n'en puis-je à tes yeux marquer la violence,
Et mes premiers soupirs, et mes derniers ennuis ?
Mais en l'état funeste où nous sommes réduits,
Ce n'est guère le temps d'occuper ma mémoire
A rappeler le cours d'une amoureuse histoire.
Qu'il te suffise donc, pour me justifier,
Que je vis, que j'aimai la Reine le premier;
Que mon père ignorait jusqu'au nom de Monime,
Quand je conçus pour elle un amour légitime.
Il la vit. Mais au lieu d'offrir à ses beautés
Un hymen, et des vœux dignes d'être écoutés,
Il crut que sans prétendre une plus haute gloire,
Elle lui céderait une indigne victoire.
Tu sais par quels efforts il tenta sa vertu,
Et que lassé d'avoir vainement combattu,
Absent, mais toujours plein de son amour extrême,
Il lui fit par tes mains porter son diadème.

Juge de mes douleurs, quand des bruits trop certains
M'annoncèrent du Roi l'amour et les desseins,
Quand je sus qu'à son lit Monime réservée
Avait pris avec toi le chemin de Nymphée.

Hélas! ce fut encor dans ce temps odieux
Qu'aux offres des Romains ma mère ouvrit les yeux;
Ou pour venger sa foi par cet hymen trompée,
Ou ménageant pour moi la faveur de Pompée,
Elle trahit mon père, et rendit aux Romains
La place et les trésors confiés en ses mains.
Que devins-je au récit du crime de ma mère!
Je ne regardai plus mon rival dans mon père;
J'oubliai mon amour par le sien traversé :
Je n'eus devant les yeux que mon père offensé.
J'attaquai les Romains; et ma mère éperdue
Me vit, en reprenant cette place rendue,
A mille coups mortels contre eux me dévouer,
Et chercher en mourant à la désavouer.
L'Euxin, depuis ce temps, fut libre, et l'est encore;
Et des rives de Pont aux rives du Bosphore,
Tout reconnut mon père, et ses heureux vaisseaux
N'eurent plus d'ennemis que les vents et les eaux.
Je voulais faire plus. Je prétendais, Arbate,
Moi-même à son secours m'avancer vers l'Euphrate.
Je fus soudain frappé du bruit de son trépas.
Au milieu de mes pleurs, je ne le cèle pas,
Monime, qu'en tes mains mon père avait laissée,
Avec tous ses attraits revint en ma pensée.
Que dis-je? en ce malheur je tremblai pour ses jours;
Je redoutai du Roi les cruelles amours.
Tu sais combien de fois ses jalouses tendresses
Ont pris soin d'assurer la mort de ses maîtresses.
Je volai vers Nymphée; et mes tristes regards
Rencontrèrent Pharnace au pied de ses remparts.
J'en conçus, je l'avoue, un présage funeste.
Tu nous reçus tous deux, et tu sais tout le reste.
Pharnace, en ses desseins toujours impétueux,
Ne dissimula point ses vœux présomptueux.
De mon père à la Reine il conta la disgrâce,
L'assura de sa mort, et s'offrit en sa place.
Comme il le dit, Arbate, il veut l'exécuter.
Mais enfin, à mon tour, je prétends éclater.
Autant que mon amour respecta la puissance
D'un père à qui je fus dévoué dès l'enfance,
Autant ce même amour, maintenant révolté,

De ce nouveau rival brave l'autorité.
Ou Monime, à ma flamme elle-même contraire,
Condamnera l'aveu que je prétends lui faire;
Ou bien, quelques malheurs qu'il en puisse avenir,
Ce n'est que par ma mort qu'on la peut obtenir.
   Voilà tous les secrets que je voulais t'apprendre.
C'est à toi de choisir quel parti tu dois prendre,
Qui des deux te paraît plus digne de ta foi,
L'esclave des Romains, ou le fils de ton roi.
Fier de leur amitié, Pharnace croit peut-être
Commander dans Nymphée, et me parler en maître.
Mais ici mon pouvoir ne connaît point le sien :
Le Pont est son partage, et Colchos est le mien;
Et l'on sait toujours que la Colchide et ses princes
Ont compté ce Bosphore au rang de leurs provinces.

ARBATE

Commandez-moi, Seigneur. Si j'ai quelque pouvoir,
Mon choix est déjà fait, je ferai mon devoir.
Avec le même zèle, avec la même audace
Que je servais le père et gardais cette place,
Et contre votre frère, et même contre vous,
Après la mort du Roi je vous sers contre tous.
Sans vous, ne sais-je pas que ma mort assurée
De Pharnace en ces lieux allait suivre l'entrée ?
Sais-je pas que mon sang, par ses mains répandu,
Eût souillé ce rempart contre lui défendu ?
Assurez-vous du cœur et du choix de la Reine.
Du reste, ou mon crédit n'est plus qu'une ombre vaine,
Ou Pharnace, laissant le Bosphore en vos mains,
Ira jouir ailleurs des bontés des Romains.

XIPHARÈS

Que ne devrai-je point à cette ardeur extrême!
Mais on vient. Cours, ami : c'est Monime elle-même.

SCÈNE II

MONIME, XIPHARÈS

MONIME

Seigneur, je viens à vous. Car enfin aujourd'hui,
Si vous m'abandonnez, quel sera mon appui ?

Sans parents, sans amis, désolée et craintive,
Reine longtemps de nom, mais en effet captive,
Et veuve maintenant sans avoir eu d'époux,
Seigneur, de mes malheurs ce sont là les plus doux.
Je tremble à vous nommer l'ennemi qui m'opprime.
J'espère toutefois qu'un cœur si magnanime
Ne sacrifîra point les pleurs des malheureux
Aux intérêts du sang qui vous unit tous deux.
Vous devez à ces mots reconnaître Pharnace.
C'est lui, Seigneur, c'est lui dont la coupable audace
Veut, la force à la main, m'attacher à son sort
Par un hymen pour moi plus cruel que la mort.
Sous quel astre ennemi faut-il que je sois née ?
Au joug d'un autre hymen sans amour destinée,
A peine je suis libre et goûte quelque paix,
Qu'il faut que je me livre à tout ce que je hais.
Peut-être je devrais, plus humble en ma misère,
Me souvenir du moins que je parle à son frère.
Mais, soit raison, destin, soit que ma haine en lui
Confonde les Romains dont il cherche l'appui,
Jamais hymen formé sous le plus noir auspice
De l'hymen que je crains n'égala le supplice.
Et si Monime en pleurs ne vous peut émouvoir,
Si je n'ai plus pour moi que mon seul désespoir,
Au pied du même autel où je suis attendue,
Seigneur, vous me verrez, à moi-même rendue,
Percer ce triste cœur qu'on veut tyranniser,
Et dont jamais encor je n'ai pu disposer.

XIPHARÈS

Madame, assurez-vous de mon obéissance ;
Vous avez dans ces lieux une entière puissance.
Pharnace ira, s'il veut, se faire craindre ailleurs.
Mais vous ne savez pas encor tous vos malheurs.

MONIME

Hé ! quel nouveau malheur peut affliger Monime,
Seigneur ?

XIPHARÈS

      Si vous aimer c'est faire un si grand crime,
Pharnace n'en est pas seul coupable aujourd'hui ;
Et je suis mille fois plus criminel que lui.

MONIME

Vous !

XIPHARÈS

Mettez ce malheur au rang des plus funestes ;
Attestez, s'il le faut, les puissances célestes
Contre un sang malheureux, né pour vous tourmenter,
Père, enfants, animés à vous persécuter.
Mais avec quelque ennui que vous puissiez apprendre
Cet amour criminel qui vient de vous surprendre,
Jamais tous vos malheurs ne sauraient approcher
Des maux que j'ai soufferts en le voulant cacher.
Ne croyez point pourtant que semblable à Pharnace,
Je vous serve aujourd'hui pour me mettre en sa place.
Vous voulez être à vous, j'en ai donné ma foi,
Et vous ne dépendrez ni de lui ni de moi.
Mais quand je vous aurai pleinement satisfaite,
En quels lieux avez-vous choisi votre retraite ?
Sera-ce loin, Madame, ou près de mes États ?
Me sera-t-il permis d'y conduire vos pas ?
Verrez-vous d'un même œil le crime et l'innocence ?
En fuyant mon rival fuirez-vous ma présence ?
Pour prix d'avoir si bien secondé vos souhaits,
Faudra-t-il me résoudre à ne vous voir jamais ?

MONIME

Ah ! que m'apprenez-vous ?

XIPHARÈS

                                    Hé quoi ? belle Monime,
Si le temps peut donner quelque droit légitime,
Faut-il vous dire ici que le premier de tous
Je vous vis, je formai le dessein d'être à vous,
Quand vos charmes naissants, inconnus à mon père,
N'avaient encor paru qu'aux yeux de votre mère ?
Ah ! si par mon devoir forcé de vous quitter,
Tout mon amour alors ne put pas éclater,
Ne vous souvient-il plus, sans compter tout le reste,
Combien je me plaignis de ce devoir funeste ?
Ne vous souvient-il plus, en quittant vos beaux yeux,
Quelle vive douleur attendrit mes adieux ?
Je m'en souviens tout seul. Avouez-le, Madame,
Je vous rappelle un songe effacé de votre âme.
Tandis que loin de vous, sans espoir de retour,
Je nourrissais encor un malheureux amour,
Contente, et résolue à l'hymen de mon père,
Tous les malheurs du fils ne vous affligeaient guère.

MONIME

Hélas !

XIPHARÈS

Avez-vous plaint un moment mes ennuis ?

MONIME

Prince... n'abusez point de l'état où je suis.

XIPHARÈS

En abuser, ô ciel ! Quand je cours vous défendre,
Sans vous demander rien, sans oser rien prétendre ;
Que vous dirai-je enfin ? lorsque je vous promets
De vous mettre en état de ne me voir jamais.

MONIME

C'est me promettre plus que vous ne sauriez faire.

XIPHARÈS

Quoi ? malgré mes serments, vous croyez le contraire ?
Vous croyez qu'abusant de mon autorité,
Je prétends attenter à votre liberté !
On vient, Madame, on vient... Expliquez-vous, de grâce.
Un mot.

MONIME

Défendez-moi des fureurs de Pharnace.
Pour me faire, Seigneur, consentir à vous voir,
Vous n'aurez pas besoin d'un injuste pouvoir.

XIPHARÈS

Ah ! Madame...

MONIME

Seigneur, vous voyez votre frère.

SCÈNE III

MONIME, PHARNACE, XIPHARÈS

PHARNACE

Jusques à quand, Madame, attendrez-vous mon père ?
Des témoins de sa mort viennent à tous moments
Condamner votre doute et vos retardements.
Venez, fuyez l'aspect de ce climat sauvage,
Qui ne parle à vos yeux que d'un triste esclavage.

Un peuple obéissant vous attend à genoux
Sous un ciel plus heureux et plus digne de vous.
Le Pont vous reconnaît dès longtemps pour sa reine;
Vous en portez encor la marque souveraine;
Et ce bandeau royal fut mis sur votre front
Comme un gage assuré de l'empire de Pont.
Maître de cet État que mon père me laisse,
Madame, c'est à moi d'accomplir sa promesse.
Mais il faut, croyez-moi, sans attendre plus tard,
Ainsi que notre hymen presser notre départ.
Nos intérêts communs et mon cœur le demandent.
Prêts à vous recevoir, mes vaisseaux vous attendent,
Et du pied de l'autel vous y pouvez monter,
Souveraine des mers qui vous doivent porter.

MONIME

Seigneur, tant de bontés ont lieu de me confondre.
Mais puisque le temps presse, et qu'il faut vous répondre,
Puis-je, laissant la feinte et les déguisements,
Vous découvrir ici mes secrets sentiments ?

PHARNACE

Vous pouvez tout.

MONIME

           Je crois que je vous suis connue.
Éphèse est mon pays; mais je suis descendue
D'aïeux, ou rois, Seigneur, ou héros, qu'autrefois
Leur vertu, chez les Grecs, mit au-dessus des rois.
Mithridate me vit. Éphèse, et l'Ionie,
A son heureux empire était alors unie.
Il daigna m'envoyer ce gage de sa foi.
Ce fut pour ma famille une suprême loi :
Il fallut obéir. Esclave couronnée,
Je partis pour l'hymen où j'étais destinée.
Le Roi, qui m'attendait au sein de ses États,
Vit emporter ailleurs ses desseins et ses pas,
Et tandis que la guerre occupait son courage,
M'envoya dans ces lieux éloignés de l'orage.
J'y vins : j'y suis encor. Mais cependant, Seigneur,
Mon père paya cher ce dangereux honneur,
Et les Romains vainqueurs, pour première victime,
Prirent Philopœmen, le père de Monime.
Sous ce titre funeste il se vit immoler;
Et c'est de quoi, Seigneur, j'ai voulu vous parler.

Quelque juste fureur dont je sois animée,
Je ne puis point à Rome opposer une armée;
Inutile témoin de tous ses attentats,
Je n'ai pour me venger ni sceptre ni soldats;
Enfin, je n'ai qu'un cœur. Tout ce que je puis faire,
C'est de garder la foi que je dois à mon père,
De ne point dans son sang aller tremper mes mains
En épousant en vous l'allié des Romains.

PHARNACE

Que parlez-vous de Rome et de son alliance ?
Pourquoi tout ce discours et cette défiance ?
Qui vous dit qu'avec eux je prétends m'allier ?

MONIME

Mais vous-même, Seigneur, pouvez-vous le nier ?
Comment m'offririez-vous l'entrée et la couronne
D'un pays que partout leur armée environne,
Si le traité secret qui vous lie aux Romains
Ne vous en assurait l'empire et les chemins ?

PHARNACE

De mes intentions je pourrais vous instruire,
Et je sais les raisons que j'aurais à vous dire,
Si laissant en effet les vains déguisements,
Vous m'aviez expliqué vos secrets sentiments.
Mais enfin je commence, après tant de traverses,
Madame, à rassembler vos excuses diverses;
Je crois voir l'intérêt que vous voulez celer,
Et qu'un autre qu'un père ici vous fait parler.

XIPHARÈS

Quel que soit l'intérêt qui fait parler la Reine,
La réponse, Seigneur, doit-elle être incertaine ?
Et contre les Romains votre ressentiment
Doit-il pour éclater balancer un moment ?
Quoi ! nous aurons d'un père entendu la disgrâce,
Et lents à le venger, prompts à remplir sa place,
Nous mettrons notre honneur et son sang en oubli ?
Il est mort : savons-nous s'il est enseveli ?
Qui sait si dans le temps que votre âme empressée
Forme d'un doux hymen l'agréable pensée,
Ce roi, que l'Orient tout plein de ses exploits
Peut nommer justement le dernier de ses rois,
Dans ses propres États privé de sépulture,
Ou couché sans honneur dans une foule obscure,

N'accuse point le ciel qui le laisse outrager,
Et des indignes fils qui n'osent le venger ?
Ah! ne languissons plus dans un coin du Bosphore.
Si dans tout l'univers quelque roi libre encore,
Parthe, Scythe ou Sarmate, aime sa liberté,
Voilà nos alliés : marchons de ce côté,
Vivons ou périssons dignes de Mithridate,
Et songeons bien plutôt, quelque amour qui nous flatte,
A défendre du joug et nous et nos États,
Qu'à contraindre des cœurs qui ne se donnent pas.

PHARNACE

Il sait vos sentiments. Me trompais-je, Madame ?
Voilà cet intérêt si puissant sur votre âme,
Ce père, ces Romains que vous me reprochez.

XIPHARÈS

J'ignore de son cœur les sentiments cachés;
Mais je m'y soumettrais sans vouloir rien prétendre,
Si, comme vous, Seigneur, je croyais les entendre.

PHARNACE

Vous feriez bien; et moi, je fais ce que je doi :
Votre exemple n'est pas une règle pour moi.

XIPHARÈS

Toutefois en ces lieux je ne connais personne
Qui ne doive imiter l'exemple que je donne.

PHARNACE

Vous pourriez à Colchos vous expliquer ainsi.

XIPHARÈS

Je le puis à Colchos, et je le puis ici.

PHARNACE

Ici ? Vous y pourriez rencontrer votre perte...

SCÈNE IV

MONIME, PHARNACE, XIPHARÈS, PHŒDIME

PHŒDIME

Princes, toute la mer est de vaisseaux couverte,
Et bientôt, démentant le faux bruit de sa mort,
Mithridate lui-même arrive dans le port.

MONIME

Mithridate!

XIPHARÈS

Mon père!

PHARNACE

Ah! que viens-je d'entendre?

PHŒDIME

Quelques vaisseaux légers sont venus nous l'apprendre :
C'est lui-même; et déjà, pressé de son devoir,
Arbate loin du bord l'est allé recevoir.

XIPHARÈS

Qu'avons-nous fait!

MONIME, à Xipharès.

Adieu, Prince. Quelle nouvelle!

SCÈNE V

PHARNACE, XIPHARÈS

PHARNACE

Mithridate revient? Ah! fortune cruelle!
Ma vie et mon amour tous deux courent hasard,
Les Romains que j'attends arriveront trop tard.

A Xipharès.

Comment faire? J'entends que votre cœur soupire,
Et j'ai conçu l'adieu qu'elle vient de vous dire,
Prince; mais ce discours demande un autre temps :
Nous avons aujourd'hui des soins plus importants.
Mithridate revient, peut-être inexorable.
Plus il est malheureux, plus il est redoutable.
Le péril est pressant plus que vous ne pensez.
Nous sommes criminels, et vous le connaissez.
Rarement l'amitié désarme sa colère;
Ses propres fils n'ont point de juge plus sévère;
Et nous l'avons vu même à ses cruels soupçons
Sacrifier deux fils pour de moindres raisons.
Craignons pour vous, pour moi, pour la Reine elle-même :
Je la plains, d'autant plus que Mithridate l'aime.
Amant avec transport, mais jaloux sans retour,
Sa haine va toujours plus loin que son amour.
Ne vous assurez point sur l'amour qu'il vous porte :

Sa jalouse fureur n'en sera que plus forte.
Songez-y. Vous avez la faveur des soldats,
Et j'aurai des secours que je n'explique pas.
M'en croirez-vous ? Courons assurer notre grâce :
Rendons-nous, vous et moi, maîtres de cette place,
Et faisons qu'à ses fils il ne puisse dicter
Que les conditions qu'ils voudront accepter.

XIPHARÈS

Je sais quel est mon crime, et je connais mon père;
Et j'ai par-dessus vous le crime de ma mère;
Mais quelque amour encor qui me pût éblouir,
Quand mon père paraît, je ne sais qu'obéir.

PHARNACE

Soyons-nous donc au moins fidèles l'un à l'autre.
Vous savez mon secret, j'ai pénétré le vôtre
Le Roi, toujours fertile en dangereux détours,
S'armera contre nous de nos moindres discours.
Vous savez sa coutume, et sous quelles tendresses
Sa haine sait cacher ses trompeuses adresses.
Allons. Puisqu'il le faut, je marche sur vos pas.
Mais en obéissant ne nous trahissons pas.

ACTE II

SCÈNE PREMIÈRE

MONIME, PHŒDIME

PHŒDIME

Quoi ? vous êtes ici quand Mithridate arrive,
Quand, pour le recevoir, chacun court sur la rive ?
Que faites-vous, Madame ? et quel ressouvenir
Tout à coup vous arrête, et vous fait revenir ?
N'offenserez-vous point un roi qui vous adore,
Qui presque votre époux...

MONIME

Il ne l'est pas encore,

Phœdime; et jusque-là je crois que mon devoir
Est de l'attendre ici, sans l'aller recevoir.

PHŒDIME

Mais ce n'est point, Madame, un amant ordinaire.
Songez qu'à ce grand roi promise par un père,
Vous avez de ses feux un gage solennel,
Qu'il peut, quand il voudra, confirmer à l'autel.
Croyez-moi, montrez-vous, venez à sa rencontre.

MONIME

Regarde en quel état tu veux que je me montre.
Vois ce visage en pleurs; et loin de le chercher,
Dis-moi plutôt, dis-moi que je m'aille cacher.

PHŒDIME

Que dites-vous ? O Dieux!

MONIME

        Ah! retour qui me tue!
Malheureuse! Comment paraîtrai-je à sa vue,
Son diadème au front, et dans le fond du cœur,
Phœdime... Tu m'entends, et tu vois ma rougeur.

PHŒDIME

Ainsi vous retombez dans les mêmes alarmes
Qui vous ont dans la Grèce arraché tant de larmes ?
Et toujours Xipharès revient vous traverser ?

MONIME

Mon malheur est plus grand que tu ne peux penser.
Xipharès ne s'offrait alors à ma mémoire
Que tout plein de vertus, que tout brillant de gloire;
Et je ne savais pas que pour moi plein de feux,
Xipharès des mortels fût le plus amoureux.

PHŒDIME

Il vous aime, Madame! Et ce héros aimable...

MONIME

Est aussi malheureux que je suis misérable.
Il m'adore, Phœdime; et les mêmes douleurs
Qui m'affligeaient ici le tourmentaient ailleurs.

PHŒDIME

Sait-il en sa faveur jusqu'où va votre estime ?
Sait-il que vous l'aimez ?

MONIME

        Il l'ignore, Phœdime.

Les Dieux m'ont secourue; et mon cœur affermi
N'a rien dit, ou du moins n'a parlé qu'à demi.
Hélas! si tu savais, pour garder le silence,
Combien ce triste cœur s'est fait de violence!
Quels assauts, quels combats j'ai tantôt soutenus!
Phœdime, si je puis je ne le verrai plus.
Malgré tous les efforts que je pourrais me faire,
Je verrais ses douleurs, je ne pourrais me taire.
Il viendra, malgré moi, m'arracher cet aveu.
Mais n'importe, s'il m'aime il en jouira peu;
Je lui vendrai si cher ce bonheur qu'il ignore,
Qu'il vaudrait mieux pour lui qu'il l'ignorât encore.

PHŒDIME

On vient. Que faites-vous, Madame ?

MONIME

                                    Je ne puis.
Je ne paraîtrai point dans le trouble où je suis.

SCÈNE II

MITHRIDATE, PHARNACE, XIPHARÈS
ARBATE, GARDES

MITHRIDATE

Princes, quelques raisons que vous me puissiez dire,
Votre devoir ici n'a point dû vous conduire,
Ni vous faire quitter, en de si grands besoins,
Vous le Pont, vous Colchos, confiés à vos soins.
Mais vous avez pour juge un père qui vous aime.
Vous avez cru des bruits que j'ai semés moi-même;
Je vous crois innocents, puisque vous le voulez,
Et je rends grâce au ciel qui nous a rassemblés.
Tout vaincu que je suis, et voisin du naufrage,
Je médite un dessein digne de mon courage.
Vous en serez tantôt instruits plus amplement.
Allez, et laissez-moi reposer un moment.

SCÈNE III

MITHRIDATE, ARBATE

MITHRIDATE

Enfin, après un an, tu me revois, Arbate,
Non plus comme autrefois cet heureux Mithridate
Qui de Rome toujours balançant le destin,
Tenait entre elle et moi l'univers incertain.
Je suis vaincu. Pompée a saisi l'avantage
D'une nuit qui laissait peu de place au courage.
Mes soldats presque nus, dans l'ombre intimidés,
Les rangs de toutes parts mal pris et mal gardés,
Le désordre partout redoublant les alarmes,
Nous-mêmes contre nous tournant nos propres armes,
Les cris que les rochers renvoyaient plus affreux,
Enfin toute l'horreur d'un combat ténébreux :
Que pouvait la valeur dans ce trouble funeste ?
Les uns sont morts, la fuite a sauvé tout le reste ;
Et je ne dois la vie, en ce commun effroi,
Qu'au bruit de mon trépas que je laisse après moi.
Quelque temps inconnu, j'ai traversé le Phase ;
Et de là, pénétrant jusqu'au pied du Caucase,
Bientôt dans des vaisseaux sur l'Euxin préparés,
J'ai rejoint de mon camp les restes séparés.
Voilà par quels malheurs poussé dans le Bosphore,
J'y trouve des malheurs qui m'attendaient encore.
Toujours du même amour tu me vois enflammé :
Ce cœur nourri de sang, et de guerre affamé,
Malgré le faix des ans et du sort qui m'opprime,
Traîne partout l'amour qui l'attache à Monime,
Et n'a point d'ennemis qui lui soient odieux
Plus que deux fils ingrats que je trouve en ces lieux.

ARBATE

Deux fils, Seigneur ?

MITHRIDATE

              Écoute. A travers ma colère,
Je veux bien distinguer Xipharès de son frère.
Je sais que de tout temps à mes ordres soumis,
Il hait autant que moi nos communs ennemis ;
Et j'ai vu sa valeur, à me plaire attachée,
Justifier pour lui ma tendresse cachée.

Je sais même, je sais avec quel désespoir
A tout autre intérêt préférant son devoir,
Il courut démentir une mère infidèle,
Et tira de son crime une gloire nouvelle;
Et je ne puis encor ni n'oserais penser
Que ce fils si fidèle ait voulu m'offenser.
Mais tous deux en ces lieux que pouvaient-ils attendre ?
L'un et l'autre à la Reine ont-ils osé prétendre ?
Avec qui semble-t-elle en secret s'accorder ?
Moi-même de quel œil dois-je ici l'aborder ?
Parle. Quelque désir qui m'entraîne auprès d'elle,
Il me faut de leurs cœurs rendre un compte fidèle.
Qu'est-ce qui s'est passé ? Qu'as-tu vu ? Que sais-tu ?
Depuis quel temps, pourquoi, comment t'es-tu rendu ?

ARBATE

Seigneur, depuis huit jours l'impatient Pharnace
Aborda le premier au pied de cette place,
Et de votre trépas autorisant le bruit
Dans ces murs aussitôt voulut être introduit.
Je ne m'arrêtai point à ce bruit téméraire;
Et je n'écoutais rien, si le prince son frère,
Bien moins par ses discours, Seigneur, que par ses pleurs,
Ne m'eût en arrivant confirmé vos malheurs.

MITHRIDATE

Enfin que firent-ils ?

ARBATE

                    Pharnace entrait à peine
Qu'il courut de ses feux entretenir la Reine,
Et s'offrir d'assurer par un hymen prochain
Le bandeau qu'elle avait reçu de votre main.

MITHRIDATE

Traître! sans lui donner le loisir de répandre
Les pleurs que son amour aurait dus à ma cendre!
Et son frère ?

ARBATE

              Son frère, au moins jusqu'à ce jour,
Seigneur, dans ses desseins n'a point marqué d'amour,
Et toujours avec vous son cœur d'intelligence
N'a semblé respirer que guerre et que vengeance.

MITHRIDATE

Mais encor quel dessein le conduisait ici ?

ARBATE

Seigneur, vous en serez tôt ou tard éclairci.

MITHRIDATE

Parle, je te l'ordonne, et je veux tout apprendre.

ARBATE

Seigneur, jusqu'à ce jour, ce que j'ai pu comprendre,
Ce prince a cru pouvoir, après votre trépas,
Compter cette province au rang de ses États :
Et sans connaître ici de lois que son courage,
Il venait par la force appuyer son partage.

MITHRIDATE

Ah ! c'est le moindre prix qu'il se doit proposer,
Si le ciel de mon sort me laisse disposer.
Oui, je respire, Arbate, et ma joie est extrême.
Je tremblais, je l'avoue, et pour un fils que j'aime,
Et pour moi, qui craignais de perdre un tel appui,
Et d'avoir à combattre un rival tel que lui.
Que Pharnace m'offense, il offre à ma colère
Un rival dès longtemps soigneux de me déplaire,
Qui toujours des Romains admirateur secret,
Ne s'est jamais contre eux déclaré qu'à regret.
Et s'il faut que pour lui Monime prévenue
Ait pu porter ailleurs une amour qui m'est due,
Malheur au criminel qui vient me la ravir,
Et qui m'ose offenser et n'ose me servir !
L'aime-t-elle ?

ARBATE

Seigneur, je vois venir la Reine.

MITHRIDATE

Dieux, qui voyez ici mon amour et ma haine,
Épargnez mes malheurs, et daignez empêcher
Que je ne trouve encor ceux que je vais chercher.
Arbate, c'est assez : qu'on me laisse avec elle.

SCÈNE IV

MITHRIDATE, MONIME

MITHRIDATE

Madame, enfin le ciel près de vous me rappelle,
Et secondant du moins mes plus tendres souhaits,

Vous rend à mon amour plus belle que jamais.
Je ne m'attendais pas que de notre hyménée
Je dusse voir si tard arriver la journée,
Ni qu'en vous retrouvant, mon funeste retour
Fît voir mon infortune, et non pas mon amour.
C'est pourtant cet amour, qui de tant de retraites
Ne me laisse choisir que les lieux où vous êtes ;
Et les plus grands malheurs pourront me sembler doux,
Si ma présence ici n'en est point un pour vous.
C'est vous en dire assez, si vous voulez m'entendre.
Vous devez à ce jour dès longtemps vous attendre,
Et vous portez, Madame, un gage de ma foi
Qui vous dit tous les jours que vous êtes à moi.
Allons donc assurer cette foi mutuelle.
Ma gloire loin d'ici vous et moi nous appelle,
Et sans perdre un moment pour ce noble dessein,
Aujourd'hui votre époux, il faut partir demain.

MONIME

Seigneur, vous pouvez tout. Ceux par qui je respire
Vous ont cédé sur moi leur souverain empire ;
Et quand vous userez de ce droit tout-puissant,
Je ne vous répondrai qu'en vous obéissant.

MITHRIDATE

Ainsi, prête à subir un joug qui vous opprime,
Vous n'allez à l'autel que comme une victime ;
Et moi, tyran d'un cœur qui se refuse au mien,
Même en vous possédant je ne vous devrai rien.
Ah ! Madame, est-ce là de quoi me satisfaire ?
Faut-il que désormais, renonçant à vous plaire,
Je ne prétende plus qu'à vous tyranniser ?
Mes malheurs, en un mot, me font-ils mépriser ?
Ah ! pour tenter encor de nouvelles conquêtes,
Quand je ne verrais pas des routes toutes prêtes,
Quand le sort ennemi m'aurait jeté plus bas,
Vaincu, persécuté, sans secours, sans États,
Errant de mers en mers, et moins roi que pirate,
Conservant pour tous biens le nom de Mithridate,
Apprenez que suivi d'un nom si glorieux,
Partout de l'univers j'attacherais les yeux,
Et qu'il n'est point de rois, s'ils sont dignes de l'être,
Qui, sur le trône assis, n'enviassent peut-être
Au-dessus de leur gloire un naufrage élevé,
Que Rome et quarante ans ont à peine achevé.

Vous-même, d'un autre œil me verriez-vous, Madame,
Si ces Grecs vos aïeux revivaient dans votre âme ?
Et puisqu'il faut enfin que je sois votre époux,
N'était-il pas plus noble, et plus digne de vous,
De joindre à ce devoir votre propre suffrage,
D'opposer votre estime au destin qui m'outrage,
Et de me rassurer, en flattant ma douleur,
Contre la défiance attachée au malheur ?
Hé quoi ? n'avez-vous rien, Madame, à me répondre ?
Tout mon empressement ne sert qu'à vous confondre.
Vous demeurez muette; et loin de me parler,
Je vois, malgré vos soins, vos pleurs prêts à couler.

MONIME

Moi, Seigneur ? Je n'ai point de larmes à répandre.
J'obéis. N'est-ce pas assez me faire entendre ?
Et ne suffit-il pas...

MITHRIDATE

Non, ce n'est pas assez.
Je vous entends ici mieux que vous ne pensez.
Je vois qu'on m'a dit vrai. Ma juste jalousie
Par vos propres discours est trop bien éclaircie.
Je vois qu'un fils perfide, épris de vos beautés,
Vous a parlé d'amour, et que vous l'écoutez.
Je vous jette pour lui dans des craintes nouvelles.
Mais il jouira peu de vos pleurs infidèles,
Madame, et désormais tout est sourd à mes lois,
Ou bien vous l'avez vu pour la dernière fois.
Appelez Xipharès.

MONIME

Ah! que voulez-vous faire ?
Xipharès...

MITHRIDATE

Xipharès n'a point trahi son père.
Vous vous pressez en vain de le désavouer,
Et ma tendre amitié ne peut que s'en louer.
Ma honte en serait moindre, ainsi que votre crime,
Si ce fils en effet digne de votre estime
A quelque amour encore avait pu vous forcer.
Mais qu'un traître, qui n'est hardi qu'à m'offenser,
De qui nulle vertu n'accompagne l'audace,
Que Pharnace, en un mot, ait pu prendre ma place ?
Qu'il soit aimé, Madame, et que je sois haï ?

SCÈNE V

MITHRIDATE, MONIME, XIPHARÈS

MITHRIDATE

Venez, mon fils, venez, votre père est trahi.
Un fils audacieux insulte à ma ruine,
Traverse mes desseins, m'outrage, m'assassine,
Aime la Reine enfin, lui plaît, et me ravit
Un cœur que son devoir à moi seul asservit.
Heureux pourtant, heureux que dans cette disgrâce
Je ne puisse accuser que la main de Pharnace;
Qu'une mère infidèle, un frère audacieux
Vous présentent en vain leur exemple odieux!
Oui, mon fils, c'est vous seul sur qui je me repose,
Vous seul qu'aux grands desseins que mon cœur se propose
J'ai choisi dès longtemps pour digne compagnon,
L'héritier de mon sceptre, et surtout de mon nom.
Pharnace, en ce moment, et ma flamme offensée
Ne peuvent pas tout seuls occuper ma pensée.
D'un voyage important les soins et les apprêts,
Mes vaisseaux qu'à partir il faut tenir tout prêts,
Mes soldats dont je veux tenter la complaisance,
Dans ce même moment demandent ma présence.
Vous cependant ici veillez pour mon repos.
D'un rival insolent arrêtez les complots.
Ne quittez point la Reine, et s'il se peut, vous-même
Rendez-la moins contraire aux vœux d'un roi qui l'aime.
Détournez-la mon fils, d'un choix injurieux.
Juge sans intérêt, vous la convaincrez mieux.
En un mot, c'est assez éprouver ma faiblesse :
Qu'elle ne pousse point cette même tendresse,
Que sais-je ? à des fureurs dont mon cœur outragé
Ne se repentirait qu'après s'être vengé.

SCÈNE VI

MONIME, XIPHARÈS

XIPHARÈS

Que dirai-je, Madame ? Et comment dois-je entendre
Cet ordre, ce discours que je ne puis comprendre ?

Serait-il vrai, grands Dieux! que trop aimé de vous,
Pharnace eût en effet mérité ce courroux ?
Pharnace aurait-il part à ce désordre extrême ?

MONIME

Pharnace ? ô ciel! Pharnace ? Ah! qu'entends-je moi-même ?
Ce n'est donc pas assez que ce funeste jour
A tout ce que j'aimais m'arrache sans retour,
Et que, de mon devoir esclave infortunée,
A d'éternels ennuis je me voie enchaînée ?
Il faut qu'on joigne encor l'outrage à mes douleurs.
A l'amour de Pharnace on impute mes pleurs.
Malgré toute ma haine, on veut qu'il m'ait su plaire.
Je le pardonne au Roi, qu'aveugle sa colère,
Et qui de mes secrets ne peut être éclairci.
Mais vous, Seigneur, mais vous, me traitez-vous ainsi ?

XIPHARÈS

Ah! Madame, excusez un amant qui s'égare,
Qui lui-même, lié par un devoir barbare,
Se voit prêt de tout perdre, et n'ose se venger.
Mais des fureurs du Roi que puis-je enfin juger ?
Il se plaint qu'à ses vœux un autre amour s'oppose.
Quel heureux criminel en peut être la cause ?
Qui ? Parlez.

MONIME

Vous cherchez, Prince, à vous tourmenter.
Plaignez votre malheur sans vouloir l'augmenter.

XIPHARÈS

Je sais trop quel tourment je m'apprête moi-même.
C'est peu de voir un père épouser ce que j'aime :
Voir encore un rival honoré de vos pleurs,
Sans doute c'est pour moi le comble des malheurs;
Mais dans mon désespoir je cherche à les accroître.
Madame, par pitié, faites-le-moi connoître.
Quel est-il, cet amant ? Qui dois-je soupçonner ?

MONIME

Avez-vous tant de peine à vous l'imaginer ?
Tantôt, quand je fuyais une injuste contrainte,
A qui contre Pharnace ai-je adressé ma plainte ?
Sous quel appui tantôt mon cœur s'est-il jeté ?
Quel amour ai-je enfin sans colère écouté ?

XIPHARÈS

O ciel! Quoi? je serais ce bienheureux coupable
Que vous avez pu voir d'un regard favorable?
Vos pleurs pour Xiph..rès auraient daigné couler?

MONIME

Oui, Prince, il n'est plus temps de le dissimuler.
Ma douleur pour se taire a trop de violence.
Un rigoureux devoir me condamne au silence;
Mais il faut bien enfin, malgré ses dures lois,
Parler pour la première et la dernière fois.
Vous m'aimez dès longtemps. Une égale tendresse
Pour vous depuis longtemps m'afflige et m'intéresse,
Songez depuis quel jour ces funestes appas
Firent naître un amour qu'ils ne méritaient pas;
Rappelez un espoir qui ne vous dura guère,
Le trouble où vous jeta l'amour de votre père,
Le tourment de me perdre et de le voir heureux,
Les rigueurs d'un devoir contraire à tous vos vœux :
Vous n'en sauriez, Seigneur, retracer la mémoire,
Ni conter vos malheurs, sans conter mon histoire,
Et lorsque ce matin j'en écoutais le cours,
Mon cœur vous répondait tous vos mêmes discours.
Inutile, ou plutôt funeste sympathie!
Trop parfaite union par le sort démentie!
Ah! par quel soin cruel le ciel avait-il joint
Deux cœurs que l'un pour l'autre il ne destinait point?
Car quel que soit vers vous le penchant qui m'attire,
Je vous le dis, Seigneur, pour ne plus vous le dire,
Ma gloire me rappelle et m'entraîne à l'autel
Où je vais vous jurer un silence éternel.
J'entends, vous gémissez. Mais telle est ma misère.
Je ne suis point à vous, je suis à votre père.
Dans ce dessein, vous-même, il faut me soutenir,
Et de mon faible cœur m'aider à vous bannir.
J'attends du moins, j'attends de votre complaisance
Que désormais partout vous fuirez ma présence.
J'en viens de dire assez pour vous persuader
Que j'ai trop de raisons de vous le commander.
Mais après ce moment, si ce cœur magnanime
D'un véritable amour a brûlé pour Monime,
Je ne reconnais plus la foi de vos discours
Qu'au soin que vous prendrez de m'éviter toujours.

XIPHARÈS

Quelle marque, grands Dieux, d'un amour déplorable !
Combien en un moment heureux et misérable !
De quel comble de gloire et de félicités,
Dans quel abîme affreux vous me précipitez !
Quoi ! j'aurai pu toucher un cœur comme le vôtre ?
Vous aurez pu m'aimer ? et cependant un autre
Possédera ce cœur dont j'attirais les vœux ?
Père injuste, cruel, mais d'ailleurs malheureux !
Vous voulez que je fuie et que je vous évite ?
Et cependant le Roi m'attache à votre suite.
Que dira-t-il ?

MONIME

N'importe, il me faut obéir.
Inventez des raisons qui puissent l'éblouir.
D'un héros tel que vous c'est là l'effort suprême :
Cherchez, Prince, cherchez, pour vous trahir vous-même,
Tout ce que, pour jouir de leurs contentements,
L'amour fait inventer aux vulgaires amants.
Enfin je me connais, il y va de ma vie.
De mes faibles efforts ma vertu se défie.
Je sais qu'en vous voyant, un tendre souvenir
Peut m'arracher du cœur quelque indigne soupir ;
Que je verrai mon âme, en secret déchirée,
Revoler vers le bien dont elle est séparée.
Mais je sais bien aussi que s'il dépend de vous
De me faire chérir un souvenir si doux,
Vous n'empêcherez pas que ma gloire offensée
N'en punisse aussitôt la coupable pensée ;
Que ma main dans mon cœur ne vous aille chercher,
Pour y laver ma honte, et vous en arracher.
Que dis-je ? En ce moment, le dernier qui nous reste,
Je me sens arrêter par un plaisir funeste.
Plus je vous parle, et plus, trop faible que je suis,
Je cherche à prolonger le péril que je fuis.
Il faut pourtant, il faut se faire violence,
Et sans perdre en adieux un reste de constance,
Je fuis. Souvenez-vous, Prince, de m'éviter,
Et méritez les pleurs que je m'allez coûter.

XIPHARÈS

Ah ! Madame... Elle fuit, et ne veut plus m'entendre.
Malheureux Xipharès, quel parti dois-tu prendre ?
On t'aime, on te bannit ; toi-même tu vois bien
Que ton propre devoir s'accorde avec le sien.

Cours par un prompt trépas abréger ton supplice.
Toutefois attendons que son sort s'éclaircisse,
Et s'il faut qu'un rival la ravisse à ma foi,
Du moins, en expirant, ne la cédons qu'au Roi.

ACTE III

SCÈNE PREMIÈRE

MITHRIDATE, PHARNACE, XIPHARÈS

MITHRIDATE

Approchez, mes enfants. Enfin l'heure est venue
Qu'il faut que mon secret éclate à votre·vue.
A mes nobles projets je vois tout conspirer;
Il ne me reste plus qu'à vous les déclarer.
    Je fuis, ainsi la fortune ennemie.
Mais vous savez trop bien l'histoire de ma vie
Pour croire que longtemps soigneux de me cacher,
J'attende en ces déserts qu'on me vienne chercher.
La guerre a ses faveurs, ainsi que ses disgrâces.
Déjà plus d'une fois, retournant sur mes traces,
Tandis que l'ennemi, par ma fuite trompé,
Tenait après son char un vain peuple occupé,
Et gravant en airain ses frêles avantages,
De mes États conquis enchaînait les images,
Le Bosphore m'a vu, par de nouveaux apprêts,
Ramener la terreur du fond de ses marais,
Et chassant les Romains de l'Asie étonnée,
Renverser en un jour l'ouvrage d'une année.
D'autres temps, d'autres soins. L'Orient accablé
Ne peut plus soutenir leur effort redoublé.
Il voit plus que jamais ses campagnes couvertes
De Romains que la guerre enrichit de nos pertes.
Des biens des nations ravisseurs altérés,
Le bruit de nos trésors les a tous attirés :
Ils y courent en foule, et jaloux l'un de l'autre
Désertent leur pays pour inonder le nôtre.
Moi seul je leur résiste. Ou lassés, ou soumis,
Ma funeste amitié pèse à tous mes amis :

Chacun à ce fardeau veut dérober sa tête.
Le grand nom de Pompée assure sa conquête.
C'est l'effroi de l'Asie. Et loin de l'y chercher,
C'est à Rome, mes fils, que je prétends marcher.
Ce dessein vous surprend; et vous croyez peut-être
Que le seul désespoir aujourd'hui le fait naître.
J'excuse votre erreur; et pour être approuvés,
De semblables projets veulent être achevés.
     Ne vous figurez point que de cette contrée
Par d'éternels remparts Rome soit séparée.
Je sais tous les chemins par où je dois passer;
Et si la mort bientôt ne me vient traverser,
Sans reculer plus loin l'effet de ma parole,
Je vous rends dans trois mois au pied du Capitole.
Doutez-vous que l'Euxin ne me porte en deux jours
Aux lieux où le Danube y vient finir son cours ?
Que du Scythe avec moi l'alliance jurée
De l'Europe en ces lieux ne me livre l'entrée ?
Recueilli dans leurs ports, accru de leurs soldats,
Nous verrons notre camp grossir à chaque pas.
Daces, Pannoniens, la fière Germanie,
Tous n'attendent qu'un chef contre la tyrannie.
Vous avez vu l'Espagne, et surtout les Gaulois,
Contre ces mêmes murs qu'ils ont pris autrefois
Exciter ma vengeance, et jusque dans la Grèce
Par des ambassadeurs accuser ma paresse.
Ils savent que sur eux prêt à se déborder,
Ce torrent, s'il m'entraîne, ira tout inonder;
Et vous les verrez tous, prévenant son ravage,
Guider dans l'Italie et suivre mon passage.
     C'est là qu'en arrivant, plus qu'en tout le chemin,
Vous trouverez partout l'horreur du nom romain,
Et la triste Italie encor toute fumante
Des feux qu'a rallumés sa liberté mourante.
Non, Princes, ce n'est point au bout de l'univers
Que Rome fait sentir tout le poids de ses fers;
Et de près inspirant les haines les plus fortes,
Tes plus grands ennemis, Rome, sont à tes portes.
Ah! s'ils ont pu choisir pour leur libérateur
Spartacus, un esclave, un vil gladiateur,
S'ils suivent au combat des brigands qui les vengent,
De quelle noble ardeur pensez-vous qu'ils se rangent
Sous les drapeaux d'un roi longtemps victorieux,
Qui voit jusqu'à Cyrus remonter ses aïeux ?
Que dis-je ? En quel état croyez-vous la surprendre ?

Vide de légions qui la puissent défendre,
Tandis que tout s'occupe à me persécuter,
Leurs femmes, leurs enfants pourront-ils m'arrêter ?
    Marchons, et dans son sein rejetons cette guerre
Que sa fureur envoie aux deux bouts de la terre.
Attaquons dans leurs murs ces conquérants si fiers ;
Qu'ils tremblent à leur tour pour leurs propres foyers.
Annibal l'a prédit, croyons-en ce grand homme,
Jamais on ne vaincra les Romains que dans Rome.
Noyons-la dans son sang justement répandu.
Brûlons ce Capitole où j'étais attendu.
Détruisons ses honneurs, et faisons disparaître
La honte de cent rois, et la mienne peut-être ;
Et la flamme à la main effaçons tous ces noms
Que Rome y consacrait à d'éternels affronts.
    Voilà l'ambition dont mon âme est saisie.
Ne croyez point pourtant qu'éloigné de l'Asie,
J'en laisse les Romains tranquilles possesseurs.
Je sais où je lui dois trouver des défenseurs.
Je veux que d'ennemis partout enveloppée,
Rome rappelle en vain le secours de Pompée.
Le Parthe, des Romains comme moi la terreur,
Consent de succéder à ma juste fureur.
Prêt d'unir avec moi sa haine et sa famille,
Il me demande un fils pour époux à sa fille.
Cet honneur vous regarde, et j'ai fait choix de vous,
Pharnace. Allez, soyez ce bienheureux époux.
Demain, sans différer, je prétends que l'Aurore
Découvre mes vaisseaux déjà loin du Bosphore.
Vous que rien n'y retient, partez dès ce moment,
Et méritez mon choix par votre empressement.
Achevez cet hymen ; et repassant l'Euphrate,
Faites voir à l'Asie un autre Mithridate.
Que nos tyrans communs en pâlissent d'effroi,
Et que le bruit à Rome en vienne jusqu'à moi.

PHARNACE

Seigneur, je ne vous puis déguiser ma surprise.
J'écoute avec transport cette grande entreprise ;
Je l'admire. Et jamais un plus hardi dessein
Ne mit à des vaincus les armes à la main.
Surtout j'admire en vous ce cœur infatigable
Qui semble s'affermir sous le faix qui l'accable.
Mais si j'ose parler avec sincérité,
En êtes-vous réduit à cette extrémité ?

Pourquoi tenter si loin des courses inutiles
Quand vos États encor vous offrent tant d'asiles,
Et vouloir affronter des travaux infinis,
Dignes plutôt d'un chef de malheureux bannis
Que d'un roi qui naguère, avec quelque apparence,
De l'aurore au couchant portait son espérance,
Fondait sur trente États son trône florissant,
Dont le débris est même un Empire puissant ?
Vous seul, Seigneur, vous seul, après quarante années,
Pouvez encor lutter contre les destinées.
Implacable ennemi de Rome et du repos,
Comptez-vous vos soldats pour autant de héros ?
Pensez-vous que ces cœurs, tremblants de leur défaite,
Fatigués d'une longue et pénible retraite,
Cherchent avidement sous un ciel étranger
La mort et le travail, pire que le danger ?
Vaincus plus d'une fois aux yeux de la patrie,
Soutiendront-ils ailleurs un vainqueur en furie ?
Sera-t-il moins terrible, et le vaincront-ils mieux
Dans le sein de sa Ville, à l'aspect de ses Dieux ?
    Le Parthe vous recherche et vous demande un gendre.
Mais ce Parthe, Seigneur, ardent à nous défendre
Lorsque tout l'univers semblait nous protéger,
D'un gendre sans appui voudra-t-il se charger ?
M'en irai-je moi seul, rebut de la fortune,
Essuyer l'inconstance au Parthe si commune,
Et peut-être, pour fruit d'un téméraire amour,
Exposer votre nom au mépris de sa cour ?
Du moins, s'il faut céder, si contre notre usage
Il faut d'un suppliant emprunter le visage,
Sans m'envoyer du Parthe embrasser les genoux,
Sans vous-même implorer des rois moindres que vous,
Ne pourrions-nous pas prendre une plus sûre voie ?
Jetons-nous dans les bras qu'on nous tend avec joie.
Rome en votre faveur facile à s'apaiser...

XIPHARÈS

Rome, mon frère, ô ciel! Qu'osez-vous proposer ?
Vous voulez que le Roi s'abaisse et s'humilie ?
Qu'il démente en un jour tout le cours de sa vie ?
Qu'il se fie aux Romains, et subisse des lois
Dont il a quarante ans défendu tous les rois ?
Continuez, Seigneur. Tout vaincu que vous êtes,
La guerre, les périls sont vos seules retraites.
Rome poursuit en vous un ennemi fatal,

Plus conjuré contre elle et plus craint qu'Annibal.
Tout couvert de son sang, quoi que vous puissiez faire,
N'en attendez jamais qu'une paix sanguinaire,
Telle qu'en un seul jour un ordre de vos mains
La donna dans l'Asie à cent mille Romains.
   Toutefois épargnez votre tête sacrée.
Vous-même n'allez point, de contrée en contrée,
Montrer aux nations Mithridate détruit,
Et de votre grand nom diminuer le bruit.
Votre vengeance est juste, il la faut entreprendre :
Brûlez le Capitole, et mettez Rome en cendre.
Mais c'est assez pour vous d'en ouvrir les chemins :
Faites porter ce feu par de plus jeunes mains;
Et tandis que l'Asie occupera Pharnace,
De cette autre entreprise honorez mon audace.
Commandez. Laissez-nous, de votre nom suivis,
Justifier partout que nous sommes vos fils.
Embrasez par nos mains le couchant et l'aurore;
Remplissez l'univers, sans sortir du Bosphore;
Que les Romains, pressés de l'un à l'autre bout,
Doutent où vous serez, et vous trouvent partout.
Dès ce même moment ordonnez que je parte.
Ici tout vous retient. Et moi, tout m'en écarte.
Et si ce grand dessein surpasse ma valeur,
Du moins ce désespoir convient à mon malheur.
Trop heureux d'avancer la fin de ma misère,
J'irai... j'effacerai le crime de ma mère,
Seigneur. Vous m'en voyez rougir à vos genoux;
J'ai honte de me voir si peu digne de vous;
Tout mon sang doit laver une tache si noire.
Mais je cherche un trépas utile à votre gloire,
Et Rome, unique objet d'un désespoir si beau,
Du fils de Mithridate est le digne tombeau.

MITHRIDATE, *se levant.*

Mon fils, ne parlons plus d'une mère infidèle.
Votre père est content, il connaît votre zèle,
Et ne vous verra point affronter de danger
Qu'avec vous son amour ne veuille partager.
Vous me suivrez, je veux que rien ne nous sépare.
Et vous, à m'obéir, Prince, qu'on se prépare.
Les vaisseaux sont tout prêts. J'ai moi-même ordonné
La suite et l'appareil qui vous est destiné.
Arbate, à cet hymen chargé de vous conduire,
De votre obéissance aura soin de m'instruire.

Allez; et soutenant l'honneur de vos aïeux,
Dans cet embrassement recevez mes adieux.

PHARNACE

Seigneur...

MITHRIDATE

Ma volonté, Prince, vous doit suffire.
Obéissez. C'est trop vous le faire redire.

PHARNACE

Seigneur, si pour vous plaire il ne faut que périr,
Plus ardent qu'aucun autre on m'y verra courir.
Combattant à vos yeux, permettez que je meure.

MITHRIDATE

Je vous ai commandé de partir tout à l'heure.
Mais après ce moment... Prince, vous m'entendez,
Et vous êtes perdu si vous me répondez.

PHARNACE

Dussiez-vous présenter mille morts à ma vue,
Je ne saurais chercher une fille inconnue.
Ma vie est en vos mains.

MITHRIDATE

Ah! c'est où je t'attends.
Tu ne saurais partir, perfide, et je t'entends.
Je sais pourquoi tu fuis l'hymen où je t'envoie :
Il te fâche en ces lieux d'abandonner ta proie;
Monime te retient. Ton amour criminel
Prétendait l'arracher à l'hymen paternel.
Ni l'ardeur dont tu sais que je l'ai recherchée,
Ni déjà sur son front ma couronne attachée,
Ni cet asile même où je la fais garder,
Ni mon juste courroux n'ont pu t'intimider.
Traître, pour les Romains tes lâches complaisances
N'étaient pas à mes yeux d'assez noires offenses.
Il te manquait encor ces perfides amours
Pour être le supplice et l'horreur de mes jours.
Loin de t'en repentir, je vois sur ton visage
Que ta confusion ne part que de ta rage.
Il te tarde déjà qu'échappé de mes mains
Tu ne coures me perdre, et me vendre aux Romains.
Mais avant que partir, je me ferai justice :
Je te l'ai dit.

SCÈNE II

MITHRIDATE, PHARNACE, XIPHARÈS,
GARDES

MITHRIDATE

Holà! gardes. Qu'on le saisisse.
Oui, lui-même, Pharnace. Allez, et de ce pas
Qu'enfermé dans la tour on ne le quitte pas.

PHARNACE

Hé bien! sans me parer d'une innocence vaine,
Il est vrai, mon amour mérite votre haine.
J'aime : l'on vous a fait un fidèle récit.
Mais Xipharès, Seigneur, ne vous a pas tout dit.
C'est le moindre secret qu'il pouvait vous apprendre;
Et ce fils si fidèle a dû vous faire entendre
Que des mêmes ardeurs dès longtemps enflammé,
Il aime aussi la Reine, et même en est aimé.

SCÈNE III

MITHRIDATE, XIPHARÈS

XIPHARÈS

Seigneur, le croirez-vous qu'un dessein si coupable...

MITHRIDATE

Mon fils, je sais de quoi votre frère est capable.
Me préserve le ciel de soupçonner jamais
Que d'un prix si cruel vous payez mes bienfaits;
Qu'un fils, qui fut toujours le bonheur de ma vie,
Ait pu percer ce cœur qu'un père lui confie!
Je ne le croirai point. Allez. Loin d'y songer,
Je ne vais désormais penser qu'à nous venger.

SCÈNE IV

MITHRIDATE

Je ne le croirai point ? Vain espoir qui me flatte !
Tu ne le crois que trop, malheureux Mithridate.
Xipharès mon rival ? et d'accord avec lui
La Reine aurait osé me tromper aujourd'hui ?
Quoi ! de quelque côté que je tourne la vue,
La foi de tous les cœurs est pour moi disparue ?
Tout m'abandonne ailleurs ? Tout me trahit ici ?
Pharnace, amis, maîtresse. Et toi, mon fils, aussi ?
Toi de qui la vertu consolant ma disgrâce...
Mais ne connais-je pas le perfide Pharnace ?
Quelle faiblesse à moi d'en croire un furieux
Qu'arme contre son frère un courroux envieux,
Ou dont le désespoir me troublant par des fables
Grossit, pour se sauver, le nombre des coupables !
Non, ne l'en croyons point. Et sans trop nous presser,
Voyons, examinons. Mais par où commencer ?
Qui m'en éclaircira ? Quels témoins ? Quel indice ?
Le ciel en ce moment m'inspire un artifice.
Qu'on appelle la Reine. Oui, sans aller plus loin,
Je veux l'ouïr. Mon choix s'arrête à ce témoin.
L'amour avidement croit tout ce qui le flatte.
Qui peut de son vainqueur mieux parler que l'ingrate ?
Voyons qui son amour accusera des deux.
S'il n'est digne de moi, le piège est digne d'eux.
Trompons qui nous trahit. Et pour connaître un traître,
Il n'est point de moyens... Mais je la vois paraître :
Feignons ; et de son cœur, d'un vain espoir flatté,
Par un mensonge adroit tirons la vérité.

SCÈNE V

MITHRIDATE, MONIME

MITHRIDATE

Enfin j'ouvre les yeux, et je me fais justice.
C'est faire à vos beautés un triste sacrifice,

Que de vous présenter, Madame, avec ma foi,
Tout l'âge et le malheur que je traîne avec moi.
Jusqu'ici la fortune et la victoire mêmes
Cachaient mes cheveux blancs sous trente diadèmes.
Mais ce temps-là n'est plus. Je régnais, et je fuis.
Mes ans se sont accrus ; mes honneurs sont détruits ;
Et mon front, dépouillé d'un si noble avantage,
Du temps, qui l'a flétri, laisse voir tout l'outrage.
D'ailleurs mille desseins partagent mes esprits :
D'un camp prêt à partir vous entendez les cris ;
Sortant de mes vaisseaux, il faut que j'y remonte.
Quel temps pour un hymen qu'une fuite si prompte,
Madame ! Et de quel front vous unir à mon sort,
Quand je ne cherche plus que la guerre et la mort ?
Cessez pourtant, cessez de prétendre à Pharnace.
Quand je me fais justice, il faut qu'on se la fasse.
Je ne souffrirai point que ce fils odieux,
Que je viens pour jamais de bannir de mes yeux,
Possédant une amour qui me fut déniée,
Vous fasse des Romains devenir l'alliée.
Mon trône vous est dû. Loin de m'en repentir,
Je vous y place même, avant que de partir,
Pourvu que vous vouliez qu'une main qui m'est chère,
Un fils, le digne objet de l'amour de son père,
Xipharès, en un mot, devenant votre époux,
Me venge de Pharnace, et m'acquitte envers vous.

MONIME

Xipharès ! Lui, Seigneur ?

MITHRIDATE

                              Oui, lui-même, Madame.
D'où peut naître à ce nom le trouble de votre âme ?
Contre un si juste choix qui peut vous révolter ?
Est-ce quelque mépris qu'on ne puisse dompter ?
Je le répète encor : c'est un autre moi-même,
Un fils victorieux, qui me chérit, que j'aime,
L'ennemi des Romains, l'héritier et l'appui
D'un Empire et d'un nom qui va renaître en lui ;
Et quoi que votre amour ait osé se promettre,
Ce n'est qu'entre ses mains que je puis vous remettre.

MONIME

Que dites-vous ? O ciel ! Pourriez-vous approuver...
Pourquoi, Seigneur, pourquoi voulez-vous m'éprouver ?

Cessez de tourmenter une âme infortunée.
Je sais que c'est à vous que je fus destinée ;
Je sais qu'en ce moment, pour ce nœud solennel,
La victime, Seigneur, nous attend à l'autel.
Venez.

MITHRIDATE

　　　　Je le vois bien : quelque effort que je fasse,
Madame, vous voulez vous garder à Pharnace.
Je reconnais toujours vos injustes mépris,
Ils ont même passé sur mon malheureux fils.

MONIME

Je le méprise !

MITHRIDATE

　　　　Hé bien ! n'en parlons plus, Madame.
Continuez : brûlez d'une honteuse flamme.
Tandis qu'avec mon fils je vais, loin de vos yeux,
Chercher au bout du monde un trépas glorieux,
Vous cependant ici servez avec son frère,
Et vendez aux Romains le sang de votre père.
Venez. Je ne saurais mieux punir vos dédains,
Qu'en vous mettant moi-même en ses serviles mains ;
Et sans plus me charger du soin de votre gloire,
Je veux laisser de vous jusqu'à votre mémoire.
Allons, Madame, allons. Je m'en vais vous unir.

MONIME

Plutôt de mille morts dussiez-vous me punir !

MITHRIDATE

Vous résistez en vain, et j'entends votre fuite.

MONIME

En quelle extrémité, Seigneur, suis-je réduite ?
Mais enfin je vous crois, et je ne puis penser
Qu'à feindre si longtemps vous puissiez vous forcer.
Les Dieux me sont témoins qu'à vous plaire bornée,
Mon âme à tout son sort s'était abandonnée.
Mais si quelque faiblesse avait pu m'alarmer,
Si de tous ses efforts mon cœur a dû s'armer,
Ne croyez point, Seigneur, qu'auteur de mes alarmes,
Pharnace m'ait jamais coûté les moindres larmes.
Ce fils victorieux que vous favorisez,
Cette vivante image en qui vous vous plaisez,
Cet ennemi de Rome, et cet autre vous-même,
Enfin ce Xipharès que vous voulez que j'aime...

MITHRIDATE

Vous l'aimez ?

MONIME

     Si le sort ne m'eût donnée à vous,
Mon bonheur dépendait de l'avoir pour époux.
Avant que votre amour m'eût envoyé ce gage,
Nous nous aimions... Seigneur, vous changez de visage.

MITHRIDATE

Non, Madame. Il suffit. Je vais vous l'envoyer.
Allez. Le temps est cher. Il le faut employer.
Je vois qu'à m'obéir vous êtes disposée.
Je suis content.

MONIME, en s'en allant.

    O ciel! Me serais-je abusée ?

SCÈNE VI

MITHRIDATE

Ils s'aiment. C'est ainsi qu'on se jouait de nous.
Ah! fils ingrat. Tu vas me répondre pour tous.
Tu périras. Je sais combien ta renommée
Et tes fausses vertus ont séduit mon armée.
Perfide, je te veux porter des coups certains :
Il faut, pour te mieux perdre, écarter les mutins,
Et faisant à mes yeux partir les plus rebelles,
Ne garder près de moi que des troupes fidèles.
Allons. Mais sans montrer un visage offensé,
Dissimulons encor, comme j'ai commencé.

ACTE IV

SCÈNE PREMIÈRE

MONIME, PHŒDIME

MONIME

Phœdime, au nom des Dieux, fais ce que je désire :
Va voir ce qui se passe, et reviens me le dire.

Je ne sais; mais mon cœur ne se peut rassurer.
Mille soupçons affreux viennent me déchirer.
Que tarde Xipharès ? et d'où vient qu'il diffère
A seconder des vœux qu'autorise son père ?
Son père, en me quittant, me l'allait envoyer.
Mais il feignait peut-être : il fallait tout nier.
Le Roi feignait ? Et moi, découvrant ma pensée...
O Dieux, en ce péril m'auriez-vous délaissée ?
Et se pourrait-il bien qu'à son ressentiment
Mon amour indiscret eût livré mon amant ?
Quoi, Prince! quand, tout plein de ton amour extrême,
Pour savoir mon secret tu me pressais toi-même,
Mes refus trop cruels vingt fois te l'ont caché,
Je t'ai même puni de l'avoir arraché;
Et quand de toi peut-être un père se défie,
Que dis-je ? quand peut-être il y va de ta vie,
Je parle; et trop facile à me laisser tromper,
Je lui marque le cœur où sa main doit frapper.

PHŒDIME

Ah! traitez-le, Madame, avec plus de justice :
Un grand roi descend-il jusqu'à cet artifice ?
A prendre ce détour qui l'aurait pu forcer ?
Sans murmure, à l'autel vous l'alliez devancer.
Voulait-il perdre un fils qu'il aime avec tendresse ?
Jusqu'ici les effets secondent sa promesse :
Madame, il vous disait qu'un important dessein,
Malgré lui, le forçait à vous quitter demain;
Ce seul dessein l'occupe; et hâtant son voyage,
Lui-même ordonne tout, présent sur le rivage.
Ses vaisseaux en tous lieux se chargent de soldats,
Et partout Xipharès accompagne ses pas.
D'un rival en fureur est-ce là la conduite ?
Et voit-on ses discours démentis par la suite ?

MONIME

Pharnace cependant, par son ordre arrêté,
Trouve en lui d'un rival toute la dureté.
Phœdime, à Xipharès fera-t-il plus de grâce ?

PHŒDIME

C'est l'ami des Romains qu'il punit en Pharnace.
L'amour a peu de part à ses justes soupçons.

MONIME

Autant que je le puis, je cède à tes raisons.
Elles calment un peu l'ennui qui me dévore.
Mais pourtant Xipharès ne paraît point encore.

PHŒDIME

Vaine erreur des amants qui, pleins de leurs désirs,
Voudraient que tout cédât au soin de leurs plaisirs!
Qui prêts à s'irriter contre le moindre obstacle...

MONIME

Ma Phœdime, et qui peut concevoir ce miracle ?
Après deux ans d'ennuis, dont tu sais tout le poids,
Quoi! je puis respirer pour la première fois ?
Quoi! cher Prince, avec toi si je me verrais unie ?
Et loin que ma tendresse eût exposé ta vie,
Tu verrais ton devoir, je verrais ma vertu
Approuver un amour si longtemps combattu ?
Je pourrais tous les jours t'assurer que je t'aime ?
Que ne viens-tu...

SCÈNE II

MONIME, XIPHARÈS, PHŒDIME

MONIME

Seigneur, je parlais de vous-même.
Mon âme souhaitait de vous voir en ce lieu,
Pour vous...

XIPHARÈS

C'est maintenant qu'il faut vous dire adieu.

MONIME

Adieu! Vous ?

XIPHARÈS

Oui, Madame, et pour toute ma vie.

MONIME

Qu'entends-je ? On me disait... Hélas! ils m'ont trahie.

XIPHARÈS

Madame, je ne sais quel ennemi couvert,
Révélant nos secrets, vous trahit et me perd.
Mais le Roi, qui tantôt n'en croyait point Pharnace,
Maintenant dans nos cœurs sait tout ce qui se passe.

Il feint, il me caresse, et cache son dessein ;
Mais moi, qui dès l'enfance élevé dans son sein,
De tous ses mouvements ai trop d'intelligence,
J'ai lu dans ses regards sa prochaine vengeance.
Il presse, il fait partir tous ceux dont mon malheur
Pourrait à la révolte exciter la douleur.
De ses fausses bontés j'ai connu la contrainte.
Un mot même d'Arbate a confirmé ma crainte.
Il a su m'aborder ; et les larmes aux yeux :
On sait tout, m'a-t-il dit : *sauvez-vous de ces lieux.*
Ce mot m'a fait frémir du péril de ma Reine,
Et ce cher intérêt est le seul qui m'amène.
Je vous crains pour vous-même, et je viens à genoux
Vous prier, ma Princesse, et vous fléchir pour vous.
Vous dépendez ici d'une main violente,
Que le sang le plus cher rarement épouvante ;
Et je n'ose vous dire à quelle cruauté
Mithridate jaloux s'est souvent emporté.
Peut-être c'est moi seul que sa fureur menace.
Peut-être, en me perdant, il veut vous faire grâce.
Daignez, au nom des Dieux, daignez en profiter.
Par de nouveaux refus n'allez point l'irriter.
Moins vous l'aimez, et plus tâchez de lui complaire.
Feignez. Efforcez-vous. Songez qu'il est mon père.
Vivez, et permettez que dans tous mes malheurs
Je puisse à votre amour ne coûter que des pleurs.

MONIME

Ah ! je vous ai perdu !

XIPHARÈS

Généreuse Monime,
Ne vous imputez point le malheur qui m'opprime.
Votre seule bonté n'est point ce qui me nuit :
Je suis un malheureux que le destin poursuit ;
C'est lui qui m'a ravi l'amitié de mon père,
Qui le fit mon rival, qui révolta ma mère,
Et vient de susciter, dans ce moment affreux,
Un secret ennemi pour nous trahir tous deux.

MONIME

Hé quoi ? cet ennemi, vous l'ignorez encore ?

XIPHARÈS

Pour surcroît de douleur, Madame, je l'ignore.
Heureux si je pouvais, avant que m'immoler,
Percer le traître cœur qui m'a pu déceler !

MONIME

Hé bien ! Seigneur, il faut vous le faire connaître.
Ne cherchez point ailleurs cet ennemi, ce traître :
Frappez. Aucun respect ne vous doit retenir.
J'ai tout fait ; et c'est moi que vous devez punir.

XIPHARÈS

Vous !

MONIME

Ah ! si vous saviez, Prince, avec quelle adresse
Le cruel est venu surprendre ma tendresse !
Quelle amitié sincère il affectait pour vous,
Content, s'il vous voyait devenir mon époux !
Qui n'aurait cru... Mais non, mon amour plus timide
Devait moins vous livrer à sa bonté perfide.
Les Dieux qui m'inspiraient, et que j'ai mal suivis,
M'ont fait taire trois fois par de secrets avis.
J'ai dû continuer. J'ai dû dans tout le reste...
Que sais-je enfin ? j'ai dû vous être moins funeste ;
J'ai dû craindre du Roi les dons empoisonnés,
Et je m'en punirai si vous me pardonnez.

XIPHARÈS

Quoi ! Madame, c'est vous, c'est l'amour qui m'expose ?
Mon malheur est parti d'une si belle cause ?
Trop d'amour a trahi nos secrets amoureux ?
Et vous vous excusez de m'avoir fait heureux ?
Que voudrais-je de plus ? Glorieux et fidèle,
Je meurs. Un autre sort au trône vous appelle.
Consentez-y, Madame ; et sans plus résister,
Achevez un hymen qui vous y fait monter.

MONIME

Quoi ? vous me demandez que j'épouse un barbare
Dont l'odieux amour pour jamais nous sépare ?

XIPHARÈS

Songez que ce matin, soumise à ses souhaits,
Vous deviez l'épouser et ne me voir jamais.

MONIME

Et connaissais-je alors toute sa barbarie ?
Ne voudriez-vous point qu'approuvant sa furie,
Après vous avoir vu tout percé de ses coups,
Je suivisse à l'autel un tyrannique époux,

Et que dans une main de votre sang fumante
J'allasse mettre, hélas! la main de votre amante?
Allez, de ses fureurs songez à vous garder,
Sans perdre ici le temps à me persuader :
Le ciel m'inspirera quel parti je dois prendre.
Que serait-ce, grands Dieux! s'il venait vous surprendre?
Que dis-je? On vient. Allez. Courez. Vivez enfin,
Et du moins attendez quel sera mon destin.

SCÈNE III

MONIME, PHŒDIME

PHŒDIME

Madame, à quels périls il exposait sa vie!
C'est le Roi.

MONIME

   Cours l'aider à cacher sa sortie.
Va, ne le quitte point; et qu'il se garde bien
D'ordonner de son sort, sans être instruit du mien.

SCÈNE IV

MITHRIDATE, MONIME

MITHRIDATE

Allons, Madame, allons. Une raison secrète
Me fait quitter ces lieux et hâter ma retraite.
Tandis que mes soldats, prêts à suivre leur roi,
Rentrent dans mes vaisseaux pour partir avec moi,
Venez, et qu'à l'autel ma promesse accomplie
Par des nœuds éternels l'un à l'autre nous lie.

MONIME

Nous, Seigneur?

MITHRIDATE

   Quoi Madame! osez-vous balancer?

MONIME

Et ne m'avez-vous pas défendu d'y penser?

MITHRIDATE

J'eus mes raisons alors. Oublions-les, Madame.
Ne songez maintenant qu'à répondre à ma flamme.
Songez que votre cœur est un bien qui m'est dû.

MONIME

Hé! pourquoi donc, Seigneur, me l'avez-vous rendu?

MITHRIDATE

Quoi! pour un fils ingrat toujours préoccupée,
Vous croiriez...

MONIME

Quoi Seigneur! vous m'auriez donc trom-
[pée?

MITHRIDATE

Perfide! Il vous sied bien de tenir ce discours,
Vous, qui gardant au cœur d'infidèles amours,
Quand je vous élevais au comble de la gloire,
M'avez des trahisons préparé la plus noire.
Ne vous souvient-il plus, cœur ingrat et sans foi,
Plus que tous les Romains conjurés contre moi,
De quel rang glorieux j'ai bien voulu descendre,
Pour vous porter au trône où vous n'osiez prétendre?
Ne me regardez point vaincu, persécuté :
Revoyez-moi vainqueur, et partout redouté.
Songez de quelle ardeur dans Ephèse adorée,
Aux filles de cent rois je vous ai préférée,
Et négligeant pour vous tant d'heureux alliés,
Quelle foule d'États je mettais à vos pieds.
Ah! si d'un autre amour le penchant invincible
Dès lors à mes bontés vous rendait insensible,
Pourquoi chercher si loin un odieux époux?
Avant que de partir, pourquoi vous taisiez-vous?
Attendiez-vous, pour faire un aveu si funeste,
Que le sort ennemi m'eût ravi tout le reste,
Et que, de toutes parts me voyant accabler,
J'eusse en vous le seul bien qui me pût consoler?
Cependant, quand je veux oublier cet outrage,
Et cacher à mon cœur cette funeste image,
Vous osez à mes yeux rappeler le passé,
Vous m'accusez encor, quand je suis offensé.
Je vois que pour un traître un fol espoir vous flatte.
A quelle épreuve, ô Ciel, réduis-tu Mithridate!

Par quel charme secret laissé-je retenir
Ce courroux si sévère et si prompt à punir ?
Profitez du moment que mon amour vous donne :
Pour la dernière fois, venez, je vous l'ordonne :
N'attirez point sur vous des périls superflus,
Pour un fils insolent que vous ne verrez plus.
Sans vous parer pour lui d'une foi qui m'est due,
Perdez-en la mémoire aussi bien que la vue;
Et désormais sensible à ma seule bonté,
Méritez le pardon qui vous est présenté.

MONIME

Je n'ai point oublié quelle reconnaissance,
Seigneur, m'a dû ranger sous votre obéissance.
Quelque rang où jadis soient montés mes aïeux,
Leur gloire de si loin n'éblouit point mes yeux.
Je songe avec respect de combien je suis née
Au-dessous des grandeurs d'un si noble hyménée;
Et malgré mon penchant et mes premiers desseins
Pour un fils, après vous le plus grand des humains,
Du jour que sur mon front on mit ce diadème,
Je renonçai, Seigneur, à ce prince, à moi-même.
Tous deux d'intelligence à nous sacrifier,
Loin de moi, par mon ordre, il courait m'oublier.
Dans l'ombre du secret ce feu s'allait éteindre;
Et même de mon sort je ne pouvais me plaindre,
Puisque enfin, aux dépens de mes vœux les plus doux,
Je faisais le bonheur d'un héros tel que vous.
    Vous seul, Seigneur, vous seul, vous m'avez arrachée
A cette obéissance où j'étais attachée;
Et ce fatal amour dont j'avais triomphé,
Ce feu que dans l'oubli je croyais étouffé,
Dont la cause à jamais s'éloignait de ma vue,
Vos détours l'ont surpris, et m'en ont convaincue.
Je vous l'ai confessé, je le dois soutenir.
En vain vous en pourriez perdre le souvenir,
Et cet aveu honteux, où vous m'avez forcée,
Demeurera toujours présent à ma pensée.
Toujours je vous croirais incertain de ma foi;
Et le tombeau, Seigneur, est moins triste pour moi
Que le lit d'un époux qui m'a fait cet outrage,
Qui s'est acquis sur moi ce cruel avantage,
Et qui, me préparant un éternel ennui,
M'a fait rougir d'un feu qui n'était pas pour lui.

MITHRIDATE

C'est donc votre réponse ? Et sans plus me complaire,
Vous refusez l'honneur que je voulais vous faire ?
Pensez-y bien. J'attends pour me déterminer.

MONIME

Non, Seigneur, vainement vous croyez m'étonner.
Je vous connais : je sais tout ce que je m'apprête,
Et je vois quels malheurs j'assemble sur ma tête.
Mais le dessein est pris. Rien ne peut m'ébranler.
Jugez-en, puisque ainsi je vous ose parler,
Et m'emporte au-delà de cette modestie
Dont jusqu'à ce moment je n'étais point sortie.
Vous vous êtes servi de ma funeste main
Pour mettre à votre fils un poignard dans le sein.
De ses feux innocents j'ai trahi le mystère;
Et quand il n'en perdrait que l'amour de son père,
Il en mourra, Seigneur. Ma foi ni mon amour
Ne seront point le prix d'un si cruel détour.
Après cela, jugez. Perdez une rebelle;
Armez-vous du pouvoir où vous donna sur elle :
J'attendrai mon arrêt, vous pouvez commander.
Tout ce qu'en vous quittant j'ose vous demander,
Croyez (à la vertu je dois cette justice)
Que je vous trahis seule, et n'ai point de complice,
Et que d'un plein succès vos vœux seraient suivis
Si j'en croyais, Seigneur, les vœux de votre fils.

SCÈNE V

MITHRIDATE

Elle me quitte! Et moi, dans un lâche silence,
Je semble de sa fuite approuver l'insolence ?
Peu s'en faut que mon cœur, penchant de son côté,
Ne me condamne encor de trop de cruauté!
Qui suis-je ? Est-ce Monime ? Et suis-je Mithridate ?
Non, non, plus de pardon, plus d'amour pour l'ingrate.
Ma colère revient, et je me reconnois.
Immolons, en partant, trois ingrats à la fois.
Je vais à Rome, et c'est par de tels sacrifices
Qu'il faut à ma fureur rendre les Dieux propices.
Je le dois, je le puis; ils n'ont plus de support :
Les plus séditieux sont déjà loin du bord.

Sans distinguer entre eux qui je hais ou qui j'aime,
Allons, et commençons par Xipharès lui-même.
    Mais quelle est ma fureur ? et qu'est-ce que je dis ?
Tu vas sacrifier, qui ? malheureux ! Ton fils !
Un fils que Rome craint ? qui peut venger son père ?
Pourquoi répandre un sang qui m'est si nécessaire ?
Ah ! dans l'état funeste où ma chute m'a mis,
Est-ce que mon malheur m'a laissé trop d'amis ?
Songeons plutôt, songeons à gagner sa tendresse :
J'ai besoin d'un vengeur, et non d'une maîtresse.
Quoi ! ne vaut-il pas mieux, puisqu'il faut m'en priver,
La céder à ce fils que je veux conserver ?
Cédons-la. Vains efforts, qui ne font que m'instruire
Des faiblesses d'un cœur qui cherche à se séduire !
Je brûle, je l'adore ; et loin de la bannir...
Ah ! c'est un crime encor dont je la veux punir.
Quelle pitié retient mes sentiments timides ?
N'en ai-je pas déjà puni de moins perfides ?
O Monime ! ô mon fils ! inutile courroux !
Et vous, heureux Romains, quel triomphe pour vous,
Si vous saviez ma honte, et qu'un avis fidèle
De mes lâches combats vous portât la nouvelle !
Quoi ! des plus chères mains craignant les trahisons,
J'ai pris soin de m'armer contre tous les poisons ;
J'ai su, par une longue et pénible industrie,
Des plus mortels venins prévenir la furie.
Ah ! qu'il eût mieux valu, plus sage et plus heureux,
Et repoussant les traits d'un amour dangereux,
Ne pas laisser remplir d'ardeurs empoisonnées
Un cœur déjà glacé par le froid des années !
    De ce trouble fatal par où dois-je sortir ?

SCÈNE VI

MITHRIDATE, ARBATE

ARBATE

Seigneur, tous vos soldats refusent de partir.
Pharnace les retient, Pharnace leur révèle
Que vous cherchez à Rome une guerre nouvelle.

MITHRIDATE

Pharnace ?

ARBATE

Il a séduit ses gardes les premiers,
Et le seul nom de Rome étonne les plus fiers.
De mille affreux périls ils se forment l'image,
Les uns avec transport embrassent le rivage,
Les autres qui partaient s'élancent dans les flots,
Ou présentent leurs dards aux yeux des matelots.
Le désordre est partout; et loin de nous entendre,
Ils demandent la paix, et parlent de se rendre.
Pharnace est à leur tête; et flattant leurs souhaits,
De la part des Romains il leur promet la paix.

MITHRIDATE

Ah le traître! Courez. Qu'on appelle son frère;
Qu'il me suive, qu'il vienne au secours de son père.

ARBATE

J'ignore son dessein. Mais un soudain transport
L'a déjà fait descendre et courir vers le port.
Et l'on dit que, suivi d'un gros d'amis fidèles,
On l'a vu se mêler au milieu des rebelles.
C'est tout ce que j'en sais.

MITHRIDATE

                        Ah! qu'est-ce que j'entends ?
Perfides, ma vengeance a tardé trop longtemps.
Mais je ne vous crains point. Malgré leur insolence,
Les mutins n'oseraient soutenir ma présence.
Je ne veux que les voir, je ne veux qu'à leurs yeux
Immoler de ma main deux fils audacieux.

SCÈNE VII

MITHRIDATE, ARBATE, ARCAS

ARCAS

Seigneur, tout est perdu. Les rebelles, Pharnace,
Les Romains sont en foule autour de cette place.

MITHRIDATE

Les Romains!

ARCAS

            De Romains le rivage est chargé,
Et bientôt dans ces murs vous êtes assiégé.

MITHRIDATE, *à Arcas.*

Ciel! Courons. Écoutez... Du malheur qui me presse
Tu ne jouiras pas, infidèle princesse.

ACTE V

SCÈNE PREMIÈRE
MONIME, PHŒDIME

PHŒDIME

Madame, où courez-vous ? Quels aveugles transports
Vous font tenter sur vous de criminels efforts ?
Hé quoi! vous avez pu, trop cruelle à vous-même,
Faire un affreux lien d'un sacré diadème ?
Ah! ne voyez-vous pas que les Dieux, plus humains,
Ont eux-mêmes rompu ce bandeau dans vos mains ?

MONIME

Hé! par quelle fureur obstinée à me suivre,
Toi-même, malgré moi, veux-tu me faire vivre ?
Xipharès ne vit plus. Le Roi désespéré
Lui-même n'attend plus qu'un trépas assuré.
Quel fruit te promets-tu de ta coupable audace ?
Perfide, prétends-tu me livrer à Pharnace ?

PHŒDIME

Ah! du moins attendez qu'un fidèle rapport
De son malheureux frère ait confirmé la mort.
Dans la confusion que nous venons d'entendre,
Les yeux peuvent-ils pas aisément se méprendre ?
D'abord, vous le savez, un bruit injurieux
Le rangeait du parti d'un camp séditieux;
Maintenant on vous dit que ces mêmes rebelles
Ont tourné contre lui leurs armes criminelles.
Jugez de l'un par l'autre. Et daignez écouter...

MONIME

Xipharès ne vit plus, il n'en faut point douter.
L'événement n'a point démenti mon attente.
Quand je n'en aurais pas la nouvelle sanglante,

Il est mort, et j'en ai pour garants trop certains
Son courage et son nom trop suspects aux Romains.
Ah! que d'un si beau sang dès longtemps altérée
Rome tient maintenant sa victoire assurée!
Quel ennemi son bras leur allait opposer!
Mais sur qui, malheureuse, oses-tu t'excuser?
Quoi? tu ne veux pas voir que c'est toi qui l'opprimes,
Et dans tous ses malheurs reconnaître tes crimes?
De combien d'assassins l'avais-je enveloppé!
Comment à tant de coups serait-il échappé?
Il évitait en vain les Romains et son frère:
Ne le livrais-je pas aux fureurs de son père?
C'est moi qui les rendant l'un de l'autre jaloux,
Vins allumer le feu qui les embrase tous,
Tison de la discorde, et fatale furie,
Que le démon de Rome a formée et nourrie.
Et je vis? Et j'attends que de leur sang baigné,
Pharnace des Romains revienne accompagné!
Qu'il étale à mes yeux sa parricide joie!
La mort au désespoir ouvre plus d'une voie.
Oui, cruelles, en vain vos injustes secours
Me ferment du tombeau les chemins les plus courts,
Je trouverai la mort jusque dans vos bras même.
  Et toi, fatal tissu, malheureux diadème,
Instrument et témoin de toutes mes douleurs,
Bandeau que mille fois j'ai trempé de mes pleurs,
Au moins, en terminant ma vie et mon supplice,
Ne pouvais-tu me rendre un funeste service?
A mes tristes regards, va, cesse de t'offrir:
D'autres armes sans toi sauront me secourir;
Et périsse le jour et la main meurtrière
Qui jadis sur mon front t'attacha la première.

PHŒDIME

On vient, Madame, on vient; et j'espère qu'Arcas
Pour bannir vos frayeurs porte vers vous ses pas.

SCÈNE II

MONIME, PHŒDIME, ARCAS

MONIME

En est-ce fait, Arcas? et le cruel Pharnace...

ARCAS

Ne me demandez rien de tout ce qui se passe,
Madame : on m'a chargé d'un plus funeste emploi,
Et ce poison vous dit la volonté du Roi.

PHŒDIME

Malheureuse princesse!

MONIME

Ah! quel comble de joie!
Donnez. Dites, Arcas, au Roi qui me l'envoie,
Que de tous les présents que m'a faits sa bonté,
Je reçois le plus cher et le plus souhaité.
A la fin je respire; et le ciel me délivre
Des secours importuns qui me forçaient de vivre.
Maîtresse de moi-même, il veut bien qu'une fois
Je puisse de mon sort disposer à mon choix.

PHŒDIME

Hélas!

MONIME

Retiens tes cris, et par d'indignes larmes
De cet heureux moment ne trouble point les charmes.
Si tu m'aimais, Phœdime, il fallait me pleurer
Quand d'un titre funeste on me vint honorer,
Et lorsque m'arrachant du doux sein de la Grèce,
Dans ce climat barbare on traîna ta maîtresse.
Retourne maintenant chez ces peuples heureux;
Et si mon nom encor s'est conservé chez eux,
Dis-leur ce que tu vois, et de toute ma gloire,
Phœdime, conte-leur la malheureuse histoire.
Et toi, qui de ce cœur, dont tu fus adoré,
Par un jaloux destin fus toujours séparé,
Héros, avec qui même en terminant ma vie,
Je n'ose en un tombeau demander d'être unie,
Reçois ce sacrifice, et puisse en ce moment
Ce poison expier le sang de mon amant!

SCÈNE III

MONIME, ARBATE, PHŒDIME, ARCAS

ARBATE

Arrêtez! arrêtez!

ARCAS

Que faites-vous, Arbate ?

ARBATE

Arrêtez! J'accomplis l'ordre de Mithridate.

MONIME

Ah! laissez-moi...

ARBATE, *jetant le poison.*

Cessez, vous dis-je, et laissez-moi,
Madame, exécuter les volontés du Roi.
Vivez. Et vous, Arcas, du succès de mon zèle
Courez à Mithridate apprendre la nouvelle.

SCÈNE IV

MONIME, ARBATE, PHŒDIME

MONIME

Ah! trop cruel Arbate, à quoi m'exposez-vous ?
Est-ce qu'on croit encor mon supplice trop doux ?
Et le Roi m'enviant une mort si soudaine,
Veut-il plus d'un trépas pour contenter sa haine ?

ARBATE

Vous l'allez voir paraître, et j'ose m'assurer
Que vous-même avec moi vous allez le pleurer.

MONIME

Quoi! le Roi...

ARBATE

Le Roi touche à son heure dernière,
Madame, et ne voit plus qu'un reste de lumière.
Je l'ai laissé sanglant, porté par des soldats,
Et Xipharès en pleurs accompagne leurs pas.

MONIME

Xipharès ? Ah! grands Dieux! Je doute si je veille,
Et n'ose qu'en tremblant en croire mon oreille.
Xipharès vit encor ? Xipharès, que mes pleurs...

ARBATE

Il vit chargé de gloire, accablé de douleurs.
De sa mort en ces lieux la nouvelle semée

Ne vous a pas vous seule et sans cause alarmée.
Les Romains, qui partout l'appuyaient par des cris,
Ont par ce bruit fatal glacé tous les esprits.
Le Roi, trompé lui-même, en a versé des larmes;
Et désormais certain du malheur de ses armes,
Par un rebelle fils de toutes parts pressé,
Sans espoir de secours tout prêt d'être forcé,
Et voyant pour surcroît de douleur et de haine,
Parmi ses étendards porter l'aigle romaine,
Il n'a plus aspiré qu'à s'ouvrir des chemins
Pour éviter l'affront de tomber dans leurs mains.
     D'abord il a tenté les atteintes mortelles
Des poisons que lui-même a cru les plus fidèles.
Il les a trouvés tous sans force et sans vertu.
Vain secours, a-t-il dit, *que j'ai trop combattu !*
Contre tous les poisons soigneux de me défendre,
J'ai perdu tout le fruit que j'en pouvais attendre.
Essayons maintenant des secours plus certains,
Et cherchons un trépas plus funeste aux Romains.
Il parle : et défiant leurs nombreuses cohortes,
Du palais, à ces mots, il fait ouvrir les portes.
A l'aspect de ce front dont la noble fureur
Tant de fois dans leurs rangs répandit la terreur,
Vous les eussiez vus tous, retournant en arrière,
Laisser entre eux et nous une large carrière;
Et déjà quelques-uns couraient épouvantés
Jusque dans les vaisseaux qui les ont apportés.
Mais, le dirai-je ? ô ciel! rassurés par Pharnace,
Et la honte en leurs cœurs réveillant leur audace,
Ils reprennent courage, ils attaquent le Roi,
Qu'un reste de soldats défendait avec moi.
Qui pourrait exprimer par quels faits incroyables,
Quels coups, accompagnés de regards effroyables,
Son bras, se signalant pour la dernière fois,
A de ce grand héros terminé les exploits ?
Enfin las, et couvert de sang et de poussière,
Il s'était fait de morts une noble barrière.
Un autre bataillon s'est avancé vers nous;
Les Romains, pour le joindre, ont suspendu leurs coups.
Ils voulaient tous ensemble accabler Mithridate.
Mais lui : *C'en est assez*, m'a-t-il dit, *cher Arbate ;*
Le sang et la fureur m'emportent trop avant.
Ne livrons pas surtout Mithridate vivant.
Aussitôt dans son sein il plonge son épée.
Mais la mort fuit encor sa grande âme trompée.

Ce héros dans mes bras est tombé tout sanglant,
Faible, et qui s'irritait contre un trépas si lent;
Et se plaignant à moi de ce reste de vie,
Il soulevait encor sa main appesantie,
Et marquant à mon bras la place de son cœur,
Semblait d'un coup plus sur implorer la faveur.
Tandis que possédé de ma douleur extrême,
Je songe bien plutôt à me percer moi-même,
De grands cris ont soudain attiré mes regards.
J'ai vu, qui l'aurait cru ? j'ai vu de toutes parts
Vaincus et renversés les Romains et Pharnace,
Fuyant vers leurs vaisseaux, abandonner la place;
Et le vainqueur vers nous s'avançant de plus près,
A mes yeux éperdus a montré Xipharès.

MONIME

Juste ciel!

ARBATE

                    Xipharès, toujours resté fidèle,
Et qu'au fort du combat une troupe rebelle
Par ordre de son frère avait enveloppé,
Mais qui d'entre leurs bras à la fin échappé,
Forçant les plus mutins, et regagnant le reste,
Heureux et plein de joie en ce moment funeste,
A travers mille morts, ardent, victorieux,
S'était fait vers son père un chemin glorieux.
Jugez de quelle horreur cette joie est suivie.
Son bras aux pieds du Roi l'allait jeter sans vie;
Mais on court, on s'oppose à son emportement.
Le Roi m'a regardé dans ce triste moment,
Et m'a dit d'une voix qu'il poussait avec peine :
S'il en est temps encor, cours, et sauve la Reine.
Ces mots m'ont fait trembler pour vous, pour Xipharès :
J'ai craint, j'ai soupçonné quelques ordres secrets.
Tout lassé que j'étais, ma frayeur et mon zèle
M'ont donné pour courir une force nouvelle;
Et malgré nos malheurs, je me tiens trop heureux
D'avoir paré le coup qui vous perdait tous deux.

MONIME

Ah! que de tant d'horreurs justement étonnée,
Je plains de ce grand roi la triste destinée!
Hélas! Et plût aux Dieux qu'à son sort inhumain
Moi-même j'eusse pu ne point prêter la main,

Et que simple témoin du malheur qui l'accable,
Je le pusse pleurer sans en être coupable!
Il vient. Quel nouveau trouble excite en mes esprits
Le sang du père, ô ciel, et les larmes du fils!

SCÈNE DERNIÈRE

MITHRIDATE, MONIME, XIPHARÈS,
ARBATE, ARCAS,
GARDES, *qui soutiennent Mithridate.*

MONIME

Ah! que vois-je, Seigneur, et quel sort est le vôtre!

MITHRIDATE

Cessez et retenez vos larmes l'un et l'autre.

En montrant Xipharès.

Mon sort de sa tendresse et de votre amitié
Veut d'autres sentiments que ceux de la pitié;
Et ma gloire, plutôt digne d'être admirée,
Ne doit point par des pleurs être déshonorée.
   J'ai vengé l'univers autant que je l'ai pu:
La mort dans ce projet m'a seule interrompu.
Ennemi des Romains et de la tyrannie,
Je n'ai point de leur joug subi l'ignominie,
Et j'ose me flatter qu'entre les noms fameux
Qu'une pareille haine a signalés contre eux,
Nul ne leur a plus fait acheter la victoire,
Ni de jours malheureux plus rempli leur histoire.
Le ciel n'a pas voulu qu'achevant mon dessein,
Rome en cendre me vît expirer dans son sein.
Mais au moins quelque joie en mourant me console:
J'expire environné d'ennemis que j'immole;
Dans leur sang odieux j'ai pu tremper mes mains,
Et mes derniers regards ont vu fuir les Romains.
   A mon fils Xipharès je dois cette fortune:
Il épargne à ma mort leur présence importune.
Que ne puis-je payer ce service important
De tout ce que mon trône eut de plus éclatant!
Mais vous me tenez lieu d'Empire, de couronne;
Vous seule me restez; souffrez que je vous donne,
Madame; et tous ces vœux que j'exigeais de vous,
Mon cœur pour Xipharès vous les demande tous.

MONIME

Vivez, Seigneur, vivez, pour le bonheur du monde,
Et pour sa liberté qui sur vous seul se fonde;
Vivez, pour triompher d'un ennemi vaincu,
Pour venger...

MITHRIDATE

C'en est fait, Madame, et j'ai vécu.
Mon fils, songez à vous. Gardez-vous de prétendre
Que de tant d'ennemis vous puissiez vous défendre.
Bientôt tous les Romains, de leur honte irrités,
Viendront ici sur vous fondre de tous côtés.
Ne perdez point le temps que vous laisse leur fuite
A rendre à mon tombeau des soins dont je vous quitte.
Tant de Romains sans vie, en cent lieux dispersés,
Suffisent à ma cendre et l'honorent assez.
Cachez-leur pour un temps vos noms et votre vie.
Allez, réservez-vous...

XIPHARÈS

Moi, Seigneur, que je fuie!
Que Pharnace impuni, les Romains triomphants
N'éprouvent pas bientôt...

MITHRIDATE

Non, je vous le défends.
Tôt ou tard il faudra que Pharnace périsse.
Fiez-vous aux Romains du soin de son supplice.
Mais je sens affaiblir ma force et mes esprits.
Je sens que je me meurs. Approchez-vous, mon fils.
Dans cet embrassement dont la douceur me flatte,
Venez, et recevez l'âme de Mithridate.

MONIME

Il expire.

XIPHARÈS

Ah! Madame, unissons nos douleurs,
Et par tout l'univers cherchons-lui des vengeurs.

NOTICE
SUR
IPHIGÉNIE

Versailles, 18 août 1674.
Hôtel de Bourgogne : décembre 1674.
Édition originale : février (?) 1675.

Le nouveau succès de *Mithridate* est suivi du premier silence de Racine. Il ne fait rien jouer pendant la saison 1673-1674. En cette année précisément, les troupes traversent une crise grave. Molière mort, la troupe du Palais-Royal se décompose. Celle du Marais, qui depuis plusieurs années battait de l'aile, tente de se survivre en s'unissant aux débris de la troupe de Molière, avec qui elle forme la troupe de l'Hôtel Guénégaud. La troupe espagnole disparaît, les comédiens italiens vont en Angleterre. L'Hôtel de Bourgogne est apparemment mieux partagé. En fait, les acteurs ne sont pas stables : la troupe subit d'incessants remaniements de 1670 à 1673. Il ne se survivra, après 1680, que parce qu'il demeure seul : on sait qu'il fusionne alors avec la troupe de l'Hôtel Guénégaud pour constituer la Comédie-Française.

La première représentation d'*Iphigénie* a lieu non à la Ville, mais à la Cour. Elle couronne les divertissements donnés au retour de la conquête de la Franche-Comté. Il faut remarquer que Racine ne sacrifie pas au goût du jour pour les comédies, les ballets, l'opéra. Et pourtant il eût pu prendre la succession de Molière, attentif à satisfaire le goût du jeune roi pour la farce et la danse, ou fournir Lulli, comme Benserade, Thomas Corneille ou Quinault. Il s'en tient à la tragédie.

A l'Hôtel de Bourgogne, la réconciliation des deux grands

rivaux est opérée : *Suréna* est monté, avec l'accord de
Racine, avant *Iphigénie* [1].

Au geste de déférence Racine joignait l'habileté : le
succès serait d'autant plus grand que l'attente l'aurait
préparé. Triomphe sans précédent : la pièce tint trois mois
l'affiche, mais — phénomène symptomatique du déclin du
théâtre — les gazettes ne signalent même plus l'événement.
Les critiques, Barbier d'Aucour excepté, n'élèvent plus
qu'une voix respectueuse. Racine en effet est un magicien
de l'émotion. On est gagné malgré soi à une pièce dont
les données invraisemblables ne résistent guère à l'ana-
lyse.

Les ennemis de Racine ne désarment cependant pas.
Une *Iphigénie* rivale, de Le Clerc et Coras, est créée le
24 mai 1675, mais elle tombe après cinq représentations [2].
Cette artificieuse cabale prépare celle, mieux soignée, dont
Phèdre sera l'occasion.

Le succès d'attendrissement devant la pathétique
Iphigénie a masqué la rare dureté de l'œuvre. Ici encore, le
Destin règne injustement. L'honneur d'Agamemnon, le
roi des rois, apparaît sous les traits anti-cornéliens d'une
ambition aveugle et d'un égoïsme forcené. C'était —
consciemment ou non de la part de Racine — jeter le
discrédit sur la gloire politique. Achille le proclame en
termes indignés. Le Roi d'ailleurs est supplanté par le
fanatique Calchas. Clytemnestre souligne le néant du
pouvoir, quand le bonheur instinctif est en jeu. La jalouse
Ériphile profile sur le théâtre l'ombre d'Hermione et de
Roxane. L'innocente Iphigénie, loin d'être une héroïne
d'abnégation envers son peuple et son père, se révolte
contre l'*affreux sacrifice* et tourne des regards amers vers
la lumière du jour et l'amour qui lui sont déniés. Malgré
ses appels à la gloire, qui rendent un son dérisoire, elle
n'est que :

. . . . *la triste Iphigénie*
Asservie à des lois qu'[elle a] *dû respecter.* (V, 2.)

Achille enfin n'est qu'un amoureux forcené, prêt à tout
anéantir :

---

1. La pièce de Corneille est jouée vers la fin du mois de novembre.
2. Racine avait profité de sa situation à la Cour pour faire retarder
la représentation de la pièce rivale.

> *Si de sang et de morts le Ciel est affamé,*
> *Jamais de plus de sang ses autels n'ont fumé.*
> *A mon aveugle amour tout sera légitime.*
> *Le prêtre deviendra la première victime ;*
> *Le bûcher, par mes mains détruit et renversé,*
> *Dans le sang des bourreaux nagera dispersé.* (V, 2.)

Diderot, dans une lettre à Sophie Volland écrite du 2 au 6 novembre 1760, en a excellemment jugé.

IPHIGÉNIE

PRÉFACE

Il n'y a rien de plus célèbre dans les poètes que le sacrifice d'Iphigénie. Mais ils ne s'accordent pas tous ensemble sur les plus importantes particularités de ce sacrifice. Les uns, comme Eschyle dans *Agamemnon*, Sophocle dans *Électre*, et après eux Lucrèce, Horace, et beaucoup d'autres, veulent qu'on ait en effet répandu le sang d'Iphigénie, fille d'Agamemnon, et qu'elle soit morte en Aulide. Il ne faut que lire Lucrèce, au commencement de son premier livre :

> *Aulide quo pacto Triviaï virginis aram*
> *Iphianassaï turparunt sanguine fœde*
> *Ductores Danaum*, etc.

Et Clytemnestre dit, dans Eschyle, qu'Agamemnon son mari, qui vient d'expirer, rencontrera dans les enfers Iphigénie, sa fille, qu'il a autrefois immolée.

D'autres ont feint que Diane, ayant eu pitié de cette jeune princesse, l'avait enlevée et portée dans la Tauride, au moment qu'on l'allait sacrifier, et que la déesse avait fait trouver en sa place ou une biche, ou une autre victime de cette nature. Euripide a suivi cette fable, et Ovide l'a mise au nombre des Métamorphoses.

Il y a une troisième opinion, qui n'est pas moins ancienne que les deux autres, sur Iphigénie. Plusieurs auteurs, et entre autres Stesichorus, l'un des plus fameux et des plus anciens poètes lyriques, ont écrit qu'il était bien vrai qu'une princesse de ce nom avait été sacrifiée, mais que cette Iphigénie était une fille qu'Hélène avait eue de Thésée. Hélène, disent ces auteurs, ne l'avait osé avouer pour sa fille, parce qu'elle n'osait déclarer à Ménélas

qu'elle eût été mariée en secret avec Thésée. Pausanias*
rapporte et le témoignage et les noms des poètes qui ont
été de ce sentiment. Et il ajoute que c'était la créance
commune de tout le pays d'Argos.

Homère enfin, le père des poètes, a si peu prétendu
qu'Iphigénie, fille d'Agamemnon, eût été ou sacrifiée en
Aulide, ou transportée dans la Scythie, que, dans le
neuvième livre de l'*Iliade*, c'est-à-dire près de dix ans
depuis l'arrivée des Grecs devant Troie, Agamemnon
fait offrir en mariage à Achille sa fille Iphigénie, qu'il a,
dit-il, laissée à Mycène, dans sa maison.

J'ai rapporté tous ces avis si différents, et surtout le
passage de Pausanias, parce que c'est à cet auteur que je
dois l'heureux personnage d'Ériphile, sans lequel je n'aurais
jamais osé entreprendre cette tragédie. Quelle apparence que
j'eusse souillé la scène par le meurtre horrible d'une personne aussi vertueuse et aussi aimable qu'il fallait représenter Iphigénie ? Et quelle apparence encore de dénouer
ma tragédie par le secours d'une déesse et d'une machine,
et par une métamorphose qui pouvait bien trouver quelque
créance du temps d'Euripide, mais qui serait trop absurde
et trop incroyable parmi nous ?

Je puis dire donc que j'ai été très heureux de trouver
dans les Anciens cette autre Iphigénie, que j'ai pu représenter telle qu'il m'a plu, et qui tombant dans le malheur
où cette amante jalouse voulait précipiter sa rivale,
mérite en quelque façon d'être punie, sans être pourtant
tout à fait indigne de compassion. Ainsi le dénouement
de la pièce est tiré du fond même de la pièce. Et il ne faut
que l'avoir vu représenter pour comprendre quel plaisir
j'ai fait au spectateur, et en sauvant à la fin une princesse
vertueuse pour qui il s'est si fort intéressé dans le cours
de la tragédie, et en la sauvant par une autre voie que par
un miracle, qu'il n'aurait pu souffrir, parce qu'il ne le
saurait jamais croire.

Le voyage d'Achille à Lesbos, dont ce héros se rend
maître, et d'où il enlève Ériphile avant que de venir en
Aulide, n'est pas non plus sans fondement. Euphorion
de Chalcide, poète très connu parmi les Anciens, et dont
Virgile et Quintilien ** font une mention honorable,
parlait de ce voyage de Lesbos. Il disait dans un de ses
poèmes, au rapport de Parthénius, qu'Achille avait fait

* *Corinth.*, p. 125.
** *Eglog.* 10. — *Instit.*, l. X.

la conquête de cette île avant que de joindre l'armée des
Grecs, et qu'il y avait même trouvé une princesse qui s'était
éprise d'amour pour lui.

Voilà les principales choses en quoi je me suis un peu
éloigné de l'économie et de la fable d'Euripide. Pour ce
qui regarde les passions, je me suis attaché à le suivre
plus exactement. J'avoue que je lui dois un bon nombre
des endroits qui ont été les plus approuvés dans ma tragédie. Et je l'avoue d'autant plus volontiers que ces
approbations m'ont confirmé dans l'estime et dans la
vénération que j'ai toujours eues pour les ouvrages qui
nous restent de l'Antiquité. J'ai reconnu avec plaisir, par
l'effet qu'a produit sur notre théâtre tout ce que j'ai
imité ou d'Homère ou d'Euripide, que le bon sens et la
raison étaient les mêmes dans tous les siècles. Le goût
de Paris s'est trouvé conforme à celui d'Athènes. Mes
spectateurs ont été émus des mêmes choses qui ont mis
autrefois en larmes le plus savant peuple de la Grèce, et qui
ont fait dire qu'entre les poètes Euripide était extrêmement tragique, τραγικώτατος c'est-à-dire qu'il savait
merveilleusement exciter la compassion et la terreur, qui
sont les véritables effets de la tragédie.

Je m'étonne, après cela, que des Modernes aient
témoigné depuis peu tant de dégoût pour ce grand poète,
dans le jugement qu'ils ont fait de son *Alceste*. Il ne s'agit
point ici de l'*Alceste*. Mais en vérité j'ai trop d'obligation à
Euripide pour ne pas prendre quelque soin de sa mémoire,
et pour laisser échapper l'occasion de le réconcilier avec
ces Messieurs. Je m'assure qu'il n'est si mal dans leur
esprit que parce qu'ils n'ont pas bien lu l'ouvrage sur lequel
ils l'ont condamné. J'ai choisi la plus importante de leurs
objections pour leur montrer que j'ai raison de parler ainsi.
Je dis la plus importante de leurs objections. Car ils la
répètent à chaque page, et ils ne soupçonnent pas seulement
que l'on y puisse répliquer.

Il y a dans l'*Alceste* d'Euripide une scène merveilleuse,
où Alceste, qui se meurt et qui ne peut plus se soutenir,
dit à son mari les derniers adieux. Admète, tout en larmes,
la prie de reprendre ses forces, et de ne se point abandonner elle-même. Alceste, qui a l'image de la mort devant
les yeux, lui parle ainsi :

> Je vois déjà la rame et la barque fatale.
> J'entends le vieux nocher sur la rive infernale.
> Impatient, il crie : « On t'attend ici-bas;
> Tout est prêt, descends, viens, ne me retarde pas. »

J'aurais souhaité de pouvoir exprimer dans ces vers les
grâces qu'ils ont dans l'original. Mais au moins en voilà
le sens. Voici comme ces Messieurs les ont entendus. Il
leur est tombé entre les mains une malheureuse édition
d'Euripide, où l'imprimeur a oublié de mettre dans
le latin à côté de ces vers un *Al.* qui signifie que c'est
Alceste qui parle, et à côté des vers suivants un *Ad.* qui
signifie que c'est Admète qui répond. Là-dessus il leur est
venu dans l'esprit la plus étrange pensée du monde. Ils
ont mis dans la bouche d'Admète les paroles qu'Alceste
dit à Admète, et celles qu'elle se fait dire par Charon. Ainsi
ils supposent qu'Admète (quoiqu'il soit en parfaite santé)
pense voir déjà Charon qui le vient prendre. Et au lieu que
dans ce passage d'Euripide, Charon impatient presse
Alceste de le venir trouver, selon ces Messieurs, c'est
Admète effrayé qui est l'impatient, et qui presse Alceste
d'expirer, de peur que Charon ne le prenne. *Il l'exhorte,*
ce sont leurs termes, *à avoir courage, à ne pas faire une
lâcheté, et à mourir de bonne grâce ; il interrompt les
adieux d'Alceste pour lui dire de se dépêcher de mourir.* Peu
s'en faut, à les entendre, qu'il ne la fasse mourir lui-même.
Ce sentiment leur a paru *fort vilain.* Et ils ont raison. Il n'y
a personne qui n'en fût très scandalisé. Mais comment
l'ont-ils pu attribuer à Euripide ? En vérité, quand toutes
les autres éditions où cet *Al.* n'a point été oublié ne donne-
raient pas un démenti au malheureux imprimeur qui les a
trompés, la suite de ces quatre vers, et tous les discours
qu'Admète tient dans la même scène, étaient plus que
suffisants pour les empêcher de tomber dans une erreur
si déraisonnable. Car Admète, bien éloigné de presser
Alceste de mourir, s'écrie que « toutes les morts ensemble
lui seraient moins cruelles que de la voir en l'état où il la
voit. Il la conjure de l'entraîner avec elle. Il ne peut plus
vivre si elle meurt. Il vit en elle. Il ne respire que pour
elle ».

Ils ne sont pas plus heureux dans les autres objections.
Ils disent, par exemple, qu'Euripide a fait deux *époux
surannés* d'Admète et d'Alceste, que l'un est *un vieux mari,*
et l'autre *une princesse déjà sur l'âge.* Euripide a pris soin
de leur répondre en un seul vers, où il fait dire par le chœur
qu' « Alceste, toute jeune, et dans la première fleur de son
âge, expire pour son jeune époux ».

Ils reprochent encore à Alceste qu'elle a deux grands
enfants à marier. Comment n'ont-ils point lu le contraire
en cent endroits, et surtout dans ce beau récit où l'on

dépeint « Alceste mourante au milieu de ses deux petits enfants qui la tirent, en pleurant, par la robe, et qu'elle prend sur ses bras l'un après l'autre pour les baiser » ?

Tout le reste de leurs critiques est à peu près de la force de celles-ci. Mais je crois qu'en voilà assez pour la défense de mon auteur. Je conseille à ces Messieurs de ne plus décider si légèrement sur les ouvrages des Anciens. Un homme tel qu'Euripide méritait au moins qu'ils l'examinassent, puisqu'ils avaient envie de le condamner. Ils devaient se souvenir de ces sages paroles de Quintilien : « Il faut être extrêmement circonspect et très retenu à prononcer sur les ouvrages de ces grands hommes, de peur qu'il ne nous arrive, comme à plusieurs, de condamner ce que nous n'entendons pas. Et s'il faut tomber dans quelque excès, encore vaut-il mieux pécher en admirant tout dans leurs écrits, qu'en y blâmant beaucoup de choses. » *Modeste tamen et circumspecto judicio de tantis viris pronuntiandum est, ne (quod plerisque accidit) damnent quae non intelligunt. Ac si necesse est in alteram errare partem, omnia eorum legentibus placere quam multa displicere maluerim.*

PERSONNAGES

AGAMEMNON
ACHILLE.
ULYSSE.
CLYTEMNESTRE, femme d'Agamemnon.
IPHIGÉNIE, fille d'Agamemnon.
ÉRIPHILE, fille d'Hélène et de Thésée.
ARCAS } domestiques d'Agamemnon.
EURYBATE }
ÆGINE, femme de la suite de Clytemnestre.
DORIS, confidente d'Ériphile.
TROUPE DE GARDES.

La scène est en Aulide, dans la tente d'Agamemnon.

ACTE PREMIER

SCÈNE PREMIÈRE

AGAMEMNON, ARCAS

AGAMEMNON

Oui, c'est Agamemnon, c'est ton roi qui t'éveille.
Viens, reconnais la voix qui frappe ton oreille.

ARCAS

C'est vous-même, Seigneur! Quel important besoin
Vous a fait devancer l'aurore de si loin?
A peine un faible jour vous éclaire et me guide.
Vos yeux seuls et les miens sont ouverts dans l'Aulide.
Avez-vous dans les airs entendu quelque bruit?
Les vents nous auraient-ils exaucés cette nuit?
Mais tout dort, et l'armée, et les vents, et Neptune.

AGAMEMNON

Heureux qui satisfait de son humble fortune,
Libre du joug superbe où je suis attaché,
Vit dans l'état obscur où les Dieux l'ont caché!

ARCAS

Et depuis quand, Seigneur, tenez-vous ce langage?
Comblé de tant d'honneurs, par quel secret outrage
Les Dieux, à vos désirs toujours si complaisants,
Vous font-ils méconnaître et haïr leurs présents?
Roi, père, époux heureux, fils du puissant Atrée,
Vous possédez des Grecs la plus riche contrée.
Du sang de Jupiter issu de tous côtés,
L'hymen vous lie encore aux Dieux dont vous sortez.
Le jeune Achille enfin, vanté par tant d'oracles,
Achille à qui le ciel promet tant de miracles,

Recherche votre fille, et d'un hymen si beau
Veut dans Troie embrasée allumer le flambeau.
Quelle gloire, Seigneur, quels triomphes égalent
Le spectacle pompeux que ces bords vous étalent,
Tous ces mille vaisseaux, qui chargés de vingt rois,
N'attendent que les vents pour partir sous vos lois ?
Ce long calme, il est vrai, retarde vos conquêtes ;
Ces vents depuis trois mois enchaînés sur nos têtes
D'Ilion trop longtemps vous ferment le chemin.
Mais parmi tant d'honneurs, vous êtes homme enfin :
Tandis que vous vivrez, le sort, qui toujours change,
Ne vous a point promis un bonheur sans mélange.
Bientôt... Mais quels malheurs dans ce billet tracés
Vous arrachent, Seigneur, les pleurs que vous versez ?
Votre Oreste au berceau va-t-il finir sa vie ?
Pleurez-vous Clytemnestre, ou bien Iphigénie ?
Qu'est-ce qu'on vous écrit ? Daignez m'en avertir.

AGAMEMNON

Non, tu ne mourras point, je n'y puis consentir.

ARCAS

Seigneur...

AGAMEMNON

       Tu vois mon trouble ; apprends ce qui le cause,
Et juge s'il est temps, ami, que je repose.
Tu te souviens du jour qu'en Aulide assemblés
Nos vaisseaux par les vents semblaient être appelés.
Nous partions ; et déjà par mille cris de joie
Nous menacions de loin les rivages de Troie.
Un prodige étonnant fit taire ce transport :
Le vent qui nous flattait nous laissa dans le port.
Il fallut s'arrêter, et la rame inutile
Fatigua vainement une mer immobile.
Ce miracle inouï me fit tourner les yeux
Vers la divinité qu'on adore en ces lieux.
Suivi de Ménélas, de Nestor, et d'Ulysse,
J'offris sur ses autels un secret sacrifice.
Quelle fut sa réponse ! Et quel devins-je, Arcas,
Quand j'entendis ces mots prononcés par Calchas !
Vous armez contre Troie une puissance vaine,
Si dans un sacrifice auguste et solennel
     Une fille du sang d'Hélène
De Diane en ces lieux n'ensanglante l'autel.
Pour obtenir les vents que le ciel vous dénie,
     Sacrifiez Iphigénie.

ARCAS

Votre fille!

AGAMEMNON

Surpris, comme tu peux penser,
Je sentis dans mon corps tout mon sang se glacer.
Je demeurai sans voix, et n'en repris l'usage
Que par mille sanglots qui se firent passage.
Je condamnai les Dieux, et sans plus rien ouïr,
Fis vœu sur leurs autels de leur désobéir.
Que n'en croyais-je alors ma tendresse alarmée ?
Je voulais sur-le-champ congédier l'armée.
Ulysse en apparence approuvant mes discours,
De ce premier torrent laissa passer le cours.
Mais bientôt rappelant sa cruelle industrie,
Il me représenta l'honneur et la patrie,
Tout ce peuple, ces rois à mes ordres soumis,
Et l'empire d'Asie à la Grèce promis :
De quel front immolant tout l'État à ma fille,
Roi sans gloire, j'irais vieillir dans ma famille!
Moi-même (je l'avoue avec quelque pudeur),
Charmé de mon pouvoir, et plein de ma grandeur,
Ces noms de roi des rois et de chef de la Grèce
Chatouillaient de mon cœur l'orgueilleuse faiblesse.
Pour comble de malheur, les Dieux toutes les nuits,
Dès qu'un léger sommeil suspendait mes ennuis,
Vengeant de leurs autels le sanglant privilège,
Me venaient reprocher ma pitié sacrilège,
Et présentant la foudre à mon esprit confus,
Le bras déjà levé, menaçaient mes refus.
Je me rendis, Arcas; et vaincu par Ulysse,
De ma fille, en pleurant, j'ordonnai le supplice.
Mais des bras d'une mère il fallait l'arracher.
Quel funeste artifice il me fallut chercher!
D'Achille, qui l'aimait, j'empruntai le langage.
J'écrivis en Argos, pour hâter ce voyage,
Que ce guerrier, pressé de partir avec nous,
Voulait revoir ma fille, et partir son époux.

ARCAS

Et ne craignez-vous point l'impatient Achille ?
Avez-vous prétendu que, muet et tranquille,
Ce héros, qu'armera l'amour et la raison,
Vous laisse pour ce meurtre abuser de son nom ?
Verra-t-il à ses yeux son amante immolée ?

AGAMEMNON

Achille était absent; et son père Pélée,
D'un voisin ennemi redoutant les efforts,
L'avait, tu t'en souviens, rappelé de ces bords;
Et cette guerre, Arcas, selon toute apparence,
Aurait dû plus longtemps prolonger son absence.
Mais qui peut dans sa course arrêter ce torrent?
Achille va combattre, et triomphe en courant;
Et ce vainqueur, suivant de près sa renommée,
Hier avec la nuit arriva dans l'armée.

Mais des nœuds plus puissants me retiennent le bras.
Ma fille qui s'approche et court à son trépas,
Qui loin de soupçonner un arrêt si sévère,
Peut-être s'applaudit des bontés de son père,
Ma fille... Ce nom seul, dont les droits sont si saints,
Sa jeunesse, mon sang, n'est pas ce que je plains.
Je plains mille vertus, une amour mutuelle,
Sa piété pour moi, ma tendresse pour elle,
Un respect qu'en son cœur rien ne peut balancer,
Et que j'avais promis de mieux récompenser.
Non, je ne croirai point, ô ciel, que ta justice
Approuve la fureur de ce noir sacrifice.
Tes oracles sans doute ont voulu m'éprouver;
Et tu me punirais si j'osais l'achever.

Arcas, je t'ai choisi pour cette confidence:
Il faut montrer ici ton zèle et ta prudence.
La Reine, qui dans Sparte avait connu ta foi,
T'a placé dans le rang que tu tiens près de moi.
Prends cette lettre; cours au-devant de la Reine;
Et suis sans t'arrêter le chemin de Mycène.
Dès que tu la verras, défends-lui d'avancer,
Et rends-lui ce billet que je viens de tracer.
Mais ne t'écarte point: prends un fidèle guide.
Si ma fille une fois met le pied dans l'Aulide,
Elle est morte. Calchas, qui l'attend en ces lieux,
Fera taire nos pleurs, fera parler les Dieux;
Et la religion, contre nous irritée,
Par les timides Grecs sera seule écoutée.
Ceux mêmes dont ma gloire aigrit l'ambition
Réveilleront leur brigue et leur prétention,
M'arracheront peut-être un pouvoir qui les blesse...
Va, dis-je, sauve-la de ma propre faiblesse.
Mais surtout ne va point, par un zèle indiscret,
Découvrir à ses yeux mon funeste secret.
Que s'il se peut, ma fille, à jamais abusée,

Ignore à quel péril je l'avais exposée.
D'une mère en fureur épargne-moi les cris,
Et que ta voix s'accorde avec ce que j'écris.
Pour renvoyer la fille et la mère offensée,
Je leur écris qu'Achille a changé de pensée,
Et qu'il veut désormais jusques à son retour
Différer cet hymen que pressait son amour.
Ajoute, tu le peux, que des froideurs d'Achille
On accuse en secret cette jeune Ériphile
Que lui-même captive amena de Lesbos,
Et qu'auprès de ma fille on garde dans Argos.
C'est leur en dire assez : le reste, il le faut taire.
Déjà le jour plus grand nous frappe et nous éclaire,
Déjà même l'on entre, et j'entends quelque bruit.
C'est Achille. Va, pars. Dieux! Ulysse le suit.

SCÈNE II

AGAMEMNON, ACHILLE, ULYSSE

AGAMEMNON

Quoi! Seigneur, se peut-il que d'un cours si rapide
La victoire vous ait ramené dans l'Aulide?
D'un courage naissant sont-ce là les essais?
Quels triomphes suivront de si nobles succès!
La Thessalie entière, ou vaincue, ou calmée,
Lesbos même conquise en attendant l'armée,
De toute autre valeur éternels monuments,
Ne sont d'Achille oisif que les amusements.

ACHILLE

Seigneur, honorez moins une faible conquête;
Et que puisse bientôt le Ciel, qui nous arrête,
Ouvrir un champ plus noble à ce cœur excité
Par le prix glorieux dont vous l'avez flatté!
Mais cependant, Seigneur, que faut-il que je croie
D'un bruit qui me surprend et me comble de joie?
Daignez-vous avancer le succès de mes vœux?
Et bientôt des mortels suis-je le plus heureux?
On dit qu'Iphigénie, en ces lieux amenée,
Doit bientôt à son sort unir ma destinée.

AGAMEMNON

Ma fille! Qui vous dit qu'on la doit amener?

ACHILLE

Seigneur, qu'a donc ce bruit qui vous doive étonner ?

AGAMEMNON, à Ulysse.

Juste ciel! saurait-il mon funeste artifice ?

ULYSSE

Seigneur, Agamemnon s'étonne avec justice.
Songez-vous aux malheurs qui nous menacent tous ?
O ciel! pour un hymen quel temps choisissez-vous ?
Tandis qu'à nos vaisseaux la mer toujours fermée
Trouble toute la Grèce et consume l'armée,
Tandis que pour fléchir l'inclémence des Dieux,
Il faut du sang peut-être, et du plus précieux,
Achille seul, Achille à son amour s'applique ?
Voudrait-il insulter à la crainte publique,
Et que le chef des Grecs, irritant les destins,
Préparât d'un hymen la pompe et les festins ?
Ah! Seigneur, est-ce ainsi que votre âme attendrie
Plaint le malheur des Grecs, et chérit la patrie ?

ACHILLE

Dans les champs phrygiens les effets feront foi
Qui la chérit le plus, ou d'Ulysse ou de moi.
Jusque-là je vous laisse étaler votre zèle :
Vous pouvez à loisir faire des vœux pour elle.
Remplissez les autels d'offrandes et de sang;
Des victimes vous-même interrogez le flanc;
Du silence des vents demandez-leur la cause;
Mais moi, qui de ce soin sur Calchas me repose,
Souffrez, Seigneur, souffrez que je coure hâter
Un hymen dont les Dieux ne sauraient s'irriter.
Transporté d'une ardeur qui ne peut être oisive,
Je rejoindrai bientôt les Grecs sur cette rive.
J'aurais trop de regret si quelque autre guerrier
Au rivage troyen descendait le premier.

AGAMEMNON

O ciel! pourquoi faut-il que ta secrète envie
Ferme à de tels héros le chemin de l'Asie ?
N'aurai-je vu briller cette noble chaleur
Que pour m'en retourner avec plus de douleur ?

ULYSSE

Dieux! qu'est-ce que j'entends ?

ACHILLE

Seigneur, qu'osez–vous dire ?

AGAMEMNON

Qu'il faut, Princes, qu'il faut que chacun se retire ;
Que d'un crédule espoir trop longtemps abusés,
Nous attendons les vents qui nous sont refusés.
Le ciel protège Troie ; et par trop de présages
Son courroux nous défend d'en chercher les passages.

ACHILLE

Quels présages affreux nous marquent son courroux ?

AGAMEMNON

Vous-même consultez ce qu'il prédit de vous.
Que sert de se flatter ? On sait qu'à votre tête
Les Dieux ont d'Ilion attaché la conquête ;
Mais on sait que pour prix d'un triomphe si beau,
Ils ont aux champs troyens marqué votre tombeau ;
Que votre vie, ailleurs et longue et fortunée,
Devant Troie en sa fleur doit être moissonnée.

ACHILLE

Ainsi pour vous venger tant de rois assemblés
D'un opprobre éternel retourneront comblés ;
Et Pâris, couronnant son insolente flamme,
Retiendra sans péril la sœur de votre femme !

AGAMEMNON

Hé quoi ? votre valeur, qui nous a devancés,
N'a-t-elle pas pris soin de nous venger assez ?
Les malheurs de Lesbos, par vos mains ravagée,
Épouvantent encor toute la mer Égée.
Troie en a vu la flamme ; et jusque dans ses ports,
Les flots en ont poussé le débris et les morts.
Que dis-je ? les Troyens pleurent une autre Hélène
Que vous avez captive envoyée à Mycène.
Car, je n'en doute point, cette jeune beauté
Garde en vain un secret que trahit sa fierté,
Et son silence même, accusant sa noblesse,
Nous dit qu'elle nous cache une illustre princesse.

ACHILLE

Non, non, tous ces détours sont trop ingénieux.
Vous lisez de trop loin dans les secrets des Dieux.
Moi, je m'arrêterais à de vaines menaces ?

Et je fuirais l'honneur qui m'attend sur vos traces ?
Les Parques à ma mère, il est vrai, l'ont prédit,
Lorsqu'un époux mortel fut reçu dans son lit :
Je puis choisir, dit-on, ou beaucoup d'ans sans gloire,
Ou peu de jours suivis d'une longue mémoire.
Mais puisqu'il faut enfin que j'arrive au tombeau,
Voudrais-je, de la terre inutile fardeau,
Trop avare d'un sang reçu d'une déesse,
Attendre chez mon père une obscure vieillesse,
Et toujours de la gloire évitant le sentier,
Ne laisser aucun nom, et mourir tout entier ?
Ah ! ne nous formons point ces indignes obstacles ;
L'honneur parle, il suffit : ce sont là nos oracles.
Les Dieux sont de nos jours les maîtres souverains ;
Mais, Seigneur, notre gloire est dans nos propres mains.
Pourquoi nous tourmenter de leurs ordres suprêmes ?
Ne songeons qu'à nous rendre immortels comme eux-
Et laissant faire au sort, courons où la valeur   [mêmes,
Nous promet un destin aussi grand que le leur.
C'est à Troie, et j'y cours ; et quoi qu'on me prédise,
Je ne demande aux Dieux qu'un vent qui m'y conduise ;
Et quand moi seul enfin il faudrait l'assiéger,
Patrocle et moi, Seigneur, nous irons vous venger.
Mais non, c'est en vos mains que le destin la livre.
Je n'aspire en effet qu'à l'honneur de vous suivre.
Je ne vous presse plus d'approuver les transports
D'un amour qui m'allait éloigner de ces bords :
Ce même amour, soigneux de votre renommée,
Veut qu'ici mon exemple encourage l'armée,
Et me défend surtout de vous abandonner
Aux timides conseils qu'on ose vous donner.

SCÈNE III

AGAMEMNON, ULYSSE

ULYSSE

Seigneur, vous entendez : quelque prix qu'il en coûte,
Il veut voler à Troie et poursuivre sa route.
Nous craignions son amour ; et lui-même aujourd'hui
Par une heureuse erreur nous arme contre lui.

AGAMEMNON

Hélas !

ULYSSE

De ce soupir que faut-il que j'augure ?
Du sang qui se révolte est-ce quelque murmure ?
Croirai-je qu'une nuit a pu vous ébranler ?
Est-ce donc votre cœur qui vient de nous parler ?
Songez-y. Vous devez votre fille à la Grèce,
Vous nous l'avez promise; et sur cette promesse,
Calchas, par tous les Grecs consulté chaque jour,
Leur a prédit des vents l'infaillible retour.
A ses prédictions si l'effet est contraire,
Pensez-vous que Calchas continue à se taire;
Que ses plaintes, qu'en vain vous voudrez apaiser,
Laissent mentir les Dieux sans vous en accuser ?
Et qui sait ce qu'aux Grecs, frustrés de leur victime,
Peut permettre un courroux qu'ils croiront légitime ?
Gardez-vous de réduire un peuple furieux,
Seigneur, à prononcer entre vous et les Dieux.
N'est-ce pas vous enfin de qui la voix pressante
Nous a tous appelés aux campagnes du Xanthe ?
Et qui de ville en ville attestiez les serments
Que d'Hélène autrefois firent tous les amants,
Quand presque tous les Grecs, rivaux de votre frère,
La demandaient en foule à Tyndare son père ?
De quelque heureux époux que l'on dût faire choix,
Nous jurâmes dès lors de défendre ses droits;
Et si quelque insolent lui volait sa conquête,
Nos mains du ravisseur lui promirent la tête.
Mais sans vous, ce serment que l'amour a dicté,
Libres de cet amour, l'aurions-nous respecté ?
Vous seul, nous arrachant à de nouvelles flammes,
Nous avez fait laisser nos enfants et nos femmes.
Et quand, de toutes parts assemblés en ces lieux,
L'honneur de vous venger brille seul à nos yeux;
Quand la Grèce déjà vous donnant son suffrage,
Vous reconnaît l'auteur de ce fameux ouvrage;
Que ses rois qui pouvaient vous disputer ce rang
Sont prêts, pour vous servir, de verser tout leur sang,
Le seul Agamemnon, refusant la victoire,
N'ose d'un peu de sang acheter tant de gloire ?
Et dès le premier pas se laissant effrayer,
Ne commande les Grecs que pour les renvoyer ?

AGAMEMNON

Ah! Seigneur, qu'éloigné du malheur qui m'opprime,
Votre cœur aisément se montre magnanime!

Mais que si vous voyiez ceint du bandeau mortel
Votre fils Télémaque approcher de l'autel,
Nous vous verrions, troublé de cette affreuse image,
Changer bientôt en pleurs ce superbe langage,
Éprouver la douleur que j'éprouve aujourd'hui,
Et courir vous jeter entre Calchas et lui!
Seigneur, vous le savez, j'ai donné ma parole,
Et si ma fille vient, je consens qu'on l'immole.
Mais malgré tous mes soins, si son heureux destin
La retient dans Argos, ou l'arrête en chemin,
Souffrez que sans presser ce barbare spectacle,
En faveur de mon sang j'explique cet obstacle,
Que j'ose pour ma fille accepter le secours
De quelque Dieu plus doux qui veille sur ses jours.
Vos conseils sur mon cœur n'ont eu que trop d'empire;
Et je rougis...

SCÈNE IV

AGAMEMNON, ULYSSE, EURYBATE

EURYBATE

Seigneur...

AGAMEMNON

Ah! que vient-on me dire?

EURYBATE

La Reine, dont ma course a devancé les pas,
Va remettre bientôt sa fille entre vos bras.
Elle approche. Elle s'est quelque temps égarée
Dans ces bois qui du camp semblent cacher l'entrée.
A peine nous avons, dans leur obscurité,
Retrouvé le chemin que nous avions quitté.

AGAMEMNON

Ciel!

EURYBATE

Elle amène aussi cette jeune Ériphile,
Que Lesbos a livrée entre les mains d'Achille,
Et qui de son destin, qu'elle ne connaît pas,
Vient, dit-elle, en Aulide interroger Calchas.
Déjà de leur abord la nouvelle est semée,
Et déjà de soldats une foule charmée,

Surtout d'Iphigénie admirant la beauté,
Pousse au ciel[1] mille vœux pour sa félicité.
Les uns avec respect environnaient la Reine,
D'autres me demandaient le sujet qui l'amène.
Mais tous ils confessaient que si jamais les Dieux
Ne mirent sur le trône un roi plus glorieux,
Également comblé de leurs faveurs secrètes,
Jamais père ne fut plus heureux que vous l'êtes.

AGAMEMNON

Eurybate, il suffit. Vous pouvez nous laisser.
Le reste me regarde, et je vais y penser.

SCÈNE V

AGAMEMNON, ULYSSE

AGAMEMNON

Juste ciel, c'est ainsi qu'assurant ta vengeance,
Tu romps tous les ressorts de ma vaine prudence!
Encor si je pouvais, libre dans mon malheur,
Par des larmes au moins soulager ma douleur!
Triste destin des rois! Esclaves que nous sommes
Et des rigueurs du sort, et des discours des hommes!
Nous nous voyons sans cesse assiégés de témoins;
Et les plus malheureux osent pleurer le moins!

ULYSSE

Je suis père, Seigneur. Et faible comme un autre,
Mon cœur se met sans peine en la place du vôtre;
Et frémissant du coup qui vous fait soupirer,
Loin de blâmer vos pleurs, je suis prêt de pleurer.
Mais votre amour n'a plus d'excuse légitime :
Les Dieux ont à Calchas amené leur victime.
Il le sait, il l'attend; et s'il la voit tarder,
Lui-même à haute voix viendra la demander.
Nous sommes seuls encor : hâtez-vous de répandre
Des pleurs que vous arrache un intérêt si tendre.
Pleurez ce sang, pleurez; ou plutôt, sans pâlir,
Considérez l'honneur qui doit en rejaillir.
Voyez tout l'Hellespont blanchissant sous nos rames,
Et la perfide Troie abandonnée aux flammes,
Ses peuples dans vos fers, Priam à vos genoux,
Hélène par vos mains rendue à son époux.

Voyez de vos vaisseaux les poupes couronnées
Dans cette même Aulide avec vous retournées,
Et ce triomphe heureux qui s'en va devenir
L'éternel entretien des siècles à venir.

AGAMEMNON

Seigneur, de mes efforts je connais l'impuissance.
Je cède, et laisse aux Dieux opprimer l'innocence.
La victime bientôt marchera sur vos pas,
Allez. Mais cependant faites taire Calchas;
Et m'aidant à cacher ce funeste mystère,
Laissez-moi de l'autel écarter une mère.

ACTE II

SCÈNE PREMIÈRE

ÉRIPHILE, DORIS

ÉRIPHILE

Ne les contraignons point, Doris, retirons-nous;
Laissons-les dans les bras d'un père et d'un époux,
Et tandis qu'à l'envi leur amour se déploie,
Mettons en liberté ma tristesse et leur joie.

DORIS

Quoi, Madame! toujours irritant vos douleurs,
Croirez-vous ne plus voir que des sujets de pleurs?
Je sais que tout déplaît aux yeux d'une captive,
Qu'il n'est point dans les fers de plaisir qui la suive.
Mais dans le temps fatal que repassant les flots,
Nous suivions malgré nous le vainqueur de Lesbos,
Lorsque dans son vaisseau, prisonnière timide,
Vous voyiez devant vous ce vainqueur homicide,
Le dirai-je? vos yeux, de larmes moins trempés,
A pleurer vos malheurs étaient moins occupés.
Maintenant tout vous rit : l'aimable Iphigénie
D'une amitié sincère avec vous est unie;
Elle vous plaint, vous voit avec des yeux de sœur,
Et vous seriez dans Troie avec moins de douceur.

Vous vouliez voir l'Aulide où son père l'appelle,
Et l'Aulide vous voit arriver avec elle.
Cependant, par un sort que je ne conçois pas,
Votre douleur redouble et croît à chaque pas.

ÉRIPHILE

Hé quoi ! te semble-t-il que la triste Ériphile
Doive être de leur joie un témoin si tranquille ?
Crois-tu que mes chagrins doivent s'évanouir
A l'aspect d'un bonheur dont je ne puis jouir ?
Je vois Iphigénie entre les bras d'un père ;
Elle fait tout l'orgueil d'une superbe mère ;
Et moi, toujours en butte à de nouveaux dangers,
Remise dès l'enfance en des bras étrangers,
Je reçus et je vois le jour que je respire,
Sans que mère ni père ait daigné me sourire.
J'ignore qui je suis ; et pour comble d'horreur,
Un oracle effrayant m'attache à mon erreur,
Et quand je veux chercher le sang qui m'a fait naître,
Me dit que sans périr je ne me puis connaître.

DORIS

Non, non, jusques au bout vous devez le chercher.
Un oracle toujours se plaît à se cacher.
Toujours avec un sens il en présente un autre.
En perdant un faux nom vous reprendrez le vôtre.
C'est là tout le danger que vous pouvez courir,
Et c'est peut-être ainsi que vous devez périr.
Songez que votre nom fut changé dès l'enfance.

ÉRIPHILE

Je n'ai de tout mon sort que cette connaissance ;
Et ton père, du reste infortuné témoin,
Ne me permit jamais de pénétrer plus loin.
Hélas ! dans cette Troie où j'étais attendue,
Ma gloire, disait-il, m'allait être rendue ;
J'allais, en reprenant et mon nom et mon rang,
Des plus grands rois en moi reconnaître le sang.
Déjà je découvrais cette fameuse ville ;
Le ciel mène à Lesbos l'impitoyable Achille :
Tout cède, tout ressent ses funestes efforts ;
Ton père, enseveli dans la foule des morts,
Me laisse dans les fers à moi-même inconnue ;
Et de tant de grandeurs dont j'étais prévenue,
Vile esclave des Grecs, je n'ai pu conserver
Que la fierté d'un sang que je ne puis prouver.

DORIS

Ah! que perdant, Madame, un témoin si fidèle,
La main qui vous l'ôta vous doit sembler cruelle!
Mais Calchas est ici, Calchas si renommé,
Qui des secrets des Dieux fut toujours informé.
Le ciel souvent lui parle : instruit par un tel maître,
Il sait tout ce qui fut et tout ce qui doit être.
Pourrait-il de vos jours ignorer les auteurs?
Ce camp même est pour vous tout plein de protecteurs.
Bientôt Iphigénie, en épousant Achille,
Vous va sous son appui présenter un asile.
Elle vous l'a promis et juré devant moi,
Ce gage est le premier qu'elle attend de sa foi.

ÉRIPHILE

Que dirais-tu, Doris, si passant tout le reste,
Cet hymen de mes maux était le plus funeste?

DORIS

Quoi, Madame?

ÉRIPHILE

Tu vois avec étonnement
Que ma douleur ne souffre aucun soulagement.
Écoute. Et tu te vas étonner que je vive.
C'est peu d'être étrangère, inconnue et captive :
Ce destructeur fatal des tristes Lesbiens,
Cet Achille, l'auteur de tes maux et des miens,
Dont la sanglante main m'enleva prisonnière,
Qui m'arracha d'un coup ma naissance et ton père,
De qui jusques au nom tout doit m'être odieux,
Est de tous les mortels le plus cher à mes yeux.

DORIS

Ah! que me dites-vous!

ÉRIPHILE

Je me flattais sans cesse
Qu'un silence éternel cacherait ma faiblesse,
Mais mon cœur trop pressé m'arrache ce discours,
Et te parle une fois, pour se taire toujours.
Ne me demande point sur quel espoir fondée
De ce fatal amour je me vis possédée.
Je n'en accuse point quelques feintes douleurs
Dont je crus voir Achille honorer mes malheurs.
Le ciel s'est fait sans doute une joie inhumaine
A rassembler sur moi tous les traits de sa haine.

Rappellerai-je encor le souvenir affreux
Du jour qui dans les fers nous jeta toutes deux ?
Dans les cruelles mains par qui je fus ravie
Je demeurai longtemps sans lumière et sans vie.
Enfin mes tristes yeux cherchèrent la clarté ;
Et me voyant presser d'un bras ensanglanté,
Je frémissais, Doris, et d'un vainqueur sauvage
Craignais de rencontrer l'effroyable visage.
J'entrai dans son vaisseau, détestant sa fureur,
Et toujours détournant ma vue avec horreur.
Je le vis : son aspect n'avait rien de farouche ;
Je sentis le reproche expirer dans ma bouche.
Je sentis contre moi mon cœur se déclarer ;
J'oubliai ma colère, et ne sus que pleurer.
Je me laissai conduire à cet aimable guide.
Je l'aimais à Lesbos, et je l'aime en Aulide.
Iphigénie en vain s'offre à me protéger,
Et me tend une main prompte à me soulager :
Triste effet des fureurs dont je suis tourmentée !
Je n'accepte la main qu'elle m'a présentée
Que pour m'armer contre elle, et sans me découvrir,
Traverser son bonheur que je ne puis souffrir.

DORIS

Et que pourrait contre elle une impuissante haine ?
Ne valait-il pas mieux, renfermée à Mycène,
Éviter les tourments que vous venez chercher,
Et combattre des feux contraints de se cacher ?

ÉRIPHILE

Je le voulais, Doris. Mais quelque triste image
Que sa gloire à mes yeux montrât sur ce rivage,
Au sort qui me traînait il fallut consentir :
Une secrète voix m'ordonna de partir,
Me dit qu'offrant ici ma présence importune,
Peut-être j'y pourrais porter mon infortune ;
Que peut-être approchant ces amants trop heureux,
Quelqu'un de mes malheurs se répandrait sur eux.
Voilà ce qui m'amène, et non l'impatience
D'apprendre à qui je dois une triste naissance.
Ou plutôt leur hymen me servira de loi.
S'il s'achève, il suffit : tout est fini pour moi.
Je périrai, Doris, et par une mort prompte
Dans la nuit du tombeau j'enfermerai ma honte,
Sans chercher des parents si longtemps ignorés,
Et que ma folle amour a trop déshonorés.

DORIS

Que je vous plains, Madame! et que la tyrannie...

ÉRIPHILE

Tu vois Agamemnon avec Iphigénie.

SCÈNE II

AGAMEMNON, IPHIGÉNIE, ÉRIPHILE, DORIS

IPHIGÉNIE

Seigneur, où courez-vous ? et quels empressements
Vous dérobent sitôt à nos embrassements ?
A qui dois-je imputer cette fuite soudaine ?
Mon respect a fait place aux transports de la Reine.
Un moment à mon tour ne vous puis-je arrêter ?
Et ma joie à vos yeux n'ose-t-elle éclater ?
Ne puis-je...

AGAMEMNON

Hé bien! ma fille, embrassez votre père,
Il vous aime toujours.

IPHIGÉNIE

Que cette amour m'est chère!
Quel plaisir de vous voir et de vous contempler
Dans ce nouvel éclat dont je vous vois briller!
Quels honneurs! Quel pouvoir! Déjà la Renommée
Par d'étonnants récits m'en avait informée;
Mais que voyant de près ce spectacle charmant,
Je sens croître ma joie et mon étonnement!
Dieux! avec quel amour la Grèce vous révère!
Quel bonheur de me voir la fille d'un tel père!

AGAMEMNON

Vous méritiez, ma fille, un père plus heureux.

IPHIGÉNIE

Quelle félicité peut manquer à vos vœux ?
A de plus grands honneurs un roi peut-il prétendre ?
J'ai cru n'avoir au ciel que des grâces à rendre.

AGAMEMNON

Grands Dieux! à son malheur dois-je la préparer ?

IPHIGÉNIE

Vous vous cachez, Seigneur, et semblez soupirer ;
Tous vos regards sur moi ne tombent qu'avec peine.
Avons-nous sans votre ordre abandonné Mycène ?

AGAMEMNON

Ma fille, je vous vois toujours des mêmes yeux.
Mais les temps sont changés, aussi bien que les lieux.
D'un soin cruel ma joie est ici combattue.

IPHIGÉNIE

Hé ! mon père, oubliez votre rang à ma vue.
Je prévois la rigueur d'un long éloignement.
N'osez-vous sans rougir être père un moment ?
Vous n'avez devant vous qu'une jeune princesse
A qui j'avais pour moi vanté votre tendresse.
Cent fois lui promettant mes soins, votre bonté,
J'ai fait gloire à ses yeux de ma félicité.
Que va-t-elle penser de votre indifférence ?
Ai-je flatté ses vœux d'une fausse espérance ?
N'éclaircirez-vous point ce front chargé d'ennuis ?

AGAMEMNON

Ah ! ma fille !

IPHIGÉNIE

Seigneur, poursuivez.

AGAMEMNON

Je ne puis.

IPHIGÉNIE

Périsse le Troyen auteur de nos alarmes !

AGAMEMNON

Sa perte à ses vainqueurs coûtera bien des larmes.

IPHIGÉNIE

Les Dieux daignent surtout prendre soin de vos jours !

AGAMEMNON

Les Dieux depuis un temps me sont cruels et sourds.

IPHIGÉNIE

Calchas, dit-on, prépare un pompeux sacrifice.

AGAMEMNON

Puissé-je auparavant fléchir leur injustice !

IPHIGÉNIE

L'offrira-t-on bientôt ?

AGAMEMNON

Plus tôt que je ne veux.

IPHIGÉNIE

Me sera-t-il permis de me joindre à vos vœux ?
Verra-t-on à l'autel votre heureuse famille ?

AGAMEMNON

Hélas !

IPHIGÉNIE

Vous vous taisez ?

AGAMEMNON

Vous y serez, ma fille.

Adieu.

SCÈNE III

IPHIGÉNIE, ÉRIPHILE, DORIS

IPHIGÉNIE

De cet accueil que dois-je soupçonner ?
D'une secrète horreur je me sens frissonner.
Je crains, malgré moi-même, un malheur que j'ignore.
Justes Dieux, vous savez pour qui je vous implore.

ÉRIPHILE

Quoi ! parmi tous les soins qui doivent l'accabler,
Quelque froideur suffit pour vous faire trembler ?
Hélas ! à quels soupirs suis-je donc condamnée,
Moi, qui de mes parents toujours abandonnée,
Étrangère partout, n'ai pas même en naissant
Peut-être reçu d'eux un regard caressant !
Du moins, si vos respects sont rejetés d'un père,
Vous en pouvez gémir dans le sein d'une mère ;
Et de quelque disgrâce enfin que vous pleuriez,
Quels pleurs par un amant ne sont point essuyés ?

IPHIGÉNIE

Je ne m'en défends point : mes pleurs, belle Ériphile,
Ne tiendraient pas longtemps contre les soins d'Achille ;
Sa gloire, son amour, mon père, mon devoir,
Lui donnent sur mon âme un trop juste pouvoir.

Mais de lui-même ici que faut-il que je pense ?
Cet amant, pour me voir brûlant d'impatience,
Que les Grecs de ces bords ne pouvaient arracher,
Qu'un père de si loin m'ordonne de chercher,
S'empresse-t-il assez pour jouir d'une vue
Qu'avec tant de transports je croyais attendue ?
Pour moi, depuis deux jours qu'approchant de ces lieux,
Leur aspect souhaité se découvre à nos yeux,
Je l'attendais partout ; et d'un regard timide
Sans cesse parcourant les chemins de l'Aulide,
Mon cœur pour le chercher volait loin devant moi,
Et je demande Achille à tout ce que je vois.
Je viens, j'arrive enfin sans qu'il m'ait prévenue.
Je n'ai percé qu'à peine une foule inconnue ;
Lui seul ne paraît point. Le triste Agamemnon
Semble craindre à mes yeux de prononcer son nom.
Que fait-il ? Qui pourra m'expliquer ce mystère ?
Trouverai-je l'amant glacé comme le père ?
Et les soins de la guerre auraient-ils en un jour
Éteint dans tous les cœurs la tendresse et l'amour ?
Mais non : c'est l'offenser par d'injustes alarmes.
C'est à moi que l'on doit le secours de ses armes.
Il n'était point à Sparte entre tous ces amants
Dont le père d'Hélène a reçu les serments :
Lui seul de tous les Grecs, maître de sa parole,
S'il part contre Ilion, c'est pour moi qu'il y vole ;
Et satisfait d'un prix qui lui semble si doux,
Il veut même y porter le nom de mon époux.

SCÈNE IV
CLYTEMNESTRE, IPHIGÉNIE, ÉRIPHILE, DORIS

CLYTEMNESTRE

Ma fille, il faut partir sans que rien nous retienne,
Et sauver, en fuyant, votre gloire et la mienne.
Je ne m'étonne plus qu'interdit et distrait
Votre père ait paru nous revoir à regret.
Aux affronts d'un refus craignant de vous commettre,
Il m'avait par Arcas envoyé cette lettre.
Arcas s'est vu trompé par notre égarement,
Et vient de me la rendre en ce même moment.
Sauvons, encore un coup, notre gloire offensée.
Pour votre hymen Achille a changé de pensée,

Et refusant l'honneur qu'on lui veut accorder,
Jusques à son retour il veut le retarder.

ÉRIPHILE

Qu'entends-je ?

CLYTEMNESTRE

      Je vous vois rougir de cet outrage.
Il faut d'un noble orgueil armer votre courage.
Moi-même, de l'ingrat approuvant le dessein,
Je vous l'ai dans Argos présenté de ma main ;
Et mon choix, que flattait le bruit de sa noblesse,
Vous donnait avec joie au fils d'une déesse.
Mais puisque désormais son lâche repentir
Dément le sang des Dieux, dont on le fait sortir,
Ma fille, c'est à nous de montrer qui nous sommes,
Et de ne voir en lui que le dernier des hommes.
Lui ferons-nous penser, par un plus long séjour,
Que vos vœux de son cœur attendent le retour ?
Rompons avec plaisir un hymen qu'il diffère.
J'ai fait de mon dessein avertir votre père ;
Je ne l'attends ici que pour m'en séparer :
Et pour ce prompt départ je vais tout préparer.

A Ériphile.

Je ne vous presse point, Madame, de nous suivre ;
En de plus chères mains ma retraite vous livre.
De vos desseins secrets on est trop éclairci,
Et ce n'est pas Calchas que vous cherchez ici.

SCÈNE V

IPHIGÉNIE, ÉRIPHILE, DORIS

IPHIGÉNIE

En quel funeste état ces mots m'ont-ils laissée !
Pour mon hymen Achille a changé de pensée ;
Il me faut sans honneur retourner sur mes pas ;
Et vous cherchez ici quelque autre que Calchas ?

ÉRIPHILE

Madame, à ce discours je ne puis rien comprendre.

IPHIGÉNIE

Vous m'entendez assez, si vous voulez m'entendre.
Le sort injurieux me ravit un époux ;

Madame, à mon malheur m'abandonnerez-vous ?
Vous ne pouviez sans moi demeurer à Mycène;
Me verra-t-on sans vous partir avec la Reine ?

ÉRIPHILE

Je voulais voir Calchas avant que de partir.

IPHIGÉNIE

Que tardez-vous, Madame, à le faire avertir ?

ÉRIPHILE

D'Argos, dans un moment, vous reprenez la route.

IPHIGÉNIE

Un moment quelquefois éclaircit plus d'un doute.
Mais, Madame, je vois que c'est trop vous presser;
Je vois ce que jamais je n'ai voulu penser :
Achille... Vous brûlez que je ne sois partie.

ÉRIPHILE

Moi ? Vous me soupçonnez de cette perfidie ?
Moi, j'aimerais, Madame, un vainqueur furieux,
Qui toujours tout sanglant se présente à mes yeux,
Qui la flamme à la main, et de meurtres avide,
Mit en cendres Lesbos...

IPHIGÉNIE

                              Oui, vous l'aimez, perfide.
Et ces mêmes fureurs que vous me dépeignez,
Ces bras que dans le sang vous avez vus baignés,
Ces morts, cette Lesbos, ces cendres, cette flamme,
Sont les traits dont l'amour l'a gravé dans votre âme;
Et loin d'en détester le cruel souvenir,
Vous vous plaisez encore à m'en entretenir.
Déjà plus d'une fois dans vos plaintes forcées
J'ai dû voir, et j'ai vu, le fond de vos pensées.
Mais toujours sur mes yeux ma facile bonté
A remis le bandeau que j'avais écarté.
Vous l'aimez. Que faisais-je ? et quelle erreur fatale
M'a fait entre mes bras recevoir ma rivale ?
Crédule, je l'aimais. Mon cœur même aujourd'hui
De son parjure amant lui promettait l'appui.
Voilà donc le triomphe où j'étais amenée.
Moi-même à votre char je me suis enchaînée.
Je vous pardonne, hélas! des vœux intéressés,
Et la perte d'un cœur que vous me ravissez.

Mais que sans m'avertir du piège qu'on me dresse,
Vous me laissiez chercher jusqu'au fond de la Grèce
L'ingrat qui ne m'attend que pour m'abandonner,
Perfide, cet affront se peut-il pardonner ?

ÉRIPHILE

Vous me donnez des noms qui doivent me surprendre,
Madame : on ne m'a pas instruite à les entendre;
Et les Dieux, contre moi dès longtemps indignés,
A mon oreille encor les avaient épargnés.
Mais il faut des amants excuser l'injustice.
Et de quoi vouliez-vous que je vous avertisse ?
Avez-vous pu penser qu'au sang d'Agamemnon
Achille préférât une fille sans nom,
Qui de tout son destin ce qu'elle a pu comprendre,
C'est qu'elle sort d'un sang qu'il brûle de répandre ?

IPHIGÉNIE

Vous triomphez, cruelle, et bravez ma douleur.
Je n'avais pas encor senti tout mon malheur;
Et vous ne comparez votre exil et ma gloire
Que pour mieux relever votre injuste victoire.
Toutefois vos transports sont trop précipités.
Ce même Agamemnon à qui vous insultez,
Il commande à la Grèce, il est mon père, il m'aime,
Il ressent mes douleurs beaucoup plus que moi-même.
Mes larmes par avance avaient su le toucher;
J'ai surpris ses soupirs qu'il me voulait cacher.
Hélas! de son accueil condamnant la tristesse,
J'osais me plaindre à lui de son peu de tendresse!

SCÈNE VI

ACHILLE, IPHIGÉNIE, ÉRIPHILE, DORIS

ACHILLE

Il est donc vrai, Madame, et c'est vous que je vois.
Je soupçonnais d'erreur tout le camp à la fois.
Vous en Aulide ? Vous ? Hé! qu'y venez-vous faire ?
D'où vient qu'Agamemnon m'assurait le contraire ?

IPHIGÉNIE

Seigneur, rassurez-vous. Vos vœux seront contents.
Iphigénie encor n'y sera pas longtemps.

SCÈNE VII

ACHILLE, ÉRIPHILE, DORIS

ACHILLE

Elle me fuit! Veillé-je? ou n'est-ce point un songe?
Dans quel trouble nouveau cette fuite me plonge!
Madame, je ne sais si, sans vous irriter,
Achille devant vous pourra se présenter;
Mais si d'un ennemi vous souffrez la prière,
Si lui-même souvent a plaint sa prisonnière,
Vous savez quel sujet conduit ici leurs pas;
Vous savez...

ÉRIPHILE

Quoi! Seigneur, ne le savez-vous pas;
Vous qui depuis un mois, brûlant sur ce rivage,
Avez conclu vous-même et hâté leur voyage?

ACHILLE

De ce même rivage absent depuis un mois,
Je le revis hier pour la première fois.

ÉRIPHILE

Quoi! lorsqu'Agamemnon écrivait à Mycène,
Votre amour, votre main n'a pas conduit la sienne?
Quoi! vous qui de sa fille adoriez les attraits...

ACHILLE

Vous m'en voyez encore épris plus que jamais,
Madame; et si l'effet eût suivi ma pensée,
Moi-même dans Argos je l'aurais devancée.
Cependant on me fuit. Quel crime ai-je commis?
Mais je ne vois partout que des yeux ennemis.
Que dis-je? en ce moment Calchas, Nestor, Ulysse,
De leur vaine éloquence employant l'artifice,
Combattaient mon amour et semblaient m'annoncer
Que si j'en crois ma gloire, il y faut renoncer.
Quelle entreprise ici pourrait être formée?
Suis-je, sans le savoir, la fable de l'armée?
Entrons. C'est un secret qu'il leur faut arracher.

SCÈNE VIII

ÉRIPHILE, DORIS

ÉRIPHILE

Dieux, qui voyez ma honte, où me dois-je cacher ?
Orgueilleuse rivale, on t'aime, et tu murmures ?
Souffrirai-je à la fois ta gloire et tes injures ?
Ah! plutôt... Mais, Doris, ou j'aime à me flatter,
Ou sur eux quelque orage est tout prêt d'éclater.
J'ai des yeux. Leur bonheur n'est pas encor tranquille.
On trompe Iphigénie; on se cache d'Achille;
Agamemnon gémit. Ne désespérons point;
Et si le sort contre elle à ma haine se joint,
Je saurai profiter de cette intelligence
Pour ne pas pleurer seule et mourir sans vengeance.

ACTE III

SCÈNE PREMIÈRE

AGAMEMNON, CLYTEMNESTRE

CLYTEMNESTRE

Oui, Seigneur, nous partions; et mon juste courroux
Laissait bientôt Achille et le camp loin de nous.
Ma fille dans Argos courait pleurer sa honte.
Mais lui-même, étonné d'une fuite si prompte,
Par combien de serments, dont je n'ai pu douter,
Vient-il de me convaincre et de nous arrêter!
Il presse cet hymen qu'on prétend qu'il diffère,
Et vous cherche, brûlant d'amour et de colère :
Prêt d'imposer silence à ce bruit imposteur,
Achille en veut connaître et confondre l'auteur.
Bannissez ces soupçons qui troublaient notre joie.

AGAMEMNON

Madame, c'est assez. Je consens qu'on le croie.
Je reconnais l'erreur qui nous avait séduits,
Et ressens votre joie autant que je le puis.
Vous voulez que Calchas l'unisse à ma famille ;
Vous pouvez à l'autel envoyer votre fille ;
Je l'attends. Mais avant que de passer plus loin,
J'ai voulu vous parler un moment sans témoin.
Vous voyez en quels lieux vous l'avez amenée :
Tout y ressent la guerre, et non point l'hyménée.
Le tumulte d'un camp, soldats et matelots,
Un autel hérissé de dards, de javelots,
Tout ce spectacle enfin, pompe digne d'Achille,
Pour attirer vos yeux n'est point assez tranquille,
Et les Grecs y verraient l'épouse de leur roi
Dans un état indigne et de vous et de moi.
   M'en croirez-vous ? Laissez, de vos femmes suivie,
A cet hymen, sans vous, marcher Iphigénie.

CLYTEMNESTRE

Qui ? moi ? que remettre ma fille en d'autres bras,
Ce que j'ai commencé, je ne l'achève pas ?
Qu'après l'avoir d'Argos amenée en Aulide,
Je refuse à l'autel de lui servir de guide ?
Dois-je donc de Calchas être moins près que vous ?
Et qui présentera ma fille à son époux ?
Quelle autre ordonnera cette pompe sacrée ?

AGAMEMNON

Vous n'êtes point ici dans le palais d'Atrée.
Vous êtes dans un camp...

CLYTEMNESTRE

                      Où tout vous est soumis,
Où le sort de l'Asie en vos mains est remis,
Où je vois sous vos lois marcher la Grèce entière,
Où le fils de Thétis va m'appeler sa mère.
Dans quel palais superbe et plein de ma grandeur
Puis-je jamais paraître avec plus de splendeur ?

AGAMEMNON

Madame, au nom des Dieux auteurs de notre race,
Daignez à mon amour accorder cette grâce.
J'ai mes raisons.

CLYTEMNESTRE

Seigneur, au nom des mêmes Dieux,
D'un spectacle si doux ne privez point mes yeux.
Daignez ne point ici rougir de ma présence.

AGAMEMNON

J'avais plus espéré de votre complaisance.
Mais puisque la raison ne vous peut émouvoir,
Puisque enfin ma prière a si peu de pouvoir,
Vous avez entendu ce que je vous demande,
Madame : je le veux, et je vous le commande.
Obéissez.

SCÈNE II

CLYTEMNESTRE, seule.

D'où vient que d'un soin si cruel
L'injuste Agamemnon m'écarte de l'autel ?
Fier de son nouveau rang m'ose-t-il méconnaître ?
Me croit-il à sa suite indigne de paraître ?
Ou de l'empire encor timide possesseur,
N'oserait-il d'Hélène ici montrer la sœur ?
Et pourquoi me cacher ? et par quelle injustice
Faut-il que sur mon front sa honte rejaillisse ?
Mais n'importe : il le veut, et mon cœur s'y résout.
Ma fille, ton bonheur me console de tout :
Le ciel te donne Achille, et ma joie est extrême
De t'entendre nommer... Mais le voici lui-même.

SCÈNE III

ACHILLE, CLYTEMNESTRE

ACHILLE

Tout succède, Madame, à mon empressement.
Le Roi n'a point voulu d'autre éclaircissement;
Il en croit mes transports; et sans presque m'entendre,
Il vient, en m'embrassant, de m'accepter pour gendre.
Il ne m'a dit qu'un mot. Mais vous a-t-il conté
Quel bonheur dans le camp vous avez apporté ?
Les Dieux vont s'apaiser. Du moins Calchas publie
Qu'avec eux, dans une heure, il nous réconcilie;

Que Neptune et les vents, prêts à nous exaucer,
N'attendent que le sang que sa main va verser.
Déjà dans les vaisseaux la voile se déploie;
Déjà sur sa parole ils se tournent vers Troie.
Pour moi, quoique le ciel, au gré de mon amour,
Dût encore des vents retarder le retour,
Que je quitte à regret la rive fortunée
Où je vais allumer les flambeaux d'hyménée;
Puis-je ne point chérir l'heureuse occasion
D'aller du sang troyen sceller notre union,
Et de laisser bientôt, sous Troie ensevelie,
Le déshonneur d'un nom à qui le mien s'allie ?

SCÈNE IV

ACHILLE, CLYTEMNESTRE, IPHIGÉNIE, ÉRIPHILE,
DORIS, ÆGINE

ACHILLE

Princesse, mon bonheur ne dépend que de vous.
Votre père à l'autel vous destine un époux :
Venez y recevoir un cœur qui vous adore.

IPHIGÉNIE

Seigneur, il n'est pas temps que nous partions encore.
La Reine permettra que j'ose demander
Un gage à votre amour, qu'il me doit accorder.
Je viens vous présenter une jeune princesse.
Le ciel a sur son front imprimé sa noblesse.
De larmes tous les jours ses yeux sont arrosés;
Vous savez ses malheurs, vous les avez causés.
Moi-même (où m'emportait une aveugle colère!)
J'ai tantôt, sans respect, affligé sa misère.
Que ne puis-je aussi bien par d'utiles secours
Réparer promptement mes injustes discours!
Je lui prête ma voix, je ne puis davantage.
Vous seul pouvez, Seigneur, détruire votre ouvrage.
Elle est votre captive, et ses fers que je plains,
Quand vous l'ordonnerez, tomberont de ses mains.
Commencez donc par là cette heureuse journée.
Qu'elle puisse à nous voir n'être plus condamnée.
Montrez que je vais suivre au pied de nos autels
Un roi qui non content d'effrayer les mortels,

A des embrasements ne borne point sa gloire,
Laisse aux pleurs d'une épouse attendrir sa victoire,
Et par les malheureux quelquefois désarmé,
Sait imiter en tout les Dieux qui l'ont formé.

ÉRIPHILE

Oui, Seigneur, des douleurs soulagez la plus vive.
La guerre dans Lesbos me fit votre captive.
Mais c'est pousser trop loin ses droits injurieux,
Qu'y joindre le tourment que je souffre en ces lieux.

ACHILLE

Vous, Madame ?

ÉRIPHILE

                    Oui, Seigneur; et sans compter le reste,
Pouvez-vous m'imposer une loi plus funeste
Que de rendre mes yeux les tristes spectateurs
De la félicité de mes persécuteurs ?
J'entends de toutes parts menacer ma patrie;
Je vois marcher contre elle une armée en furie;
Je vois déjà l'hymen, pour mieux me déchirer,
Mettre en vos mains le feu qui la doit dévorer.
Souffrez que loin du camp, et loin de votre vue,
Toujours infortunée et toujours inconnue,
J'aille cacher un sort si digne de pitié,
Et dont mes pleurs encor vous taisent la moitié.

ACHILLE

C'est trop, belle Princesse. Il ne faut que nous suivre.
Venez, qu'aux yeux des Grecs Achille vous délivre,
Et que le doux moment de ma félicité
Soit le moment heureux de votre liberté.

SCÈNE V

CLYTEMNESTRE, ACHILLE, IPHIGÉNIE, ÉRIPHILE,
ARCAS, ÆGINE, DORIS

ARCAS

Madame, tout est prêt pour la cérémonie :
Le Roi près de l'autel attend Iphigénie;
Je viens la demander. Ou plutôt contre lui,
Seigneur, je viens pour elle implorer votre appui.

ACHILLE

Arcas, que dites-vous ?

CLYTEMNESTRE

Dieux ! que vient-il m'apprendre ?

ARCAS, à Achille.

Je ne vois plus que vous qui la puisse défendre.

ACHILLE

Contre qui ?

ARCAS

Je le nomme et l'accuse à regret.
Autant que je l'ai pu, j'ai gardé son secret.
Mais le fer, le bandeau, la flamme est toute prête :
Dût tout cet appareil retomber sur ma tête,
Il faut parler.

CLYTEMNESTRE

Je tremble. Expliquez-vous, Arcas.

ACHILLE

Qui que ce soit, parlez, et ne le craignez pas.

ARCAS

Vous êtes son amant, et vous êtes sa mère :
Gardez-vous d'envoyer la Princesse à son père.

CLYTEMNESTRE

Pourquoi le craindrons-nous ?

ACHILLE

Pourquoi m'en défier ?

ARCAS

Il l'attend à l'autel pour la sacrifier.

ACHILLE

Lui !

CLYTEMNESTRE

Sa fille !

IPHIGÉNIE

Mon père !

ÉRIPHILE

O ciel ! quelle nouvelle !

ACHILLE

Quelle aveugle fureur pourrait l'armer contre elle ?
Ce discours sans horreur se peut-il écouter ?

ARCAS

Ah! Seigneur, plût au ciel que je pusse en douter!
Par la voix de Calchas l'oracle la demande;
De toute autre victime il refuse l'offrande;
Et les Dieux, jusque-là protecteurs de Pâris,
Ne nous promettent Troie et les vents qu'à ce prix.

CLYTEMNESTRE

Les Dieux ordonneraient un meurtre abominable?

IPHIGÉNIE

Ciel! pour tant de rigueur, de quoi suis-je coupable?

CLYTEMNESTRE

Je ne m'étonne plus de cet ordre cruel
Qui m'avait interdit l'approche de l'autel.

IPHIGÉNIE, à Achille.

Et voilà donc l'hymen où j'étais destinée!

ARCAS

Le Roi, pour vous tromper, feignait cet hyménée.
Tout le camp même encore est trompé comme vous.

CLYTEMNESTRE

Seigneur, c'est donc à moi d'embrasser vos genoux.

ACHILLE, la relevant.

Ah! Madame.

CLYTEMNESTRE

Oubliez une gloire importune;
Ce triste abaissement convient à ma fortune.
Heureuse si mes pleurs vous peuvent attendrir,
Une mère à vos pieds peut tomber sans rougir.
C'est votre épouse, hélas! qui vous est enlevée.
Dans cet heureux espoir je l'avais élevée.
C'est vous que nous cherchions sur ce funeste bord.
Et votre nom, Seigneur, l'a conduite à la mort.
Ira-t-elle, des Dieux implorant la justice,
Embrasser leurs autels parés pour son supplice?
Elle n'a que vous seul. Vous êtes en ces lieux
Son père, son époux, son asile, ses Dieux.
Je lis dans vos regards la douleur qui vous presse.
Auprès de votre époux, ma fille, je vous laisse.
Seigneur, daignez m'attendre, et ne la point quitter.
A mon perfide époux je cours me présenter.

Il ne soutiendra point la fureur qui m'anime.
Il faudra que Calchas cherche une autre victime.
Ou si je ne vous puis dérober à leurs coups,
Ma fille, ils pourront bien m'immoler avant vous.

SCÈNE VI

ACHILLE, IPHIGÉNIE

ACHILLE

Madame, je me tais, et demeure immobile,
Est-ce à moi que l'on parle, et connaît-on Achille ?
Une mère pour vous croit devoir me prier ;
Une reine à mes pieds se vient humilier ;
Et me déshonorant par d'injustes alarmes,
Pour attendrir mon cœur on a recours aux larmes !
Qui doit prendre à vos jours plus d'intérêt que moi ?
Ah ! sans doute on s'en peut reposer sur ma foi.
L'outrage me regarde ; et quoi qu'on entreprenne,
Je réponds d'une vie où j'attache la mienne.
Mais ma juste douleur va plus loin m'engager :
C'est peu de vous défendre, et je cours vous venger,
Et punir à la fois le cruel stratagème
Qui s'ose de mon nom armer contre vous-même.

IPHIGÉNIE

Ah ! demeurez, Seigneur, et daignez m'écouter.

ACHILLE

Quoi ! Madame, un barbare osera m'insulter ?
Il voit que de sa sœur je cours venger l'outrage ;
Il sait que le premier lui donnant mon suffrage,
Je le fis nommer chef de vingt rois ses rivaux ;
Et pour fruit de mes soins, pour fruit de mes travaux,
Pour tout le prix enfin d'une illustre victoire,
Qui le doit enrichir, venger, combler de gloire,
Content et glorieux du nom de votre époux,
Je ne lui demandais que l'honneur d'être à vous.
Cependant aujourd'hui, sanguinaire, parjure,
C'est peu de violer l'amitié, la nature,
C'est peu que de vouloir, sous un couteau mortel,
Me montrer votre cœur fumant sur un autel :
D'un appareil d'hymen couvrant ce sacrifice,
Il veut que ce soit moi qui vous mène au supplice ?

Que ma crédule main conduise le couteau ?
Qu'au lieu de votre époux je sois votre bourreau ?
Et quel était pour vous ce sanglant hyménée,
Si je fusse arrivé plus tard d'une journée ?
Quoi donc! à leur fureur livrée en ce moment
Vous iriez à l'autel me chercher vainement;
Et d'un fer imprévu vous tomberiez frappée,
En accusant mon nom qui vous aurait trompée ?
Il faut de ce péril, de cette trahison,
Aux yeux de tous les Grecs lui demander raison.
A l'honneur d'un époux vous-même intéressée,
Madame, vous devez approuver ma pensée.
Il faut que le cruel qui m'a pu mépriser
Apprenne de quel nom il osait abuser.

IPHIGÉNIE

Hélas! si vous m'aimez, si pour grâce dernière
Vous daignez d'une amante écouter la prière,
C'est maintenant, Seigneur, qu'il faut me le prouver.
Car enfin ce cruel, que vous allez braver,
Cet ennemi barbare, injuste, sanguinaire,
Songez, quoi qu'il ait fait, songez qu'il est mon père.

ACHILLE

Lui, votre père ? Après son horrible dessein,
Je ne le connais plus que pour votre assassin.

IPHIGÉNIE

C'est mon père, Seigneur, je vous le dis encore,
Mais un père que j'aime, un père que j'adore,
Qui me chérit lui-même, et dont jusqu'à ce jour
Je n'ai jamais reçu que des marques d'amour.
Mon cœur, dans ce respect élevé dès l'enfance,
Ne peut que s'affliger de tout ce qui l'offense.
Et loin d'oser ici, par un prompt changement,
Approuver la fureur de votre emportement,
Loin que par mes discours je l'attise moi-même,
Croyez qu'il faut aimer autant que je vous aime,
Pour avoir pu souffrir tous les noms odieux
Dont votre amour le vient d'outrager à mes yeux.
Et pourquoi voulez-vous qu'inhumain et barbare,
Il ne gémisse pas du coup qu'on me prépare ?
Quel père de son sang se plaît à se priver ?
Pourquoi me perdrait-il, s'il pouvait me sauver ?
J'ai vu, n'en doutez point, ses larmes se répandre.
Faut-il le condamner avant que de l'entendre ?

Hélas! de tant d'horreurs son cœur déjà troublé
Doit-il de votre haine être encore accablé ?

ACHILLE

Quoi! Madame, parmi tant de sujets de crainte,
Ce sont là les frayeurs dont vous êtes atteinte ?
Un cruel (comment puis-je autrement l'appeler ?)
Par la main de Calchas s'en va vous immoler;
Et lorsqu'à sa fureur j'oppose ma tendresse,
Le soin de son repos est le seul qui vous presse ?
On me ferme la bouche ? On l'excuse ? On le plaint ?
C'est pour lui que l'on tremble et c'est moi que l'on craint ?
Triste effet de mes soins! Est-ce donc là, Madame,
Tout le progrès qu'Achille avait fait dans votre âme ?

IPHIGÉNIE

Ah cruel! cet amour, dont vous voulez douter,
Ai-je attendu si tard pour le faire éclater ?
Vous voyez de quel œil, et comme indifférente,
J'ai reçu de ma mort la nouvelle sanglante.
Je n'en ai point pâli. Que n'avez-vous pu voir
A quel excès tantôt allait mon désespoir,
Quand presque en arrivant un récit peu fidèle
M'a de votre inconstance annoncé la nouvelle!
Qui sait même, qui sait si le ciel irrité
A pu souffrir l'excès de ma félicité ?
Hélas! il me semblait qu'une flamme si belle
M'élevait au-dessus du sort d'une mortelle.

ACHILLE

Ah! si je vous suis cher, ma Princesse, vivez.

SCÈNE VII
CLYTEMNESTRE, IPHIGÉNIE, ACHILLE, ÆGINE

CLYTEMNESTRE

Tout est perdu, Seigneur, si vous ne nous sauvez.
Agamemnon m'évite, et craignant mon visage,
Il me fait de l'autel refuser le passage.
Des gardes, que lui-même a pris soin de placer,
Nous ont de toutes parts défendu de passer.
Il me fuit. Ma douleur étonne son audace.

ACHILLE

Hé bien! c'est donc à moi de prendre votre place.
Il me verra, Madame, et je vais lui parler.

IPHIGÉNIE

Ah! Madame... Ah, Seigneur! où voulez-vous aller?

ACHILLE

Et que prétend de moi votre injuste prière?
Vous faudra-t-il toujours combattre la première?

CLYTEMNESTRE

Quel est votre dessein, ma fille?

IPHIGÉNIE

                                        Au nom des Dieux,
Madame, retenez un amant furieux.
De ce triste entretien détournons les approches.
Seigneur, trop d'amertume aigrirait vos reproches.
Je sais jusqu'où s'emporte un amant irrité;
Et mon père est jaloux de son autorité.
On ne connaît que trop la fierté des Atrides.
Laissez parler, Seigneur, des bouches plus timides.
Surpris, n'en doutez point, de mon retardement,
Lui-même il me viendra chercher dans un moment:
Il entendra gémir une mère oppressée;
Et que ne pourra point m'inspirer la pensée
De prévenir les pleurs que vous verseriez tous,
D'arrêter vos transports, et de vivre pour vous?

ACHILLE

Enfin vous le voulez. Il faut donc vous complaire.
Donnez-lui l'une et l'autre un conseil salutaire.
Rappelez sa raison, persuadez-le bien,
Pour vous, pour mon repos, et surtout pour le sien.
Je perds trop de moments en des discours frivoles:
Il faut des actions, et non pas des paroles.

                                        A Clytemnestre.

Madame, à vous servir je vais tout disposer.
Dans votre appartement allez vous reposer.
Votre fille vivra, je puis vous le prédire.
Croyez du moins, croyez que tant que je respire,
Les Dieux auront en vain ordonné son trépas:
Cet oracle est plus sûr que celui de Calchas.

ACTE IV

SCÈNE PREMIÈRE

ÉRIPHILE, DORIS

DORIS

Ah! que me dites-vous ? Quelle étrange manie
Vous peut faire envier le sort d'Iphigénie ?
Dans une heure elle expire. Et jamais, dites-vous,
Vos yeux de son bonheur ne furent plus jaloux.
Qui le croira, Madame ? Et quel cœur si farouche...

ÉRIPHILE

Jamais rien de plus vrai n'est sorti de ma bouche.
Jamais de tant de soins mon esprit agité
Ne porta plus d'envie à sa félicité.
Favorables périls! Espérance inutile!
N'as-tu pas vu sa gloire, et le trouble d'Achille ?
J'en ai vu, j'en ai fui les signes trop certains.
Ce héros, si terrible au reste des humains,
Qui ne connaît de pleurs que ceux qu'il fait répandre,
Qui s'endurcit contre eux dès l'âge le plus tendre,
Et qui, si l'on nous fait un fidèle discours,
Suça même le sang des lions et des ours,
Pour elle de la crainte a fait l'apprentissage :
Elle l'a vu pleurer et changer de visage.
Et tu la plains, Doris ? Par combien de malheurs
Ne lui voudrais-je point disputer de tels pleurs,
Quand je devrais comme elle expirer dans une heure...
Mais que dis-je, expirer ? Ne crois pas qu'elle meure.
Dans un lâche sommeil crois-tu qu'enseveli
Achille aura pour elle impunément pâli ?
Achille à son malheur saura bien mettre obstacle.
Tu verras que les Dieux m'ont dicté cet oracle.
Que pour croître à la fois sa gloire et mon tourment,
Et la rendre plus belle aux yeux de son amant.
Hé quoi! ne vois-tu pas tout ce qu'on fait pour elle ?
On supprime des Dieux la sentence mortelle;

Et quoique le bûcher soit déjà préparé,
Le nom de la victime est encore ignoré :
Tout le camp n'en sait rien. Doris, à ce silence,
Ne reconnais-tu pas un père qui balance ?
Et que fera-t-il donc ? Quel courage endurci
Soutiendrait les assauts qu'on lui prépare ici :
Une mère en fureur, les larmes d'une fille,
Les cris, le désespoir de toute une famille,
Le sang à ces objets facile à s'ébranler,
Achille menaçant, tout prêt à l'accabler ?
Non, te dis-je, les Dieux l'ont en vain condamnée :
Je suis et je serai la seule infortunée.
Ah ! si je m'en croyais...

DORIS

Quoi ! que méditez-vous ?

ÉRIPHILE

Je ne sais qui m'arrête et retient mon courroux,
Que par un prompt avis de tout ce qui se passe,
Je ne coure des Dieux divulguer la menace,
Et publier partout les complots criminels
Qu'on fait ici contre eux et contre leurs autels.

DORIS

Ah ! quel dessein, Madame !

ÉRIPHILE

Ah ! Doris, quelle joie !
Que d'encens brûlerait dans les temples de Troie,
Si troublant tous les Grecs, et vengeant ma prison,
Je pouvais contre Achille armer Agamemnon ;
Si leur haine, de Troie oubliant la querelle,
Tournait contre eux le fer qu'ils aiguisent contre elle,
Et si de tout le camp mes avis dangereux
Faisaient à ma patrie un sacrifice heureux !

DORIS

J'entends du bruit. On vient : Clytemnestre s'avance.
Remettez-vous, Madame, ou fuyez sa présence.

ÉRIPHILE

Rentrons. Et pour troubler un hymen odieux,
Consultons des fureurs qu'autorisent les Dieux.

SCÈNE II

CLYTEMNESTRE, ÆGINE

CLYTEMNESTRE

Ægine, tu le vois, il faut que je la fuie.
Loin que ma fille pleure et tremble pour sa vie,
Elle excuse son père, et veut que ma douleur
Respecte encor la main qui lui perce le cœur.
O constance ! ô respect ! Pour prix de sa tendresse,
Le barbare, à l'autel, se plaint de sa paresse.
Je l'attends. Il viendra m'en demander raison,
Et croit pouvoir encor cacher sa trahison.
Il vient. Sans éclater contre son injustice,
Voyons s'il soutiendra son indigne artifice.

SCÈNE III

AGAMEMNON, CLYTEMNESTRE, ÆGINE

AGAMEMNON

Que faites-vous, Madame ? et d'où vient que ces lieux
N'offrent point avec vous votre fille à mes yeux ?
Mes ordres par Arcas vous l'avaient demandée.
Qu'attend-elle ? Est-ce vous qui l'avez retardée ?
A mes justes désirs ne vous rendez-vous pas ?
Ne peut-elle à l'autel marcher que sur vos pas ?
Parlez.

CLYTEMNESTRE

S'il faut partir, ma fille est toute prête.
Mais vous, n'avez-vous rien, Seigneur, qui vous arrête ?

AGAMEMNON

Moi, Madame ?

CLYTEMNESTRE

Vos soins ont-ils tout préparé ?

AGAMEMNON

Calchas est prêt, Madame, et l'autel est paré.
J'ai fait ce que m'ordonne un devoir légitime.

CLYTEMNESTRE

Vous ne me parlez point, Seigneur, de la victime.

AGAMEMNON

Que me voulez-vous dire ? et de quel soin jaloux...

SCÈNE IV

IPHIGÉNIE, AGAMEMNON, CLYTEMNESTRE, ÆGINE

CLYTEMNESTRE

Venez, venez, ma fille, on n'attend plus que vous ;
Venez remercier un père qui vous aime,
Et qui veut à l'autel vous conduire lui-même.

AGAMEMNON

Que vois-je ? Quel discours ? Ma fille, vous pleurez,
Et baissez devant moi vos yeux mal assurés.
Quel trouble ! Mais tout pleure, et la fille, et la mère.
Ah ! malheureux Arcas, tu m'as trahi.

IPHIGÉNIE

                              Moi père,
Cessez de vous troubler, vous n'êtes point trahi.
Quand vous commanderez, vous serez obéi.
Ma vie est votre bien. Vous voulez le reprendre :
Vos ordres sans détour pouvaient se faire entendre.
D'un œil aussi content, d'un cœur aussi soumis
Que j'acceptais l'époux que vous m'aviez promis,
Je saurai, s'il le faut, victime obéissante,
Tendre au fer de Calchas une tête innocente,
Et respectant le coup par vous-même ordonné,
Vous rendre tout le sang que vous m'avez donné.
    Si pourtant ce respect, si cette obéissance
Paraît digne à vos yeux d'une autre récompense,
Si d'une mère en pleurs vous plaignez les ennuis,
J'ose vous dire ici qu'en l'état où je suis
Peut-être assez d'honneurs environnaient ma vie
Pour ne pas souhaiter qu'elle me fût ravie,
Ni qu'en me l'arrachant un sévère destin
Si près de ma naissance en eût marqué la fin.
Fille d'Agamemnon, c'est moi qui la première,
Seigneur, vous appelai de ce doux nom de père ;
C'est moi qui si longtemps le plaisir de vos yeux,

Vous ai fait de ce nom remercier les Dieux,
Et pour qui tant de fois prodiguant vos caresses,
Vous n'avez point du sang dédaigné les faiblesses.
Hélas! avec plaisir je me faisais conter
Tous les noms des pays que vous allez dompter;
Et déjà d'Ilion présageant la conquête,
D'un triomphe si beau je préparais la fête.
Je ne m'attendais pas que pour le commencer,
Mon sang fût le premier que vous dussiez verser.
    Non que la peur du coup dont je suis menacée
Me fasse rappeler votre bonté passée.
Ne craignez rien. Mon cœur, de votre honneur jaloux,
Ne fera point rougir un père tel que vous;
Et si je n'avais eu que ma vie à défendre,
J'aurais su renfermer un souvenir si tendre.
Mais à mon triste sort, vous le savez, Seigneur,
Une mère, un amant attachaient leur bonheur.
Un roi digne de vous a cru voir la journée
Qui devait éclairer notre illustre hyménée.
Déjà sûr de mon cœur à sa flamme promis,
Il s'estimait heureux : vous me l'aviez permis.
Il sait votre dessein, jugez de ses alarmes.
Ma mère est devant vous, et vous voyez ses larmes.
Pardonnez aux efforts que je viens de tenter
Pour prévenir les pleurs que je leur vais coûter.

AGAMEMNON

Ma fille, il est trop vrai. J'ignore pour quel crime
La colère des Dieux demande une victime;
Mais ils vous ont nommée. Un oracle cruel
Veut qu'ici votre sang coule sur un autel.
Pour défendre vos jours de leurs lois meurtrières,
Mon amour n'avait pas attendu vos prières.
Je ne vous dirai point combien j'ai résisté :
Croyez-en cet amour par vous-même attesté.
Cette nuit même encore (on a pu vous le dire)
J'avais révoqué l'ordre où l'on me fit souscrire.
Sur l'intérêt des Grecs vous l'aviez emporté.
Je vous sacrifiais mon rang, ma sûreté.
Arcas allait du camp vous défendre l'entrée :
Les Dieux n'ont pas voulu qu'il vous ait rencontrée.
Ils ont trompé les soins d'un père infortuné
Qui protégeait en vain ce qu'ils ont condamné.
Ne vous assurez point sur ma faible puissance.
Quel frein pourrait d'un peuple arrêter la licence,

Quand les Dieux, nous livrant à son zèle indiscret,
L'affranchissent d'un joug qu'il portait à regret ?
Ma fille, il faut céder. Votre heure est arrivée.
Songez bien dans quel rang vous êtes élevée.
Je vous donne un conseil qu'à peine je reçoi.
Du coup qui vous attend vous mourrez moins que moi.
Montrez, en expirant, de qui vous êtes née :
Faites rougir ces Dieux qui vous ont condamnée.
Allez; et que les Grecs, qui vont vous immoler,
Reconnaissent mon sang en le voyant couler.

CLYTEMNESTRE

Vous ne démentez point une race funeste.
Oui, vous êtes le sang d'Atrée et de Thyeste.
Bourreau de votre fille, il ne vous reste enfin
Que d'en faire à sa mère un horrible festin.
Barbare! C'est donc là cet heureux sacrifice
Que vos soins préparaient avec tant d'artifice.
Quoi! l'horreur de souscrire à cet ordre inhumain
N'a pas, en le traçant, arrêté votre main ?
Pourquoi feindre à nos yeux une fausse tristesse ?
Pensez-vous par des pleurs prouver votre tendresse ?
Où sont-ils, ces combats que vous avez rendus ?
Quels flots de sang pour elle avez-vous répandus ?
Quel débris parle ici de votre résistance ?
Quel champ couvert de morts me condamne au silence ?
Voilà par quels témoins il fallait me prouver,
Cruel, que votre amour a voulu la sauver.
Un oracle fatal ordonne qu'elle expire.
Un oracle dit-il tout ce qu'il semble dire ?
Le ciel, le juste ciel, par le meurtre honoré,
Du sang de l'innocence est-il donc altéré ?
Si du crime d'Hélène on punit sa famille,
Faites chercher à Sparte Hermione sa fille.
Laissez à Ménélas racheter d'un tel prix
Sa coupable moitié, dont il est trop épris.
Mais vous, quelles fureurs vous rendent sa victime ?
Pourquoi vous imposer la peine de son crime ?
Pourquoi moi-même enfin me déchirant le flanc,
Payer sa folle amour du plus pur de mon sang ?
    Que dis-je ? Cet objet de tant de jalousie,
Cette Hélène, qui trouble et l'Europe et l'Asie,
Vous semble-t-elle un prix digne de vos exploits ?
Combien nos fronts pour elle ont-ils rougi de fois!
Avant qu'un nœud fatal l'unît à votre frère,

Thésée avait osé l'enlever à son père.
Vous savez, et Calchas mille fois vous l'a dit,
Qu'un hymen clandestin mit ce prince en son lit,
Et qu'il en eut pour gage une jeune princesse,
Que sa mère a cachée au reste de la Grèce.
Mais non, l'amour d'un frère et son honneur blessé
Sont les moindres des soins dont vous êtes pressé.
Cette soif de régner, que rien ne peut éteindre,
L'orgueil de voir vingt rois vous servir et vous craindre,
Tous les droits de l'empire en vos mains confiés,
Cruel, c'est à ces Dieux que vous sacrifiez;
Et loin de repousser le coup qu'on vous prépare,
Vous voulez vous en faire un mérite barbare.
Trop jaloux d'un pouvoir qu'on peut vous envier,
De votre propre sang vous courez le payer,
Et voulez par ce prix épouvanter l'audace
De quiconque vous peut disputer votre place.
Est-ce donc être père? Ah! toute ma raison
Cède à la cruauté de cette trahison.
Un prêtre, environné d'une foule cruelle,
Portera sur ma fille une main criminelle?
Déchirera son sein? Et d'un œil curieux
Dans son cœur palpitant consultera les Dieux?
Et moi, qui l'amenai triomphante, adorée,
Je m'en retournerai seule et désespérée?
Je verrai les chemins encor tout parfumés
Des fleurs dont sous ses pas on les avait semés?
Non, je ne l'aurai point amenée au supplice,
Ou vous ferez aux Grecs un double sacrifice.
Ni crainte, ni respect, ne m'en peut détacher.
De mes bras tout sanglants il faudra l'arracher.
Aussi barbare époux qu'impitoyable père,
Venez, si vous l'osez, la ravir à sa mère.
Et vous, rentrez, ma fille, et du moins à mes lois
Obéissez encor pour la dernière fois.

SCÈNE V

AGAMEMNON, *seul.*

A de moindres fureurs je n'ai pas dû m'attendre.
Voilà, voilà les cris que je craignais d'entendre.
Heureux si dans le trouble où flottent mes esprits,
Je n'avais toutefois à craindre que ses cris!

Hélas ! en m'imposant une loi si sévère,
Grands Dieux, me deviez-vous laisser un cœur de père ?

SCÈNE VI

AGAMEMNON, ACHILLE

ACHILLE

Un bruit assez étrange est venu jusqu'à moi,
Seigneur ; je l'ai jugé trop peu digne de foi.
On dit, et sans horreur je ne puis le redire,
Qu'aujourd'hui par votre ordre Iphigénie expire,
Que vous-même, étouffant tout sentiment humain,
Vous l'allez à Calchas livrer de votre main.
On dit que sous mon nom à l'autel appelée,
Je ne l'y conduisais que pour être immolée,
Et que d'un faux hymen nous abusant tous deux,
Vous voulez me charger d'un emploi si honteux.
Qu'en dites-vous, Seigneur ? Que faut-il que j'en pense ?
Ne ferez-vous pas taire un bruit qui vous offense ?

AGAMEMNON

Seigneur, je ne rends point compte de mes desseins :
Ma fille ignore encor mes ordres souverains ;
Et quand il sera temps qu'elle en soit informée,
Vous apprendrez son sort, j'en instruirai l'armée.

ACHILLE

Ah ! je sais trop le sort que vous lui réservez.

AGAMEMNON

Pourquoi le demander, puisque vous le savez ?

ACHILLE

Pourquoi je le demande ? O ciel ! Le puis-je croire,
Qu'on ose des fureurs avouer la plus noire ?
Vous pensez qu'approuvant vos desseins odieux,
Je vous laisse immoler votre fille à mes yeux ?
Que ma foi, mon amour, mon honneur y consente ?

AGAMEMNON

Mais vous, qui me parlez d'une voix menaçante,
Oubliez-vous ici qui vous interrogez ?

ACHILLE

Oubliez-vous qui j'aime, et qui vous outragez ?

AGAMEMNON

Et qui vous a chargé du soin de ma famille ?
Ne pourrai-je sans vous disposer de ma fille ?
Ne suis-je plus son père ? Etes-vous son époux ?
Et ne peut-elle...

ACHILLE

                    Non, elle n'est plus à vous.
On ne m'abuse point par des promesses vaines.
Tant qu'un reste de sang coulera dans mes veines,
(Vous deviez à mon sort unir tous ses moments)
Je défendrai mes droits fondés sur vos serments
Et n'est-ce pas pour moi que vous l'avez mandée ?

AGAMEMNON

Plaignez-vous donc aux Dieux qui me l'ont demandée;
Accusez et Calchas et le camp tout entier,
Ulysse, Ménélas, et vous tout le premier.

ACHILLE

Moi!

AGAMEMNON

            Vous, qui de l'Asie embrassant la conquête,
Querellez tous les jours le ciel qui vous arrête;
Vous, qui vous offensant de mes justes terreurs,
Avez dans tout le camp répandu vos fureurs.
Mon cœur pour la sauver vous ouvrait une voie;
Mais vous ne demandez, vous ne cherchez que Troie.
Je vous fermais le champ où vous voulez courir.
Vous le voulez, partez : sa mort va vous l'ouvrir.

ACHILLE

Juste ciel! Puis-je entendre et souffrir ce langage ?
Est-ce ainsi qu'au parjure on ajoute l'outrage ?
Moi, je voulais partir aux dépens de ses jours ?
Et que m'a fait à moi cette Troie où je cours ?
Au pied de ses remparts quel intérêt m'appelle ?
Pour qui, sourd à la voix d'une mère immortelle,
Et d'un père éperdu négligeant les avis,
Vais-je y chercher la mort tant prédite à leur fils ?
Jamais vaisseaux partis des rives du Scamandre
Aux champs thessaliens osèrent-ils descendre ?
Et jamais dans Larisse un lâche ravisseur
Me vint-il enlever ou ma femme ou ma sœur ?

Qu'ai-je à me plaindre ? Où sont les pertes que j'ai faites ?
Je n'y vais que pour vous, barbare que vous êtes,
Pour vous, à qui des Grecs moi seul je ne dois rien,
Vous, que j'ai fait nommer et leur chef et le mien,
Vous, que mon bras v geait dans Lesbos enflammée
Avant que vous eussiez assemblé votre armée.
Et quel fut le dessein qui nous assembla tous ?
Ne courons-nous pas rendre Hélène à son époux ?
Depuis quand pense-t-on qu'inutile à moi-même
Je me laisse ravir une épouse que j'aime ?
Seul d'un honteux affront votre frère blessé
A-t-il droit de venger son amour offensé ?
Votre fille me plut, je prétendis lui plaire ;
Elle est de mes serments seule dépositaire.
Content de son hymen, vaisseaux, armes, soldats,
Ma foi lui promit tout, et rien à Ménélas.
Qu'il poursuive, s'il veut, son épouse enlevée ;
Qu'il cherche une victoire à mon sang réservée.
Je ne connais Priam, Hélène, ni Pâris ;
Je voulais votre fille, et ne pars qu'à ce prix.

AGAMEMNON

Fuyez donc. Retournez dans votre Thessalie.
Moi-même je vous rends le serment qui vous lie.
Assez d'autres viendront, à mes ordres soumis,
Se couvrir des lauriers qui vous furent promis,
Et par d'heureux exploits forçant la destinée,
Trouveront d'Ilion la fatale journée.
J'entrevois vos mépris, et juge à vos discours
Combien j'achèterais vos superbes secours.
De la Grèce déjà vous vous rendez l'arbitre :
Ses rois, à vous ouïr, m'ont paré d'un vain titre.
Fier de votre valeur, tout, si je vous en crois,
Doit marcher, doit fléchir, doit trembler sous vos lois.
Un bienfait reproché tint toujours lieu d'offense.
Je veux moins de valeur, et plus d'obéissance.
Fuyez. Je ne crains point votre impuissant courroux,
Et je romps tous les nœuds qui m'attachent à vous.

ACHILLE

Rendez grâce au seul nœud qui retient ma colère.
D'Iphigénie encor je respecte le père.
Peut-être, sans ce nom, le chef de tant de rois
M'aurait osé braver pour la dernière fois.
Je ne dis plus qu'un mot ; c'est à vous de m'entendre :

J'ai votre fille ensemble et ma gloire à défendre.
Pour aller jusqu'au cœur que vous voulez percer,
Voilà par quel chemin vos coups doivent passer.

SCÈNE VII

AGAMEMNON, *seul.*

Et voilà ce qui rend sa perte inévitable.
Ma fille toute seule était plus redoutable.
Ton insolent amour, qui croit m'épouvanter,
Vient de hâter le coup que tu veux arrêter.
Ne délibérons plus. Bravons sa violence.
Ma gloire intéressée emporte la balance.
Achille menaçant détermine mon cœur :
Ma pitié semblerait un effet de ma peur.
Holà, gardes, à moi!

SCÈNE VIII

AGAMEMNON, EURYBATE, GARDES

EURYBATE

Seigneur.

AGAMEMNON

                              Que vais-je faire?
Puis-je leur prononcer cet ordre sanguinaire?
Cruel! à quel combat faut-il te préparer?
Quel est cet ennemi que tu leur vas livrer?
Une mère m'attend, une mère intrépide,
Qui défendra son sang contre un père homicide.
Je verrai mes soldats, moins barbares que moi,
Respecter dans ses bras la fille de leur roi.
Achille nous menace, Achille nous méprise;
Mais ma fille en est-elle à mes lois moins soumise?
Ma fille, de l'autel cherchant à s'échapper,
Gémit-elle du coup dont je la veux frapper?
Que dis-je? Que prétend mon sacrilège zèle?
Quels vœux, en l'immolant, formerai-je sur elle?
Quelques prix glorieux qui me soient proposés,
Quels lauriers me plairont de son sang arrosés?

Je veux fléchir des Dieux la puissance suprême :
Ah! quels Dieux me seraient plus cruels que moi-même ?
Non, je ne puis. Cédons au sang, à l'amitié,
Et ne rougissons plus d'une juste pitié.
Qu'elle vive. Mais quoi! peu jaloux de ma gloire,
Dois-je au superbe Achille accorder la victoire ?
Son téméraire orgueil, que je vais redoubler,
Croira que je lui cède, et qu'il m'a fait trembler.
De quel frivole soin mon esprit s'embarrasse!
Ne puis-je pas d'Achille humilier l'audace ?
Que ma fille à ses yeux soit un sujet d'ennui.
Il l'aime : elle vivra pour un autre que lui.
Eurybate, appelez la Princesse, la Reine.
Qu'elles ne craignent point.

SCÈNE IX

AGAMEMNON, GARDES

AGAMEMNON

                              Grands Dieux, si votre haine
Persévère à vouloir l'arracher de mes mains,
Que peuvent devant vous tous les faibles humains ?
Loin de la secourir, mon amitié l'opprime,
Je le sais; mais, grands Dieux, une telle victime
Vaut bien que confirmant vos rigoureuses lois,
Vous me la demandiez une seconde fois.

SCÈNE X

AGAMEMNON, CLYTEMNESTRE, IPHIGÉNIE,
ÉRIPHILE, EURYBATE, DORIS, GARDES

AGAMEMNON

Allez, Madame, allez, prenez soin de sa vie.
Je vous rends votre fille, et je vous la confie.
Loin de ces lieux cruels précipitez ses pas;
Mes gardes vous suivront, commandés par Arcas :
Je veux bien excuser son heureuse imprudence.
Tout dépend du secret et de la diligence.
Ulysse ni Calchas n'ont point encor parlé;
Gardez que ce départ ne leur soit révélé.

Cachez bien votre fille, et que tout le camp croie
Que je la retiens seule, et que je vous renvoie.
Fuyez. Puissent les Dieux, de mes larmes contents,
A mes tristes regards ne l'offrir de longtemps!
Gardes, suivez la Reine.

CLYTEMNESTRE

Ah! Seigneur.

IPHIGÉNIE

                                        Ah! mon père.

AGAMEMNON

Prévenez de Calchas l'empressement sévère.
Fuyez, vous dis-je. Et moi, pour vous favoriser,
Par de feintes raisons je m'en vais l'abuser;
Je vais faire suspendre une pompe funeste,
Et de ce jour au moins lui demander le reste.

SCÈNE XI

ÉRIPHILE, DORIS

ÉRIPHILE

Suis-moi. Ce n'est pas là, Doris, notre chemin.

DORIS

Vous ne les suivez pas ?

ÉRIPHILE

                          Ah! je succombe enfin.
Je reconnais l'effet des tendresses d'Achille.
Je n'emporterai point une rage inutile.
Plus de raisons. Il faut ou la perdre ou périr.
Viens, te dis-je. A Calchas je vais tout découvrir.

[...]

ACTE V

SCÈNE PREMIÈRE

IPHIGÉNIE, ÆGINE

IPHIGÉNIE

Cesse de m'arrêter. Va, retourne à ma mère,
Ægine : il faut des Dieux apaiser la colère.
Pour ce sang malheureux qu'on veut leur dérober,
Regarde quel orage est tout prêt à tomber.
Considère l'état où la Reine est réduite.
Vois comme tout le camp s'oppose à notre fuite;
Avec quelle insolence ils ont de toutes parts
Fait briller à nos yeux la pointe de leurs dards.
Nos gardes repoussés, la Reine évanouie...
Ah! c'est trop l'exposer, souffre que je la fuie;
Et sans attendre ici ses secours impuissants,
Laisse-moi profiter du trouble de ses sens.
Mon père même, hélas! puisqu'il faut te le dire,
Mon père, en me sauvant, ordonne que j'expire.

ÆGINE

Lui, Madame ? Quoi donc ? Qu'est-ce qui s'est passé ?

IPHIGÉNIE

Achille trop ardent l'a peut-être offensé;
Mais le Roi, qui le hait, veut que je le haïsse :
Il ordonne à mon cœur cet affreux sacrifice.
Il m'a fait par Arcas expliquer ses souhaits :
Ægine, il me défend de lui parler jamais.

ÆGINE

Ah! Madame.

IPHIGÉNIE

                Ah, sentence! ah, rigueur inouïe!
Dieux plus doux, vous n'avez demandé que ma vie!
Mourons, obéissons. Mais qu'est-ce que je voi ?
Dieux! Achille ?

SCÈNE II

ACHILLE, IPHIGÉNIE

ACHILLE

Venez, Madame, suivez-moi.
Ne craignez ni les cris ni la foule impuissante
D'un peuple qui se presse autour de cette tente.
Paraissez; et bientôt, sans attendre mes coups,
Ces flots tumultueux s'ouvriront devant vous.
Patrocle, et quelques chefs qui marchent à ma suite,
De mes Thessaliens vous amènent l'élite.
Tout le reste, assemblé près de mon étendard,
Vous offre de ses rangs l'invincible rempart.
A vos persécuteurs opposons cet asile.
Qu'ils viennent vous chercher sous les tentes d'Achille.
Quoi! Madame, est-ce ainsi que vous me secondez ?
Ce n'est que par des pleurs que vous me répondez.
Vous fiez-vous encore à de si faibles armes ?
Hâtons-nous : votre père a déjà vu vos larmes.

IPHIGÉNIE

Je le sais bien, Seigneur. Aussi tout mon espoir
N'est plus qu'au coup mortel que je vais recevoir.

ACHILLE

Vous, mourir ? Ah! cessez de tenir ce langage,
Songez-vous quel serment vous et moi nous engage ?
Songez-vous (pour trancher d'inutiles discours)
Que le bonheur d'Achille est fondé sur vos jours ?

IPHIGÉNIE

Le ciel n'a point aux jours de cette infortunée
Attaché le bonheur de votre destinée.
Notre amour nous trompait; et les arrêts du sort
Veulent que ce bonheur soit un fruit de ma mort.
Songez, Seigneur, songez à ces moissons de gloire
Qu'à vos vaillantes mains présente la victoire.
Ce champ si glorieux où vous aspirez tous,
Si mon sang ne l'arrose, est stérile pour vous.
Telle est la loi des Dieux à mon père dictée.
En vain, sourd à Calchas, il l'avait rejetée :

Par la bouche des Grecs contre moi conjurés,
Leurs ordres éternels se sont trop déclarés.
Partez : à vos honneurs j'apporte trop d'obstacles.
Vous-même dégagez la foi de vos oracles ;
Signalez ce héros à la Grèce promis,
Tournez votre douleur contre ses ennemis.
Déjà Priam pâlit ; déjà Troie en alarmes
Redoute mon bûcher, et frémit de vos larmes.
Allez ; et dans ses murs vides de citoyens,
Faites pleurer ma mort aux veuves des Troyens.
Je meurs dans cet espoir satisfaite et tranquille.
Si je n'ai pas vécu la compagne d'Achille,
J'espère que du moins un heureux avenir
A vos faits immortels joindra mon souvenir ;
Et qu'un jour mon trépas, source de votre gloire,
Ouvrira le récit d'une si belle histoire.
Adieu, Prince, vivez, digne race des Dieux.

ACHILLE

Non, je ne reçois point vos funestes adieux.
En vain par ce discours votre cruelle adresse
Veut servir votre père, et tromper ma tendresse.
En vain vous prétendez, obstinée à mourir,
Intéresser ma gloire à vous laisser périr :
Ces moissons de lauriers, ces honneurs, ces conquêtes,
Ma main, en vous servant, les trouve toutes prêtes.
Et qui de ma faveur se voudrait honorer,
Si mon hymen prochain ne peut vous assurer ?
Ma gloire, mon amour vous ordonnent de vivre.
Venez, Madame ; il faut les en croire, et me suivre.

IPHIGÉNIE

Qui ? moi ? Que contre un père osant me révolter,
Je mérite la mort que j'irais éviter ?
Où serait le respect ? Et ce devoir suprême...

ACHILLE

Vous suivrez un époux avoué par lui-même.
C'est un titre qu'en vain il prétend me voler.
Ne fait-il des serments que pour les violer ?
Vous-même, que retient un devoir si sévère,
Quand il vous donne à moi, n'est-il point votre père ?
Suivez-vous seulement ses ordres absolus
Quand il cesse de l'être et ne vous connaît plus ?
Enfin, c'est trop tarder, ma Princesse, et ma crainte...

IPHIGÉNIE

Quoi ! Seigneur, vous iriez jusques à la contrainte ?
D'un coupable transport écoutant la chaleur,
Vous pourriez ajouter ce comble à mon malheur ?
Ma gloire vous serait moins chère que ma vie ?
Ah ! Seigneur, épargnez la triste Iphigénie.
Asservie à des lois que j'ai dû respecter,
C'est déjà trop pour moi que de vous écouter.
Ne portez pas plus loin votre injuste victoire ;
Ou par mes propres mains immolée à ma gloire,
Je saurai m'affranchir, dans ces extrémités,
Du secours dangereux que vous me présentez.

ACHILLE

Hé bien ! n'en parlons plus. Obéissez, cruelle,
Et cherchez une mort qui vous semble si belle.
Portez à votre père un cœur où j'entrevoi
Moins de respect pour lui que de haine pour moi.
Une juste fureur s'empare de mon âme.
Vous allez à l'autel, et moi, j'y cours, Madame.
Si de sang et de morts le ciel est affamé,
Jamais de plus de sang ses auteis n'ont fumé.
A mon aveugle amour tout sera légitime.
Le prêtre deviendra la première victime ;
Le bûcher, par mes mains détruit et renversé,
Dans le sang des bourreaux nagera dispersé ;
Et si dans les horreurs de ce désordre extrême
Votre père frappé tombe et périt lui-même,
Alors, de vos respects voyant les tristes fruits,
Reconnaissez les coups que vous aurez conduits.

IPHIGÉNIE

Ah ! Seigneur. Ah ! cruel... Mais il fuit, il m'échappe.
O toi, qui veux ma mort, me voilà seule, frappe,
Termine, juste Ciel, ma vie et mon effroi,
Et lance ici des traits qui n'accablent que moi.

SCÈNE III

CLYTEMNESTRE, IPHIGÉNIE, ÆGINE,
EURYBATE, GARDES

CLYTEMNESTRE

Oui, je la défendrai contre toute l'armée.
Lâches, vous trahissez votre reine opprimée !

EURYBATE

Non, Madame, il suffit que vous me commandiez :
Vous nous verrez combattre et mourir à vos pieds.
Mais de nos faibles mains que pouvez-vous attendre ?
Contre tant d'ennemis qui vous pourra défendre ?
Ce n'est plus un vain peuple en désordre assemblé ;
C'est d'un zèle fatal tout le camp aveuglé.
Plus de pitié. Calchas seul règne, seul commande :
La piété sévère exige son offrande.
Le Roi de son pouvoir se voit déposséder,
Et lui-même au torrent nous contraint de céder.
Achille à qui tout cède, Achille à cet orage
Voudrait lui-même en vain opposer son courage.
Que fera-t-il, Madame ? et qui peut dissiper
Tous les flots d'ennemis prêts à l'envelopper ?

CLYTEMNESTRE

Qu'ils viennent donc sur moi prouver leur zèle impie,
Et m'arrachent ce peu qui me reste de vie.
La mort seule, la mort pourra rompre les nœuds
Dont mes bras nous vont joindre et lier toutes deux.
Mon corps sera plutôt séparé de mon âme,
Que je souffre jamais... Ah ! ma fille.

IPHIGÉNIE

                                    Ah ! Madame.
Sous quel astre cruel avez-vous mis au jour
Le malheureux objet d'une si tendre amour ?
Mais que pouvez-vous faire en l'état où nous sommes ?
Vous avez à combattre et les Dieux et les hommes.
Contre un peuple en fureur vous exposerez-vous ?
N'allez point, dans un camp rebelle à votre époux,
Seule à me retenir vainement obstinée,
Par des soldats peut-être indignement traînée,
Présenter, pour tout fruit d'un déplorable effort,
Un spectacle à mes yeux plus cruel que la mort.
Allez : laissez aux Grecs achever leur ouvrage,
Et quittez pour jamais un malheureux rivage.
Du bûcher qui m'attend, trop voisin de ces lieux,
La flamme de trop près viendrait frapper vos yeux.
Surtout, si vous m'aimez, par cet amour de mère,
Ne reprochez jamais mon trépas à mon père.

CLYTEMNESTEE

Lui ! par qui votre cœur à Calchas présenté...

IPHIGÉNIE

Pour me rendre à vos pleurs que n'a-t-il point tenté ?

CLYTEMNESTRE

Par quelle trahison le cruel m'a déçue !

IPHIGÉNIE

Il me cédait aux Dieux, dont il m'avait reçue.
Ma mort n'emporte pas tout le fruit de vos feux :
De l'amour qui vous joint vous avez d'autres nœuds ;
Vos yeux me reverront dans Oreste mon frère,
Puisse-t-il être, hélas ! moins funeste à sa mère !
    D'un peuple impatient vous entendez la voix.
Daignez m'ouvrir vos bras pour la dernière fois,
Madame, et rappelant votre vertu sublime...
Eurybate, à l'autel conduisez la victime.

SCÈNE IV

CLYTEMNESTRE, ÆGINE, GARDES

CLYTEMNESTRE

Ah ! vous n'irez pas seule, et je ne prétends pas...
Mais on se jette en foule au-devant de mes pas...
Perfides, contentez votre soif sanguinaire.

ÆGINE

Où courez-vous, Madame, et que voulez-vous faire ?

CLYTEMNESTRE

Hélas ! je me consume en impuissants efforts,
Et rentre au trouble affreux dont à peine je sors.
Mourrai-je tant de fois sans sortir de la vie ?

ÆGINE

Ah ! savez-vous le crime, et qui vous a trahie,
Madame ? Savez-vous quel serpent inhumain
Iphigénie avait retiré dans son sein ?
Ériphile, en ces lieux par vous-même conduite,
A seule à tous les Grecs révélé votre fuite.

CLYTEMNESTRE

O monstre, que Mégère en ses flancs a porté !
Monstre, que dans nos bras les enfers ont jeté !

Quoi! tu ne mourras point? Quoi! pour punir son crime...
Mais où va ma douleur chercher une victime?
Quoi! pour noyer les Grecs et leurs mille vaisseaux,
Mer, tu n'ouvriras pas des abîmes nouveaux?
Quoi! lorsque les chassant du port qui les recèle,
L'Aulide aura vomi leur flotte criminelle,
Les vents, les mêmes vents, si longtemps accusés,
Ne te couvriront pas de ses vaisseaux brisés?
    Et toi, Soleil, et toi, qui dans cette contrée
Reconnais l'héritier et le vrai fils d'Atrée,
Toi, qui n'osas du père éclairer le festin,
Recule, ils t'ont appris ce funeste chemin.
    Mais, cependant, ô ciel! ô mère infortunée!
De festons odieux ma fille couronnée
Tend la gorge aux couteaux par son père apprêtés.
Calchas va dans son sang... Barbares, arrêtez.
C'est le pur sang du Dieu qui lance le tonnerre...
J'entends gronder la foudre, et sens trembler la terre.
Un Dieu vengeur, un Dieu fait retentir ces coups.

SCÈNE V

CLYTEMNESTRE, ARCAS, ÆGINE, GARDES

ARCAS

N'en doutez point, Madame, un Dieu combat pour vous.
Achille en ce moment exauce vos prières;
Il a brisé des Grecs les trop faibles barrières.
Achille est à l'autel. Calchas est éperdu.
Le fatal sacrifice est encor suspendu.
On se menace, on court, l'air gémit, le fer brille.
Achille fait ranger autour de votre fille
Tous ses amis, pour lui prêts à se dévouer.
Le triste Agamemnon, qui n'ose l'avouer,
Pour détourner ses yeux des meurtres qu'il présage,
Ou pour cacher ses pleurs, s'est voilé le visage.
Venez, puisqu'il se tait, venez par vos discours
De votre défenseur appuyer le secours.
Lui-même de sa main, de sang toute fumante,
Il veut entre vos bras remettre son amante;
Lui-même il m'a chargé de conduire vos pas.
Ne craignez rien.

CLYTEMNESTRE

Moi, craindre ? Ah! courons, cher Arcas.
Le plus affreux péril n'a rien dont je pâlisse.
J'irai partout. Mais, Dieux! ne vois-je pas Ulysse ?
C'est lui. Ma fille est morte, Arcas, il n'est plus temps.

SCÈNE DERNIÈRE

ULYSSE, CLYTEMNESTRE, ARCAS, ÆGINE, GARDES

ULYSSE

Non, votre fille vit, et les Dieux sont contents.
Rassurez-vous. Le ciel a voulu vous la rendre.

CLYTEMNESTRE

Elle vit! Et c'est vous qui venez me l'apprendre!

ULYSSE

Oui, c'est moi, qui longtemps contre elle et contre vous
Ai cru devoir, Madame, affermir votre époux;
Moi, qui jaloux tantôt de l'honneur de nos armes,
Par d'austères conseils ai fait couler vos larmes,
Et qui viens, puisque enfin le ciel est apaisé,
Réparer tout l'ennui que je vous ai causé.

CLYTEMNESTRE

Ma fille! Ah! Prince. O ciel! Je demeure éperdue.
Quel miracle, Seigneur, quel Dieu me l'a rendue ?

ULYSSE

Vous m'en voyez moi-même en cet heureux moment
Saisi d'horreur, de joie et de ravissement.
Jamais jour n'a paru si mortel à la Grèce.
Déjà de tout le camp la Discorde maîtresse
Avait sur tous les yeux mis son bandeau fatal,
Et donné du combat le funeste signal.
De ce spectacle affreux votre fille alarmée
Voyait pour elle Achille, et contre elle l'armée.
Mais, quoique seul pour elle, Achille furieux
Épouvantait l'armée, et partageait les Dieux.
Déjà de traits en l'air s'élevait un nuage.
Déjà coulait le sang, prémices du carnage.
Entre les deux partis Calchas s'est avancé,
L'œil farouche, l'air sombre, et le poil hérissé,

Terrible, et plein du Dieu qui l'agitait sans doute :
Vous, Achille, a-t-il dit, et vous, Grecs, qu'on m'écoute.
Le Dieu qui maintenant vous parle par ma voix
M'explique son oracle, et m'instruit de son choix.
Un autre sang d'Hélène, une autre Iphigénie
Sur ce bord immolée y doit laisser sa vie.
Thésée avec Hélène uni secrètement
Fit succéder l'hymen à son enlèvement.
Une fille en sortit, que sa mère a celée ;
Du nom d'Iphigénie elle fut appelée.
Je vis moi-même alors ce fruit de leurs amours.
D'un sinistre avenir je menaçai ses jours.
Sous un nom emprunté sa noire destinée
Et ses propres fureurs ici l'ont amenée.
Elle me voit, m'entend, elle est devant vos yeux,
Et c'est elle, en un mot, que demandent les Dieux.
    Ainsi parle Calchas. Tout le camp immobile
L'écoute avec frayeur, et regarde Ériphile.
Elle était à l'autel, et peut-être en son cœur
Du fatal sacrifice accusait la lenteur.
Elle-même tantôt, d'une course subite,
Était venue aux Grecs annoncer votre fuite.
On admire en secret sa naissance et son sort.
Mais puisque Troie enfin est le prix de sa mort,
L'armée à haute voix se déclare contre elle,
Et prononce à Calchas sa sentence mortelle.
Déjà pour la saisir Calchas lève le bras :
Arrête, a-t-elle dit, et ne m'approche pas.
Le sang de ces héros dont tu me fais descendre
Sans tes profanes mains saura bien se répandre.
Furieuse, elle vole, et sur l'autel prochain
Prend le sacré couteau, le plonge dans son sein.
A peine son sang coule et fait rougir la terre,
Les Dieux font sur l'autel entendre le tonnerre,
Les vents agitent l'air d'heureux frémissements,
Et la mer leur répond par ses mugissements.
La rive au loin gémit, blanchissante d'écume.
La flamme du bûcher d'elle-même s'allume.
Le ciel brille d'éclairs, s'entrouvre, et parmi nous
Jette une sainte horreur qui nous rassure tous.
Le soldat étonné dit que dans une nue
Jusque sur le bûcher Diane est descendue,
Et croit que s'élevant au travers de ses feux,
Elle portait au ciel notre encens et nos vœux.
Tout s'empresse, tout part. La seule Iphigénie

Dans ce commun bonheur pleure son ennemie.
Des mains d'Agamemnon venez la recevoir.
Venez : Achille et lui, brûlants de vous revoir,
Madame, et désormais tous deux d'intelligence,
Sont prêts à confirmer leur auguste alliance.

CLYTEMNESTRE

Par quel prix, quel encens, ô Ciel, puis-je jamais
Récompenser Achille, et payer tes bienfaits !

NOTICE
SUR
PHÈDRE

Hôtel de Bourgogne : 1er janvier 1677.
Édition originale [1] : achevé d'imprimer,
15 mars 1677.

Si Racine reste près de trois ans sans rien donner à la scène, c'est peut-être par simple convenance personnelle. Il est plus vraisemblable pourtant que la situation des troupes et le détachement du public à l'égard de la tragédie rendent Racine attentif et prudent. On pressent déjà, pour des raisons très réalistes, le « silence » qui suivra *Phèdre*. Il s'en fallut de peu que Corneille et Racine ne quittassent ensemble la scène, et pour les mêmes raisons. Les auteurs pourtant ne manquent pas et les pièces, qui maintenant échouent, auraient connu le succès dix ans plus tôt.

Racine avec *Phèdre* joue la difficulté : sujet fascinant, mais usé, tant on l'a traité depuis un siècle et demi. L'étude des *Phèdres* antérieures et de leurs substituts [2], que les jésuites préfèrent au sujet trop scabreux d'Euripide et de Sénèque, éclairent singulièrement la genèse de l'œuvre [3]. Au milieu des vicissitudes du thème, qui donne en Italie et en Allemagne, quelques années avant Racine, d'étonnants drames baroques [4], la tragédie racinienne apparaît d'abord comme un pèlerinage aux sources, Euripide et Sénèque. On remarque aussi, en étudiant les prédécesseurs de Racine, que le personnage d'un Hippolyte amoureux et le rôle décisif de la jalousie de Phèdre, que les sources antiques ne lui fournissaient pas, ne sont

1. Le titre de l'édition originale est *Phèdre et Hippolyte*.
2. En particulier *la Mort de Chrispe* de Tristan (1644).
3. Voir Jean POMMIER, *Aspects de Racine*, Nizet, 1954.
4. André STEGMANN, *les Métamorphoses de Phèdre*, dans les *Actes du premier congrès international racinien*, Uzès, 1961.

pas de son invention. Quant aux menus emprunts que les
« sourciers » révèlent, ils ne changent rien à l'admirable
unité de la *Phèdre* française : ils n'aident qu'à mieux saisir
le poète en son travail créateur.

La Champmeslé joua Phèdre et la tragédie eût remporté
le succès ordinaire des productions de Racine, sans une
puissante cabale. Pradon croyait que Boileau et Racine
avaient fait échouer son *Tamerlan* l'année précédente.
Lorsqu'il apprend que Racine prépare sa tragédie de
Phèdre et Hippolyte, il décide de le doubler. Tout un
clan de grands seigneurs — et non de cornéliens fanatiques,
comme on le dit d'ordinaire — vise en Racine l'adroit
courtisan et le protégé de Colbert et s'apprête à faire
échouer la pièce. Racine contre-attaque et tente d'empêcher la représentation de la *Phèdre* de Pradon, qui joue les
champions de la liberté littéraire contre les auteurs nantis.
Les deux pièces sont créées à deux jours d'intervalle. La
pièce de Pradon obtient sur le moment un incontestable
succès, celle de Racine fait figure de pièce pour connaisseurs. Le vindicatif Racine fut gravement ulcéré de cet
injuste parallèle. Sa colère ne suffit pas à expliquer sa
retraite du théâtre. On l'a tenté de bien des manières : son
mariage, qui en fait un homme rangé, la réconciliation
avec Port-Royal, sa carrière mondaine couronnée de la
charge enviée d'historiographe royal, toutes raisons,
ensemble ou séparément plausibles, non décisives.

Sans doute Phèdre est d'abord, comme Racine le dit :
« *engagée par sa destinée et par la colère des Dieux dans
une passion illégitime dont elle a horreur toute la première* »...
Elle n'est complice d'Œnone « *que parce qu'elle est dans
une agitation d'esprit qui la met hors d'elle-même* ». Il
n'est donc point de tragédie « *où la vertu soit plus mise
au jour que dans celle-ci* ». Et pourtant *Phèdre* laisse
une impression inquiétante. A tout instant surgit une
mythologie barbare : Icare précipité, les chiens de Pirithoüs et leur pâture humaine; des personnages à l'étrange
hérédité : Phèdre, fille du Soleil, le fils de l'Amazone, Hippolyte; une nature partout animée d'actives divinités. Quatre
victimes enfin, toutes innocentes : Œnone et sa pieuse
calomnie, par amour pour sa maîtresse; Hippolyte, puni
de sa vertu; le malheureux père condamné à vivre avec
le souvenir de son infanticide; Phèdre enfin, proie d'une
implacable vengeance divine.

PHÈDRE

PRÉFACE

Voici encore une tragédie dont le sujet est pris d'Euripide. Quoique j'aie suivi une route un peu différente de celle de cet auteur pour la conduite de l'action, je n'ai pas laissé d'enrichir ma pièce de tout ce qui m'a paru plus éclatant dans la sienne. Quand je ne lui devrais que la seule idée du caractère de Phèdre, je pourrais dire que je lui dois ce que j'ai peut-être mis de plus raisonnable sur le théâtre. Je ne suis point étonné que ce caractère ait eu un succès si heureux du temps d'Euripide, et qu'il ait encore si bien réussi dans notre siècle, puisqu'il a toutes les qualités qu'Aristote demande dans le héros de la tragédie, et qui sont propres à exciter la compassion et la terreur. En effet, Phèdre n'est ni tout à fait coupable, ni tout à fait innocente. Elle est engagée par sa destinée, et par la colère des Dieux, dans une passion illégitime dont elle a horreur toute la première. Elle fait tous ses efforts pour la surmonter. Elle aime mieux se laisser mourir que de la déclarer à personne. Et lorsqu'elle est forcée de la découvrir, elle en parle avec une confusion qui fait bien voir que son crime est plutôt une punition des Dieux qu'un mouvement de sa volonté.

J'ai même pris soin de la rendre un peu moins odieuse qu'elle n'est dans les tragédies des Anciens, où elle se résout d'elle-même à accuser Hippolyte. J'ai cru que la calomnie avait quelque chose de trop bas et de trop noir pour la mettre dans la bouche d'une princesse qui a d'ailleurs des sentiments si nobles et si vertueux. Cette bassesse m'a paru plus convenable à une nourrice, qui pouvait avoir des inclinations plus serviles, et qui néanmoins n'entreprend cette fausse accusation que pour sauver la vie et l'honneur de sa maîtresse. Phèdre n'y donne les mains que parce qu'elle est dans une agitation d'esprit qui la met hors d'elle-même, et elle vient un moment après dans le dessein de justifier l'innocence et de déclarer la vérité.

Hippolyte est accusé, dans Euripide et dans Sénèque, d'avoir en effet violé sa belle-mère : *Vim corpus tulit.* Mais il n'est ici accusé que d'en avoir eu le dessein. J'ai voulu épargner à Thésée une confusion qui l'aurait pu rendre moins agréable aux spectateurs.

Pour ce qui est du personnage d'Hippolyte, j'avais remarqué dans les Anciens qu'on reprochait à Euripide de l'avoir représenté comme un philosophe exempt de toute imperfection. Ce qui faisait que la mort de ce jeune prince causait beaucoup plus d'indignation que de pitié. J'ai cru lui devoir donner quelque faiblesse qui le rendrait un peu coupable envers son père, sans pourtant lui rien ôter de cette grandeur d'âme avec laquelle il épargne l'honneur de Phèdre, et se laisse opprimer sans l'accuser. J'appelle faiblesse la passion qu'il ressent malgré lui pour Aricie, qui est la fille et la sœur des ennemis mortels de son père.

Cette Aricie n'est point un personnage de mon invention. Virgile dit qu'Hippolyte l'épousa, et en eut un fils, après qu'Esculape l'eut ressuscité. Et j'ai lu encore dans quelques auteurs qu'Hippolyte avait épousé et emmené en Italie une jeune Athénienne de grande naissance, qui s'appelait Aricie, et qui avait donné son nom à une petite ville d'Italie.

Je rapporte ces autorités, parce que je me suis très scrupuleusement attaché à suivre la fable. J'ai même suivi l'histoire de Thésée telle qu'elle est dans Plutarque.

C'est dans cet historien que j'ai trouvé que ce qui avait donné occasion de croire que Thésée fût descendu dans les enfers pour enlever Proserpine était un voyage que ce prince avait fait en Épire vers la source de l'Achéron, chez un roi dont Pirithoüs voulait enlever la femme, et qui arrêta Thésée prisonnier après avoir fait mourir Pirithoüs. Ainsi j'ai tâché de conserver la vraisemblance de l'histoire, sans rien perdre des ornements de la fable, qui fournit extrêmement à la poésie. Et le bruit de la mort de Thésée, fondé sur ce voyage fabuleux, donne lieu à Phèdre de faire une déclaration d'amour, qui devient une des principales causes de son malheur, et qu'elle n'aurait jamais osé faire tant qu'elle aurait cru que son mari était vivant.

Au reste, je n'ose encore assurer que cette pièce soit en effet la meilleure de mes tragédies. Je laisse et aux lecteurs et au temps à décider de son véritable prix. Ce que je puis assurer, c'est que je n'en ai point fait où la vertu soit plus mise en jour que dans celle-ci. Les moindres fautes y sont sévèrement punies. La seule pensée du crime y est regardée avec autant d'horreur que le crime même. Les faiblesses de l'amour y passent pour de vraies faiblesses. Les passions n'y sont présentées aux yeux que pour montrer tout le désordre dont elles sont cause; et le vice y est peint partout avec des couleurs qui en font connaître et haïr la difformité. C'est là proprement le but que tout homme qui travaille pour le public doit se proposer. Et c'est ce que les premiers poètes tragiques avaient en vue sur toute chose. Leur théâtre était une école où la vertu n'était pas moins bien enseignée que dans les écoles des philosophes. Aussi Aristote a bien voulu donner des règles du poème dramatique; et Socrate, le plus sage des philosophes, ne dédaignait pas de mettre la main aux tragédies d'Euripide. Il serait à souhaiter que nos ouvrages fussent aussi solides et aussi pleins d'utiles instructions que ceux de ces poètes. Ce serait peut-être un moyen de réconcilier la tragédie avec quantité de personnes célèbres par leur piété et par leur doctrine, qui l'ont condamnée dans ces derniers temps, et qui en jugeraient sans doute plus favorablement, si les auteurs songeaient autant à instruire leurs spectateurs qu'à les divertir, et s'ils suivaient en cela la véritable intention de la tragédie.

PERSONNAGES

THÉSÉE, fils d'Égée, roi d'Athènes.
PHÈDRE, femme de Thésée, fille de Minos et de Pasiphaé.
HIPPOLYTE, fils de Thésée et d'Antiope, reine des Amazones.
ARICIE, princesse du sang royal d'Athènes.
ŒNONE, nourrice et confidente de Phèdre.
THÉRAMÈNE, gouverneur d'Hippolyte.
ISMÈNE, confidente d'Aricie.
PANOPE, femme de la suite de Phèdre.
GARDES.

La scène est à Trézène, ville du Péloponnèse.

ACTE PREMIER

SCÈNE PREMIÈRE

HIPPOLYTE, THÉRAMÈNE

HIPPOLYTE

Le dessein en est pris : je pars, cher Théramène,
Et quitte le séjour de l'aimable Trézène.
Dans le doute mortel dont je suis agité,
Je commence à rougir de mon oisiveté.
Depuis plus de six mois éloigné de mon père,
J'ignore le destin d'une tête si chère;
J'ignore jusqu'aux lieux qui le peuvent cacher.

THÉRAMÈNE

Et dans quels lieux, Seigneur, l'allez-vous donc chercher ?
Déjà, pour satisfaire à votre juste crainte,
J'ai couru les deux mers que sépare Corinthe;
J'ai demandé Thésée aux peuples de ces bords
Où l'on voit l'Achéron se perdre chez les morts;
J'ai visité l'Élide, et laissant le Ténare,
Passé jusqu'à la mer qui vit tomber Icare.
Sur quel espoir nouveau, dans quels heureux climats
Croyez-vous découvrir la trace de ses pas ?
Qui sait même, qui sait si le Roi votre père
Veut que de son absence on sache le mystère ?
Et si, lorsque avec vous nous tremblons pour ses jours,
Tranquille, et nous cachant de nouvelles amours,
Ce héros n'attend point qu'une amante abusée...

HIPPOLYTE

Cher Théramène, arrête, et respecte Thésée.
De ses jeunes erreurs désormais revenu,

Par un indigne obstacle il n'est point retenu ;
Et fixant de ses vœux l'inconstance fatale,
Phèdre depuis longtemps ne craint plus de rivale.
Enfin en le cherchant je suivrai mon devoir,
Et je fuirai ces lieux que je n'ose plus voir.

THÉRAMÈNE

Hé ! depuis quand, Seigneur, craignez-vous la présence
De ces paisibles lieux, si chers à votre enfance,
Et dont je vous ai vu préférer le séjour
Au tumulte pompeux d'Athène et de la cour ?
Quel péril, ou plutôt quel chagrin vous en chasse ?

HIPPOLYTE

Cet heureux temps n'est plus. Tout a changé de face
Depuis que sur ces bords les Dieux ont envoyé
La fille de Minos et de Pasiphaé.

THÉRAMÈNE

J'entends. De vos douleurs la cause m'est connue.
Phèdre ici vous chagrine, et blesse votre vue.
Dangereuse marâtre, à peine elle vous vit,
Que votre exil d'abord signala son crédit.
Mais sa haine sur vous autrefois attachée,
Ou s'est évanouie, ou s'est bien relâchée.
Et d'ailleurs, quels périls vous peut faire courir
Une femme mourante et qui cherche à mourir ?
Phèdre, atteinte d'un mal qu'elle s'obstine à taire,
Lasse enfin d'elle-même et du jour qui l'éclaire,
Peut-elle contre vous former quelques desseins ?

HIPPOLYTE

Sa vaine inimitié n'est pas ce que je crains.
Hippolyte en partant fuit une autre ennemie :
Je fuis, je l'avoûrai, cette jeune Aricie,
Reste d'un sang fatal conjuré contre nous.

THÉRAMÈNE

Quoi ! vous-même, Seigneur, la persécutez-vous ?
Jamais l'aimable sœur des cruels Pallantides
Trempa-t-elle aux complots de ses frères perfides ?
Et devez-vous haïr ces innocents appas ?

HIPPOLYTE

Si je la haïssais, je ne la fuirais pas.

THÉRAMÈNE

Seigneur, m'est-il permis d'expliquer votre fuite ?
Pourriez-vous n'être plus ce superbe Hippolyte,
Implacable ennemi des amoureuses lois,
Et d'un joug que Thésée a subi tant de fois ?
Vénus, par votre orgueil si longtemps méprisée,
Voudrait-elle à la fin justifier Thésée ?
Et vous mettant au rang du reste des mortels,
Vous a-t-elle forcé d'encenser ses autels ?
Aimeriez-vous, Seigneur ?

HIPPOLYTE

Ami, qu'oses-tu dire ?
Toi qui connais mon cœur depuis que je respire,
Des sentiments d'un cœur si fier, si dédaigneux,
Peux-tu me demander le désaveu honteux ?
C'est peu qu'avec son lait une mère amazone
M'ait fait sucer encor cet orgueil qui t'étonne;
Dans un âge plus mûr moi-même parvenu,
Je me suis applaudi quand je me suis connu.
Attaché près de moi par un zèle sincère,
Tu me contais alors l'histoire de mon père.
Tu sais combien mon âme, attentive à ta voix,
S'échauffait au récit de ses nobles exploits,
Quand tu me dépeignais ce héros intrépide
Consolant les mortels de l'absence d'Alcide,
Les monstres étouffés et les brigands punis,
Procuste, Cercyon, et Scirron, et Sinnis,
Et les os dispersés du géant d'Épidaure,
Et la Crète fumant du sang du Minotaure.
Mais quand tu récitais des faits moins glorieux,
Sa foi partout offerte et reçue en cent lieux,
Hélène à ses parents dans Sparte dérobée,
Salamine témoin des pleurs de Péribée;
Tant d'autres, dont les noms lui sont même échappés,
Trop crédules esprits que sa flamme a trompés;
Ariane aux rochers contant ses injustices,
Phèdre enlevée enfin sous de meilleurs auspices;
Tu sais comme à regret écoutant ce discours,
Je te pressais souvent d'en abréger le cours :
Heureux si j'avais pu ravir à la mémoire
Cette indigne moitié d'une si belle histoire!
Et moi-même, à mon tour, je me verrais lié ?
Et les Dieux jusque-là m'auraient humilié ?
Dans mes lâches soupirs d'autant plus méprisable,

Qu'un long amas d'honneurs rend Thésée excusable,
Qu'aucuns monstres par moi domptés jusqu'aujourd'hui
Ne m'ont acquis le droit de faillir comme lui.
Quand même ma fierté pourrait s'être adoucie,
Aurais-je pour vainqueur dû choisir Aricie ?
Ne souviendrait-il plus à mes sens égarés
De l'obstacle éternel qui nous a séparés ?
Mon père la réprouve; et par des lois sévères
Il défend de donner des neveux à ses frères :
D'une tige coupable il craint un rejeton;
Il veut avec leur sœur ensevelir leur nom,
Et que jusqu'au tombeau soumise à sa tutelle,
Jamais les feux d'hymen ne s'allument pour elle.
Dois-je épouser ses droits contre un père irrité ?
Donnerai-je l'exemple à la témérité ?
Et dans un fol amour ma jeunesse embarquée...

THÉRAMÈNE

Ah! Seigneur si votre heure est une fois marquée,
Le Ciel de nos raisons ne sait point s'informer.
Thésée ouvre vos yeux en voulant les fermer,
Et sa haine, irritant une flamme rebelle,
Prête à son ennemie une grâce nouvelle.
Enfin d'un chaste amour pourquoi vous effrayer ?
S'il a quelque douceur, n'osez-vous l'essayer ?
En croirez-vous toujours un farouche scrupule ?
Craint-on de s'égarer sur les traces d'Hercule ?
Quels courages Vénus n'a-t-elle pas domptés !
Vous-même où seriez-vous, vous qui la combattez,
Si toujours Antiope à ses lois opposée,
D'une pudique ardeur n'eût brûlé pour Thésée ?
Mais que sert d'affecter un superbe discours ?
Avouez-le, tout change; et depuis quelques jours
On vous voit moins souvent, orgueilleux et sauvage,
Tantôt faire voler un char sur le rivage,
Tantôt, savant dans l'art par Neptune inventé,
Rendre docile au frein un coursier indompté.
Les forêts de nos cris moins souvent retentissent.
Chargés d'un feu secret, vos yeux s'appesantissent.
Il n'en faut point douter : vous aimez, vous brûlez;
Vous périssez d'un mal que vous dissimulez.
La charmante Aricie a-t-elle su vous plaire ?

HIPPOLYTE

Théramène, je pars, et vais chercher mon père.

THÉRAMÈNE

Ne verrez-vous point Phèdre avant que de partir,
Seigneur ?

HIPPOLYTE

C'est mon dessein : tu peux l'en avertir.
Voyons-la, puisque ainsi mon devoir me l'ordonne.
Mais quel nouveau malheur trouble sa chère Œnone ?

SCÈNE II

HIPPOLYTE, ŒNONE, THÉRAMÈNE

ŒNONE

Hélas! Seigneur, quel trouble au mien peut être égal ?
La Reine touche presque à son terme fatal.
En vain à l'observer jour et nuit je m'attache :
Elle meurt dans mes bras d'un mal qu'elle me cache.
Un désordre éternel règne dans son esprit.
Son chagrin inquiet l'arrache de son lit.
Elle veut voir le jour; et sa douleur profonde
M'ordonne toutefois d'écarter tout le monde...
Elle vient.

HIPPOLYTE

Il suffit : je la laisse en ces lieux,
Et ne lui montre point un visage odieux.

SCÈNE III

PHÈDRE, ŒNONE

PHÈDRE

N'allons point plus avant. Demeurons, chère Œnone.
Je ne me soutiens plus, ma force m'abandonne.
Mes yeux sont éblouis du jour que je revois,
Et mes genoux tremblants se dérobent sous moi.
Hélas!

Elle s'assied.

ŒNONE

Dieux tout-puissants! que nos pleurs vous apaisent.

PHÈDRE

Que ces vains ornements, que ces voiles me pèsent !
Quelle importune main, en formant tous ces nœuds,
A pris soin sur mon front d'assembler mes cheveux ?
Tout m'afflige et me nuit, et conspire à me nuire.

ŒNONE

Comme on voit tous ses vœux l'un l'autre se détruire !
Vous-même, condamnant vos injustes desseins,
Tantôt à vous parer vous excitiez nos mains ;
Vous-même, rappelant votre force première,
Vous vouliez vous montrer et revoir la lumière.
Vous la voyez, Madame, et prête à vous cacher,
Vous haïssez le jour que vous veniez chercher ?

PHÈDRE

Noble et brillant auteur d'une triste famille,
Toi, dont ma mère osait se vanter d'être fille,
Qui peut-être rougis du trouble où tu me vois,
Soleil, je te viens voir pour la dernière fois.

ŒNONE

Quoi ! vous ne perdrez point cette cruelle envie ?
Vous verrai-je toujours, renonçant à la vie,
Faire de votre mort les funestes apprêts ?

PHÈDRE

Dieux ! que ne suis-je assise à l'ombre des forêts !
Quand pourrai-je, au travers d'une noble poussière,
Suivre de l'œil un char fuyant dans la carrière ?

ŒNONE

Quoi, Madame ?

PHÈDRE

                    Insensée, où suis-je ? et qu'ai-je dit ?
Où laissé-je égarer mes vœux et mon esprit ?
Je l'ai perdu : les Dieux m'en ont ravi l'usage.
Œnone, la rougeur me couvre le visage :
Je te laisse trop voir mes honteuses douleurs,
Et mes yeux, malgré moi, se remplissent de pleurs.

ŒNONE

Ah ! s'il vous faut rougir, rougissez d'un silence
Qui de vos maux encore aigrit la violence.
Rebelle à tous nos soins, sourde à tous nos discours,
Voulez-vous sans pitié laisser finir vos jours ?

Quelle fureur les borne au milieu de leur course ?
Quel charme ou quel poison en a tari la source ?
Les ombres par trois fois ont obscurci les cieux
Depuis que le sommeil n'est entré dans vos yeux ;
Et le jour a trois fois chassé la nuit obscure
Depuis que votre corps languit sans nourriture.
A quel affreux dessein vous laissez-vous tenter ?
De quel droit sur vous-même osez-vous attenter ?
Vous offensez les Dieux auteurs de votre vie ;
Vous trahissez l'époux à qui la foi vous lie ;
Vous trahissez enfin vos enfants malheureux,
Que vous précipitez sous un joug rigoureux.
Songez qu'un même jour leur ravira leur mère,
Et rendra l'espérance au fils de l'étrangère,
A ce fier ennemi de vous, de votre sang,
Ce fils qu'une Amazone a porté dans son flanc,
Cet Hippolyte...

PHÈDRE

Ah, Dieux !

ŒNONE

Ce reproche vous touche.

PHÈDRE

Malheureuse, quel nom est sorti de ta bouche ?

ŒNONE

Hé bien ! votre colère éclate avec raison :
J'aime à vous voir frémir à ce funeste nom.
Vivez donc. Que l'amour, le devoir vous excite.
Vivez, ne souffrez pas que le fils d'une Scythe,
Accablant vos enfants d'un empire odieux,
Commande au plus beau sang de la Grèce et des Dieux.
Mais ne différez point : chaque moment vous tue.
Réparez promptement votre force abattue,
Tandis que de vos jours, prêts à se consumer,
Le flambeau dure encore, et peut se rallumer.

PHÈDRE

J'en ai trop prolongé la coupable durée.

ŒNONE

Quoi ? de quelques remords êtes-vous déchirée ?
Quel crime a pu produire un trouble si pressant ?
Vos mains n'ont point trempé dans le sang innocent ?

PHÈDRE

Grâces au ciel, mes mains ne sont point criminelles.
Plût aux Dieux que mon cœur fût innocent comme elles!

ŒNONE

Et quel affreux projet avez-vous enfanté,
Dont votre cœur encor doive être épouvanté?

PHÈDRE

Je t'en ai dit assez. Épargne-moi le reste.
Je meurs, pour ne point faire un aveu si funeste.

ŒNONE

Mourez donc, et gardez un silence inhumain;
Mais pour fermer vos yeux cherchez une autre main.
Quoiqu'il vous reste à peine une faible lumière,
Mon âme chez les morts descendra la première.
Mille chemins ouverts y conduisent toujours,
Et ma juste douleur choisira les plus courts.
Cruelle, quand ma foi vous a-t-elle déçue?
Songez-vous qu'en naissant mes bras vous ont reçue?
Mon pays, mes enfants, pour vous j'ai tout quitté.
Réserviez-vous ce prix à ma fidélité?

PHÈDRE

Quel fruit espères-tu de tant de violence?
Tu frémiras d'horreur si je romps le silence.

ŒNONE

Et que me direz-vous qui ne cède, grands Dieux!
A l'horreur de vous voir expirer à mes yeux?

PHÈDRE

Quand tu sauras mon crime, et le sort qui m'accable,
Je n'en mourrai pas moins, j'en mourrai plus coupable.

ŒNONE

Madame, au nom des pleurs que pour vous j'ai versés,
Par vos faibles genoux que je tiens embrassés,
Délivrez mon esprit de ce funeste doute.

PHÈDRE

Tu le veux. Lève-toi.

ŒNONE

                    Parlez: je vous écoute.

PHÈDRE

Ciel! que lui vais-je dire? Et par où commencer?

ŒNONE

Par de vaines frayeurs cessez de m'offenser.

PHÈDRE

O haine de Vénus! O fatale colère!
Dans quels égarements l'amour jeta ma mère!

ŒNONE

Oublions-les, Madame. Et qu'à tout l'avenir
Un silence éternel cache ce souvenir.

PHÈDRE

Ariane, ma sœur! de quel amour blessée,
Vous mourûtes aux bords où vous fûtes laissée!

ŒNONE

Que faites-vous, Madame? Et quel mortel ennui
Contre tout votre sang vous anime aujourd'hui?

PHÈDRE

Puisque Vénus le veut, de ce sang déplorable
Je péris la dernière, et la plus misérable.

ŒNONE

Aimez-vous?

PHÈDRE

De l'amour j'ai toutes les fureurs.

ŒNONE

Pour qui?

PHÈDRE

Tu vas ouïr le comble des horreurs.
J'aime... A ce nom fatal, je tremble, je frissonne.
J'aime...

ŒNONE

Qui?

PHÈDRE

Tu connais ce fils de l'Amazone,
Ce prince si longtemps par moi-même opprimé?

ŒNONE

Hippolyte! Grands Dieux!

PHÈDRE

C'est toi qui l'as nommé.

ŒNONE

Juste ciel! tout mon sang dans mes veines se glace.
O désespoir! ô crime! ô déplorable race!
Voyage infortuné! Rivage malheureux,
Fallait-il approcher de tes bords dangereux?

PHÈDRE

Mon mal vient de plus loin. A peine au fils d'Égée
Sous les lois de l'hymen je m'étais engagée,
Mon repos, mon bonheur semblait être affermi,
Athènes me montra mon superbe ennemi.
Je le vis, je rougis, je pâlis à sa vue;
Un trouble s'éleva dans mon âme éperdue;
Mes yeux ne voyaient plus, je ne pouvais parler;
Je sentis tout mon corps et transir et brûler.
Je reconnus Vénus et ses feux redoutables,
D'un sang qu'elle poursuit tourments inévitables.
Par des vœux assidus je crus les détourner :
Je lui bâtis un temple, et pris soin de l'orner;
De victimes moi-même à toute heure entourée,
Je cherchais dans leurs flancs ma raison égarée.
D'un incurable amour remèdes impuissants!
En vain sur les autels ma main brûlait l'encens :
Quand ma bouche implorait le nom de la Déesse,
J'adorais Hippolyte; et le voyant sans cesse,
Même au pied des autels que je faisais fumer,
J'offrais tout à ce Dieu que je n'osais nommer.
Je l'évitais partout. O comble de misère!
Mes yeux le retrouvaient dans les traits de son père.
Contre moi-même enfin j'osai me révolter :
J'excitai mon courage à le persécuter.
Pour bannir l'ennemi dont j'étais idolâtre,
J'affectai les chagrins d'une injuste marâtre;
Je pressai son exil, et mes cris éternels
L'arrachèrent du sein et des bras paternels.
Je respirais, Œnone; et depuis son absence,
Mes jours moins agités coulaient dans l'innocence.
Soumise à mon époux, et cachant mes ennuis,
De son fatal hymen je cultivais les fruits.
Vaines précautions! Cruelle destinée!
Par mon époux lui-même à Trézène amenée,
J'ai revu l'ennemi que j'avais éloigné :
Ma blessure trop vive aussitôt a saigné,

Ce n'est plus une ardeur dans mes veines cachée :
C'est Vénus tout entière à sa proie attachée.
J'ai conçu pour mon crime une juste terreur;
J'ai pris la vie en haine, et ma flamme en horreur.
Je voulais en mourant prendre soin de ma gloire,
Et dérober au jour une flamme si noire :
Je n'ai pu soutenir tes larmes, tes combats;
Je t'ai tout avoué; je ne m'en repens pas,
Pourvu que de ma mort respectant les approches,
Tu ne m'affliges plus par d'injustes reproches,
Et que tes vains secours cessent de rappeler
Un reste de chaleur tout prêt à s'exhaler.

SCÈNE IV

PHÈDRE, ŒNONE, PANOPE

PANOPE

Je voudrais vous cacher une triste nouvelle,
Madame; mais il faut que je vous la révèle.
La mort vous a ravi votre invincible époux,
Et ce malheur n'est plus ignoré que de vous.

ŒNONE

Panope, que dis-tu ?

PANOPE

Que la Reine abusée
En vain demande au ciel le retour de Thésée,
Et que par des vaisseaux arrivés dans le port
Hippolyte son fils vient d'apprendre sa mort.

PHÈDRE

Ciel!

PANOPE

Pour le choix d'un maître Athènes se partage.
Au Prince votre fils l'un donne son suffrage,
Madame; et de l'État l'autre oubliant les lois,
Au fils de l'étrangère ose donner sa voix.
On dit même qu'au trône une brigue insolente
Veut placer Aricie et le sang de Pallante.
J'ai cru de ce péril vous devoir avertir.
Déjà même Hippolyte est tout prêt à partir;
Et l'on craint, s'il paraît dans ce nouvel orage,
Qu'il n'entraîne après lui tout un peuple volage.

ŒNONE

Panope, c'est assez. La Reine, qui t'entend,
Ne négligera point cet avis important.

SCÈNE V

PHÈDRE, ŒNONE

ŒNONE

Madame, je cessais de vous presser de vivre;
Déjà même au tombeau je songeais à vous suivre;
Pour vous en détourner je n'avais plus de voix;
Mais ce nouveau malheur vous prescrit d'autres lois.
Votre fortune change et prend une autre face :
Le Roi n'est plus, Madame, il faut prendre sa place.
Sa mort vous laisse un fils à qui vous vous devez,
Esclave s'il vous perd, et roi si vous vivez.
Sur qui, dans son malheur, voulez-vous qu'il s'appuie ?
Ses larmes n'auront plus de main qui les essuie;
Et ses cris innocents, portés jusques aux Dieux,
Iront contre sa mère irriter ses aïeux.
Vivez, vous n'avez plus de reproche à vous faire :
Votre flamme devient une flamme ordinaire.
Thésée en expirant vient de rompre les nœuds
Qui faisaient tout le crime et l'horreur de vos feux.
Hippolyte pour vous devient moins redoutable,
Et vous pouvez le voir sans vous rendre coupable.
Peut-être convaincu de votre aversion,
Il va donner un chef à la sédition.
Détrompez son erreur, fléchissez son courage.
Roi de ces bords heureux, Trézène est son partage;
Mais il sait que les lois donnent à votre fils
Les superbes remparts que Minerve a bâtis.
Vous avez l'un et l'autre une juste ennemie :
Unissez-vous tous deux pour combattre Aricie.

PHÈDRE

Hé bien! à tes conseils je me laisse entraîner.
Vivons, si vers la vie on peut me ramener,
Et si l'amour d'un fils en ce moment funeste
De mes faibles esprits peut ranimer le reste.

ACTE II

SCÈNE PREMIÈRE

ARICIE, ISMÈNE

ARICIE

Hippolyte demande à me voir en ce lieu ?
Hippolyte me cherche, et veut me dire adieu ?
Ismène, dis-tu vrai ? N'es-tu point abusée ?

ISMÈNE

C'est le premier effet de la mort de Thésée.
Préparez-vous, Madame, à voir de tous côtés
Voler vers vous les cœurs par Thésée écartés.
Aricie à la fin de son sort est maîtresse,
Et bientôt à ses pieds verra toute la Grèce.

ARICIE

Ce n'est donc point, Ismène, un bruit mal affermi ?
Je cesse d'être esclave, et n'ai plus d'ennemi ?

ISMÈNE

Non, Madame, les Dieux ne vous sont plus contraires,
Et Thésée a rejoint les mânes de vos frères.

ARICIE

Dit-on quelle aventure a terminé ses jours ?

ISMÈNE

On sème de sa mort d'incroyables discours.
On dit que ravisseur d'une amante nouvelle
Les flots ont englouti cet époux infidèle.
On dit même, et ce bruit est partout répandu,
Qu'avec Pirithoüs aux enfers descendu,
Il a vu le Cocyte et les rivages sombres,
Et s'est montré vivant aux infernales ombres ;
Mais qu'il n'a pu sortir de ce triste séjour,
Et repasser les bords qu'on passe sans retour.

ARICIE

Croirai-je qu'un mortel avant sa dernière heure
Peut pénétrer des morts la profonde demeure ?
Quel charme l'attirait sur ces bords redoutés ?

ISMÈNE

Thésée est mort, Madame, et vous seule en doutez :
Athènes en gémit, Trézène en est instruite,
Et déjà pour son roi reconnaît Hippolyte.
Phèdre, dans ce palais, tremblante pour son fils,
De ses amis troublés demande les avis.

ARICIE

Et tu crois que pour moi plus humain que son père,
Hippolyte rendra ma chaîne plus légère ?
Qu'il plaindra mes malheurs ?

ISMÈNE

                                       Madame, je le croi.

ARICIE

L'insensible Hippolyte est-il connu de toi ?
Sur quel frivole espoir penses-tu qu'il me plaigne,
Et respecte en moi seule un sexe qu'il dédaigne ?
Tu vois depuis quel temps il évite nos pas,
Et cherche tous les lieux où nous ne sommes pas.

ISMÈNE

Je sais de ses froideurs tout ce que l'on récite;
Mais j'ai vu près de vous ce superbe Hippolyte;
Et même, en le voyant, le bruit de sa fierté
A redoublé pour lui ma curiosité.
Sa présence à ce bruit n'a point paru répondre :
Dès vos premiers regards je l'ai vu se confondre.
Ses yeux, qui vainement voulaient vous éviter,
Déjà pleins de langueur, ne pouvaient vous quitter.
Le nom d'amant peut-être offense son courage;
Mais il en a les yeux, s'il n'en a le langage.

ARICIE

Que mon cœur, chère Ismène, écoute avidement
Un discours qui peut-être a peu de fondement!
O toi qui me connais, te semblait-il croyable
Que le triste jouet d'un sort impitoyable,
Un cœur toujours nourri d'amertume et de pleurs,
Dût connaître l'amour et ses folles douleurs ?

Reste du sang d'un roi, noble fils de la terre,
Je suis seule échappée aux fureurs de la guerre.
J'ai perdu, dans la fleur de leur jeune saison,
Six frères, quel espoir d'une illustre maison !
Le fer moissonna tout, et la terre humectée
But à regret le sang des neveux d'Érechthée.
Tu sais, depuis leur mort, quelle sévère loi
Défend à tous les Grecs de soupirer pour moi :
On craint que de la sœur les flammes téméraires
Ne raniment un jour la cendre de ses frères.
Mais tu sais bien aussi de quel œil dédaigneux
Je regardais ce soin d'un vainqueur soupçonneux.
Tu sais que de tout temps à l'amour opposée,
Je rendais souvent grâce à l'injuste Thésée
Dont l'heureuse rigueur secondait mes mépris.
Mes yeux alors, mes yeux n'avaient pas vu son fils.
Non que par les yeux seuls lâchement enchantée,
J'aime en lui sa beauté, sa grâce tant vantée,
Présents dont la nature a voulu l'honorer,
Qu'il méprise lui-même, et qu'il semble ignorer.
J'aime, je prise en lui de plus nobles richesses,
Les vertus de son père, et non point les faiblesses.
J'aime, je l'avoûrai, cet orgueil généreux
Qui jamais n'a fléchi sous le joug amoureux.
Phèdre en vain s'honorait des soupirs de Thésée :
Pour moi, je suis plus fière, et fuis la gloire aisée
D'arracher un hommage à mille autres offert,
Et d'entrer dans un cœur de toutes parts ouvert.
Mais de faire fléchir un courage inflexible,
De porter la douleur dans une âme insensible,
D'enchaîner un captif de ses fers étonné,
Contre un joug qui lui plaît vainement mutiné :
C'est là ce que je veux, c'est là ce qui m'irrite.
Hercule à désarmer coûtait moins qu'Hippolyte,
Et vaincu plus souvent, et plus tôt surmonté,
Préparait moins de gloire aux yeux qui l'ont dompté.
Mais, chère Ismène, hélas ! quelle est mon imprudence !
On ne m'opposera que trop de résistance.
Tu m'entendras peut-être, humble dans mon ennui,
Gémir du même orgueil que j'admire aujourd'hui.
Hippolyte aimerait ? Par quel bonheur extrême
Aurais-je pu fléchir...

ISMÈNE
Vous l'entendrez lui-même :
Il vient à vous.

SCÈNE II

HIPPOLYTE, ARICIE, ISMÈNE

HIPPOLYTE

Madame, avant que de partir,
J'ai cru de votre sort vous devoir avertir.
Mon père ne vit plus. Ma juste défiance
Présageait les raisons de sa trop longue absence :
La mort seule, bornant ses travaux éclatants,
Pouvait à l'univers le cacher si longtemps.
Les Dieux livrent enfin à la Parque homicide
L'ami, le compagnon, le successeur d'Alcide.
Je crois que votre haine, épargnant ses vertus,
Écoute sans regret ces noms qui lui sont dus.
Un espoir adoucit ma tristesse mortelle :
Je puis vous affranchir d'une austère tutelle.
Je révoque des lois dont j'ai plaint la rigueur :
Vous pouvez disposer de vous, de votre cœur;
Et dans cette Trézène, aujourd'hui mon partage,
De mon aïeul Pitthée autrefois l'héritage,
Qui m'a sans balancer reconnu pour son roi,
Je vous laisse aussi libre, et plus libre que moi.

ARICIE

Modérez des bontés dont l'excès m'embarrasse.
D'un soin si généreux honorer ma disgrâce,
Seigneur, c'est me ranger, plus que vous ne pensez,
Sous ces austères lois dont vous me dispensez.

HIPPOLYTE

Du choix d'un successeur Athènes incertaine,
Parle de vous, me nomme, et le fils de la Reine.

ARICIE

De moi, Seigneur ?

HIPPOLYTE

Je sais, sans vouloir me flatter,
Qu'une superbe loi semble me rejeter.
La Grèce me reproche une mère étrangère.
Mais si pour concurrent je n'avais que mon frère,
Madame, j'ai sur lui de véritables droits
Que je saurais sauver du caprice des lois.

Un frein plus légitime arrête mon audace :
Je vous cède, ou plutôt je vous rends une place,
Un sceptre que jadis vos aïeux ont reçu
De ce fameux mortel que la terre a conçu.
L'adoption le mit entre les mains d'Égée.
Athènes, par mon père accrue et protégée,
Reconnut avec joie un roi si généreux,
Et laissa dans l'oubli vos frères malheureux.
Athènes dans ses murs maintenant vous rappelle.
Assez elle a gémi d'une longue querelle,
Assez dans ses sillons votre sang englouti
A fait fumer le champ dont il était sorti.
Trézène m'obéit. Les campagnes de Crète
Offrent au fils de Phèdre une riche retraite.
L'Attique est votre bien. Je pars, et vais pour vous
Réunir tous les vœux partagés entre nous.

ARICIE

De tout ce que j'entends étonnée et confuse,
Je crains presque, je crains qu'un songe ne m'abuse.
Veillé-je ? Puis-je croire un semblable dessein ?
Quel Dieu, Seigneur, quel Dieu l'a mis dans votre sein ?
Qu'à bon droit votre gloire en tous lieux est semée!
Et que la vérité passe la renommée!
Vous-même en ma faveur vous voulez vous trahir!
N'était-ce pas assez de ne me point haïr ?
Et d'avoir si longtemps pu défendre votre âme
De cette inimitié...

HIPPOLYTE

Moi, vous haïr, Madame ?
Avec quelques couleurs qu'on ait peint ma fierté,
Croit-on que dans ses flancs un monstre m'ait porté ?
Quelles sauvages mœurs, quelle haine endurcie
Pourrait, en vous voyant, n'être point adoucie ?
Ai-je pu résister au charme décevant...

ARICIE

Quoi ? Seigneur.

HIPPOLYTE

Je me suis engagé trop avant.
Je vois que la raison cède à la violence.
Puisque j'ai commencé de rompre le silence,
Madame, il faut poursuivre : il faut vous informer
D'un secret que mon cœur ne peut plus renfermer.
Vous voyez devant vous un prince déplorable,

D'un téméraire orgueil exemple mémorable.
Moi, qui contre l'amour fièrement révolté,
Aux fers de ses captifs ai longtemps insulté;
Qui des faibles mortels déplorant les naufrages,
Pensais toujours du bord contempler les orages;
Asservi maintenant sous la commune loi,
Par quel trouble me vois-je emporté loin de moi ?
Un moment a vaincu mon audace imprudente :
Cette âme si superbe est enfin dépendante.
Depuis près de six mois, honteux, désespéré,
Portant partout le trait dont je suis déchiré,
Contre vous, contre moi, vainement je m'éprouve :
Présente, je vous fuis; absente, je vous trouve;
Dans le fond des forêts votre image me suit;
La lumière du jour, les ombres de la nuit,
Tout retrace à mes yeux les charmes que j'évite,
Tout vous livre à l'envi le rebelle Hippolyte.
Moi-même, pour tout fruit de mes soins superflus,
Maintenant je me cherche, et ne me trouve plus.
Mon arc, mes javelots, mon char, tout m'importune;
Je ne me souviens plus des leçons de Neptune;
Mes seuls gémissements font retentir les bois,
Et mes coursiers oisifs ont oublié ma voix.
      Peut-être le récit d'un amour si sauvage
Vous fait en m'écoutant rougir de votre ouvrage.
D'un cœur qui s'offre à vous quel farouche entretien!
Quel étrange captif pour un si beau lien!
Mais l'offrande à vos yeux en doit être plus chère.
Songez que je vous parle une langue étrangère,
Et ne rejetez pas des vœux mal exprimés,
Qu'Hippolyte sans vous n'aurait jamais formés.

SCÈNE III

HIPPOLYTE, ARICIE, THÉRAMÈNE, ISMÈNE

THÉRAMÈNE

Seigneur, la Reine vient, et je l'ai devancée.
Elle vous cherche.

HIPPOLYTE

Moi ?

THÉRAMÈNE

J'ignore sa pensée,
Mais on vous est venu demander de sa part.
Phèdre veut vous parler avant votre départ.

HIPPOLYTE

Phèdre ? Que lui dirai-je ? Et que peut-elle attendre...

ARICIE

Seigneur, vous ne pouvez refuser de l'entendre.
Quoique trop convaincu de son inimitié,
Vous devez à ses pleurs quelque ombre de pitié.

HIPPOLYTE

Cependant vous sortez. Et je pars. Et j'ignore
Si je n'offense point les charmes que j'adore.
J'ignore si ce cœur que je laisse en vos mains...

ARICIE

Partez, Prince, et suivez vos généreux desseins.
Rendez de mon pouvoir Athènes tributaire.
J'accepte tous les dons que vous me voulez faire.
Mais cet Empire enfin si grand, si glorieux,
N'est pas de vos présents le plus cher à mes yeux.

SCÈNE IV

HIPPOLYTE, THÉRAMÈNE

HIPPOLYTE

Ami, tout est-il prêt ? Mais la Reine s'avance.
Va, que pour le départ tout s'arme en diligence.
Fais donner le signal, cours, ordonne et revien
Me délivrer bientôt d'un fâcheux entretien.

SCÈNE V

PHÈDRE, HIPPOLYTE, ŒNONE

PHÈDRE, *à Œnone.*

Le voici. Vers mon cœur tout mon sang se retire.
J'oublie, en le voyant, ce que je viens lui dire.

ŒNONE

Souvenez-vous d'un fils qui n'espère qu'en vous.

PHÈDRE

On dit qu'un prompt départ vous éloigne de nous,
Seigneur. A vos douleurs je viens joindre mes larmes.
Je viens viens pour un fils expliquer mes alarmes.
Mon fils n'a plus de père, et le jour n'est pas loin
Qui de ma mort encor doit le rendre témoin.
Déjà mille ennemis attaquent son enfance;
Vous seul pouvez contre eux embrasser sa défense.
Mais un secret remords agite mes esprits.
Je crains d'avoir fermé votre oreille à ses cris.
Je tremble que sur lui votre juste colère
Ne poursuive bientôt une odieuse mère.

HIPPOLYTE

Madame, je n'ai point des sentiments si bas.

PHÈDRE

Quand vous me haïriez, je ne m'en plaindrais pas,
Seigneur. Vous m'avez vue attachée à vous nuire;
Dans le fond de mon cœur vous ne pouviez pas lire.
A votre inimitié j'ai pris soin de m'offrir.
Aux bords que j'habitais je n'ai pu vous souffrir.
En public, en secret, contre vous déclarée,
J'ai voulu par des mers en être séparée;
J'ai même défendu par une expresse loi
Qu'on osât prononcer votre nom devant moi.
Si pourtant à l'offense on mesure la peine,
Si la haine peut seule attirer votre haine,
Jamais femme ne fut plus digne de pitié,
Et moins digne, Seigneur, de votre inimitié.

HIPPOLYTE

Des droits de ses enfants une mère jalouse
Pardonne rarement au fils d'une autre épouse.
Madame, je le sais. Les soupçons importuns
Sont d'un second hymen les fruits les plus communs.
Toute autre aurait pour moi pris les mêmes ombrages,
Et j'en aurais peut-être essuyé plus d'outrages.

PHÈDRE

Ah! Seigneur, que le Ciel, j'ose ici l'attester,
De cette loi commune a voulu m'excepter!
Qu'un soin bien différent me trouble et me dévore!

HIPPOLYTE

Madame, il n'est pas temps de vous troubler encore.
Peut-être votre époux voit encore le jour;
Le ciel peut à nos pleurs accorder son retour.
Neptune le protège, et ce Dieu tutélaire
Ne sera pas en vain imploré par mon père.

PHÈDRE

On ne voit point deux fois le rivage des morts,
Seigneur. Puisque Thésée a vu les sombres bords,
En vain vous espérez qu'un Dieu vous le renvoie,
Et l'avare Achéron ne lâche point sa proie.
Que dis-je? Il n'est point mort, puisqu'il respire en vous.
Toujours devant mes yeux je crois voir mon époux.
Je le vois, je lui parle, et mon cœur... Je m'égare,
Seigneur; ma folle ardeur malgré moi se déclare.

HIPPOLYTE

Je vois de votre amour l'effet prodigieux.
Tout mort qu'il est, Thésée est présent à vos yeux;
Toujours de son amour votre âme est embrasée.

PHÈDRE

Oui, Prince, je languis, je brûle pour Thésée.
Je l'aime, non point tel que l'ont vu les enfers,
Volage adorateur de mille objets divers,
Qui va du Dieu des morts déshonorer la couche;
Mais fidèle, mais fier, et même un peu farouche,
Charmant, jeune, traînant tous les cœurs après soi,
Tel qu'on dépeint nos Dieux, ou tel que je vous voi.
Il avait votre port, vos yeux, votre langage,
Cette noble pudeur colorait son visage,
Lorsque de notre Crète il traversa les flots,
Digne sujet des vœux des filles de Minos.
Que faisiez-vous alors? Pourquoi sans Hippolyte
Des héros de la Grèce assembla-t-il l'élite?
Pourquoi, trop jeune encor, ne pûtes-vous alors
Entrer dans le vaisseau qui le mit sur nos bords?
Par vous aurait péri le monstre de la Crète,
Malgré tous les détours de sa vaste retraite.
Pour en développer l'embarras incertain,
Ma sœur du fil fatal eût armé votre main.
Mais non, dans ce dessein je l'aurais devancée:
L'amour m'en eût d'abord inspiré la pensée.
C'est moi, Prince, c'est moi dont l'utile secours
Vous eût du Labyrinthe enseigné les détours.

Que de soins m'eût coûtés cette tête charmante!
Un fil n'eût point assez rassuré votre amante.
Compagne du péril qu'il vous fallait chercher,
Moi-même devant vous j'aurais voulu marcher;
Et Phèdre au Labyrinthe avec vous descendue
Se serait avec vous retrouvée, ou perdue.

HIPPOLYTE

Dieux! qu'est-ce que j'entends? Madame, oubliez-vous
Que Thésée est mon père et qu'il est votre époux?

PHÈDRE

Et sur quoi jugez-vous que j'en perds la mémoire,
Prince? Aurais-je perdu tout le soin de ma gloire?

HIPPOLYTE

Madame, pardonnez. J'avoue, en rougissant,
Que j'accusais à tort un discours innocent.
Ma honte ne peut plus soutenir votre vue;
Et je vais...

PHÈDRE

Ah! cruel, tu m'as trop entendue.
Je t'en ai dit assez pour te tirer d'erreur.
Hé bien! connais donc Phèdre et toute sa fureur.
J'aime. Ne pense pas qu'au moment que je t'aime,
Innocente à mes yeux je m'approuve moi-même,
Ni que du fol amour qui trouble ma raison
Ma lâche complaisance ait nourri le poison.
Objet infortuné des vengeances célestes,
Je m'abhorre encor plus que tu ne me détestes.
Les Dieux m'en sont témoins, ces Dieux qui dans mon flanc
Ont allumé le feu fatal à tout mon sang,
Ces Dieux qui se sont fait une gloire cruelle
De séduire le cœur d'une faible mortelle.
Toi-même en ton esprit rappelle le passé.
C'est peu de t'avoir fui, cruel, je t'ai chassé.
J'ai voulu te paraître odieuse, inhumaine.
Pour mieux te résister, j'ai recherché ta haine.
De quoi m'ont profité mes inutiles soins?
Tu me haïssais plus, je ne t'aimais pas moins.
Tes malheurs te prêtaient encor de nouveaux charmes.
J'ai langui, j'ai séché, dans les feux, dans les larmes.
Il suffit de tes yeux pour t'en persuader,
Si tes yeux un moment pouvaient me regarder.
Que dis-je? Cet aveu que je viens de te faire,

Cet aveu si honteux, le crois-tu volontaire ?
Tremblante pour un fils que je n'osais trahir,
Je te venais prier de ne le point haïr.
Faibles projets d'un cœur trop plein de ce qu'il aime !
Hélas ! je ne t'ai pu parler que de toi-même.
Venge-toi, punis-moi d'un odieux amour.
Digne fils du héros qui t'a donné le jour,
Délivre l'univers d'un monstre qui t'irrite.
La veuve de Thésée ose aimer Hippolyte !
Crois-moi, ce monstre affreux ne doit point t'échapper.
Voilà mon cœur. C'est là que ta main doit frapper.
Impatient déjà d'expier son offense,
Au-devant de ton bras je le sens qui s'avance.
Frappe. Ou si tu le crois indigne de tes coups,
Si ta haine m'envie un supplice si doux,
Ou si d'un sang trop vil ta main serait trempée,
Au défaut de ton bras prête-moi ton épée.
Donne.

ŒNONE

Que faites-vous, Madame ? Justes Dieux !
Mais on vient. Évitez des témoins odieux ;
Venez, rentrez, fuyez une honte certaine.

SCÈNE VI

HIPPOLYTE, THÉRAMÈNE

THÉRAMÈNE

Est-ce Phèdre qui fuit, ou plutôt qu'on entraîne ?
Pourquoi, Seigneur, pourquoi ces marques de douleur ?
Je vous vois sans épée, interdit, sans couleur ?

HIPPOLYTE

Théramène, fuyons. Ma surprise est extrême.
Je ne puis sans horreur me regarder moi-même.
Phèdre... Mais non, grands Dieux ! qu'en un profond oubli
Cet horrible secret demeure enseveli.

THÉRAMÈNE

Si vous voulez partir, la voile est préparée.
Mais Athènes, Seigneur, s'est déjà déclarée.
Ses chefs ont pris les voix de toutes ses tribus.
Votre frère l'emporte, et Phèdre a le dessus.

HIPPOLYTE

Phèdre ?

THÉRAMÈNE

Un héraut chargé des volontés d'Athènes
De l'État en ses mains vient remettre les rênes.
Son fils est roi, Seigneur.

HIPPOLYTE

Dieux, qui la connaissez,
Est-ce donc sa vertu que vous récompensez ?

THÉRAMÈNE

Cependant un bruit sourd veut que le Roi respire.
On prétend que Thésée a paru dans l'Épire.
Mais moi qui l'y cherchai, Seigneur, je sais trop bien...

HIPPOLYTE

N'importe, écoutons tout, et ne négligeons rien.
Examinons ce bruit, remontons à sa source.
S'il ne mérite pas d'interrompre ma course,
Partons; et quelque prix qu'il en puisse coûter,
Mettons le sceptre aux mains dignes de le porter.

ACTE III

SCÈNE PREMIÈRE

PHÈDRE, ŒNONE

PHÈDRE

Ah! que l'on porte ailleurs les honneurs qu'on m'envoie.
Importune, peux-tu souhaiter qu'on me voie ?
De quoi viens-tu flatter mon esprit désolé ?
Cache-moi bien plutôt, je n'ai que trop parlé.
Mes fureurs au-dehors ont osé se répandre.
J'ai dit ce que jamais on ne devait entendre.
Ciel! comme il m'écoutait! Par combien de détours
L'insensible a longtemps éludé mes discours!
Comme il ne respirait qu'une retraite prompte!
Et combien sa rougeur a redoublé ma honte!

Pourquoi détournais-tu mon funeste dessein ?
Hélas ! quand son épée allait chercher mon sein,
A-t-il pâli pour moi ? me l'a-t-il arrachée ?
Il suffit que ma main l'ait une fois touchée,
Je l'ai rendue horrible à ses yeux inhumains ;
Et ce fer malheureux profanerait ses mains.

ŒNONE

Ainsi dans vos malheurs ne songeant qu'à vous plaindre,
Vous nourrissez un feu qu'il vous faudrait éteindre.
Ne vaudrait-il pas mieux, digne sang de Minos,
Dans de plus nobles soins chercher votre repos,
Contre un ingrat qui plaît recourir à la fuite,
Régner, et de l'État embrasser la conduite ?

PHÈDRE

Moi régner ! Moi ranger un État sous ma loi,
Quand ma faible raison ne règne plus sur moi !
Lorsque j'ai de mes sens abandonné l'empire !
Quand sous un joug honteux à peine je respire !
Quand je me meurs !

ŒNONE

Fuyez.

PHÈDRE

Je ne le puis quitter.

ŒNONE

Vous l'osâtes bannir, vous n'osez l'éviter.

PHÈDRE

Il n'est plus temps. Il sait mes ardeurs insensées.
De l'austère pudeur les bornes sont passées.
J'ai déclaré ma honte aux yeux de mon vainqueur,
Et l'espoir, malgré moi, s'est glissé dans mon cœur.
Toi-même rappelant ma force défaillante,
Et mon âme déjà sur mes lèvres errante,
Par tes conseils flatteurs tu m'as su ranimer.
Tu m'as fait entrevoir que je pouvais l'aimer.

ŒNONE

Hélas ! de vos malheurs innocente ou coupable,
De quoi pour vous sauver n'étais-je point capable ?
Mais si jamais l'offense irrita vos esprits,
Pouvez-vous d'un superbe oublier les mépris ?
Avec quels yeux cruels sa rigueur obstinée
Vous laissait à ses pieds peu s'en faut prosternée !

Que son farouche orgueil le rendait odieux!
Que Phèdre en ce moment n'avait-elle mes yeux!

PHÈDRE

Œnone, il peut quitter cet orgueil qui te blesse.
Nourri dans les forêts, il en a la rudesse.
Hippolyte, endurci par de sauvages lois,
Entend parler d'amour pour la première fois.
Peut-être sa surprise a cause son silence,
Et nos plaintes peut-être ont trop de violence.

ŒNONE

Songez qu'une barbare en son sein l'a formé.

PHÈDRE

Quoique Scythe et barbare, elle a pourtant aimé.

ŒNONE

Il a pour tout le sexe une haine fatale.

PHÈDRE

Je ne me verrai point préférer de rivale.
Enfin tous tes conseils ne sont plus de saison.
Sers ma fureur, Œnone, et non point ma raison.
Il oppose à l'amour un cœur inaccessible :
Cherchons pour l'attaquer quelque endroit plus sensible.
Les charmes d'un Empire ont paru le toucher;
Athènes l'attirait, il n'a pu s'en cacher;
Déjà de ses vaisseaux la pointe était tournée,
Et la voile flottait aux vents abandonnée.
Va trouver de ma part ce jeune ambitieux,
Œnone. Fais briller la couronne à ses yeux.
Qu'il mette sur son front le sacré diadème;
Je ne veux que l'honneur de l'attacher moi-même.
Cédons-lui ce pouvoir que je ne puis garder.
Il instruira mon fils dans l'art de commander.
Peut-être il voudra bien lui tenir lieu de père.
Je mets sous son pouvoir et le fils et la mère.
Pour le fléchir enfin tente tous les moyens :
Tes discours trouveront plus d'accès que les miens.
Presse, pleure, gémis, peins-lui Phèdre mourante,
Ne rougis point de prendre une voix suppliante.
Je t'avoûrai de tout; je n'espère qu'en toi.
Va : j'attends ton retour pour disposer de moi.

SCÈNE II

PHÈDRE, *seule.*

O toi, qui vois la honte où je suis descendue,
Implacable Vénus, suis-je assez confondue ?
Tu ne saurais plus loin pousser ta cruauté.
Ton triomphe est parfait; tous tes traits ont porté.
Cruelle, si tu veux une gloire nouvelle,
Attaque un ennemi qui te soit plus rebelle.
Hippolyte te fuit, et bravant ton courroux,
Jamais à tes autels n'a fléchi les genoux.
Ton nom semble offenser ses superbes oreilles.
Déesse, venge-toi : nos causes sont pareilles.
Qu'il aime. Mais déjà tu reviens sur tes pas,
Œnone ? On me déteste, on ne t'écoute pas.

SCÈNE III

PHÈDRE, ŒNONE

ŒNONE

Il faut d'un vain amour étouffer la pensée,
Madame. Rappelez votre vertu passée.
Le Roi, qu'on a cru mort, va paraître à vos yeux;
Thésée est arrivé, Thésée est en ces lieux.
Le peuple, pour le voir, court et se précipite.
Je sortais par votre ordre, et cherchais Hippolyte,
Lorsque jusques au ciel mille cris élancés...

PHÈDRE

Mon époux est vivant, Œnone, c'est assez.
J'ai fait l'indigne aveu d'un amour qui l'outrage.
Il vit. Je ne veux pas en savoir davantage.

ŒNONE

Quoi ?

PHÈDRE

Je te l'ai prédit, mais tu n'as pas voulu.
Sur mes justes remords tes pleurs ont prévalu.
Je mourais ce matin digne d'être pleurée;
J'ai suivi tes conseils, je meurs déshonorée.

ŒNONE

Vous mourez ?

PHÈDRE

Juste ciel! qu'ai-je fait aujourd'hui ?
Mon époux va paraître, et son fils avec lui.
Je verrai le témoin de ma flamme adultère
Observer de quel front j'ose aborder son père,
Le cœur gros de soupirs qu'il n'a point écoutés,
L'œil humide de pleurs par l'ingrat rebutés.
Penses-tu que sensible à l'honneur de Thésée,
Il lui cache l'ardeur dont je suis embrasée ?
Laissera-t-il trahir et son père et son roi ?
Pourra-t-il contenir l'horreur qu'il a pour moi ?
Il se tairait en vain. Je sais mes perfidies,
Œnone, et ne suis point de ces femmes hardies
Qui goûtant dans le crime une tranquille paix,
Ont su se faire un front qui ne rougit jamais.
Je connais mes fureurs, je les rappelle toutes.
Il me semble déjà que ces murs, que ces voûtes
Vont prendre la parole, et prêts à m'accuser,
Attendent mon époux pour le désabuser.
Mourons. De tant d'horreurs qu'un trépas me délivre.
Est-ce un malheur si grand que de cesser de vivre ?
La mort aux malheureux ne cause point d'effroi.
Je ne crains que le nom que je laisse après moi.
Pour mes tristes enfants quel affreux héritage!
Le sang de Jupiter doit enfler leur courage;
Mais quelque juste orgueil qu'inspire un sang si beau,
Le crime d'une mère est un pesant fardeau.
Je tremble qu'un discours, hélas! trop véritable,
Un jour ne leur reproche une mère coupable,
Je tremble qu'opprimés de ce poids odieux
L'un ni l'autre jamais n'ose lever les yeux.

ŒNONE

Il n'en faut point douter, je les plains l'un et l'autre;
Jamais crainte ne fut plus juste que la vôtre.
Mais à de tels affronts pourquoi les exposer ?
Pourquoi contre vous-même allez-vous déposer ?
C'en est fait : on dira que Phèdre, trop coupable,
De son époux trahi fuit l'aspect redoutable.
Hippolyte est heureux qu'aux dépens de vos jours
Vous-même en expirant appuyez ses discours.
A votre accusateur que pourrai-je répondre ?
Je serai devant lui trop facile à confondre.

De son triomphe affreux je le verrai jouir,
Et conter votre honte à qui voudra l'ouïr.
Ah! que plutôt du ciel la flamme me dévore!
Mais ne me trompez point, vous est-il cher encore?
De quel œil voyez-vous ce prince audacieux?

PHÈDRE

Je le vois comme un monstre effroyable à mes yeux.

ŒNONE

Pourquoi donc lui céder une victoire entière?
Vous le craignez. Osez l'accuser la première
Du crime dont il peut vous charger aujourd'hui.
Qui vous démentira? Tout parle contre lui:
Son épée en vos mains heureusement laissée,
Votre trouble présent, votre douleur passée,
Son père par vos cris dès longtemps prévenu,
Et déjà son exil par vous-même obtenu.

PHÈDRE

Moi, que j'ose opprimer et noircir l'innocence!

ŒNONE

Mon zèle n'a besoin que de votre silence.
Tremblante comme vous, j'en sens quelques remords.
Vous me verriez plus prompte affronter mille morts.
Mais puisque je vous perds sans ce triste remède,
Votre vie est pour moi d'un prix à qui tout cède.
Je parlerai. Thésée, aigri par mes avis,
Bornera sa vengeance à l'exil de son fils.
Un père en punissant, Madame, est toujours père:
Un supplice léger suffit à sa colère.
Mais le sang innocent dût-il être versé,
Que ne demande point votre honneur menacé?
C'est un trésor trop cher pour oser le commettre.
Quelque loi qu'il vous dicte, il faut vous y soumettre,
Madame; et pour sauver votre honneur combattu,
Il faut immoler tout, et même la vertu.
On vient; je vois Thésée.

PHÈDRE

                                  Ah! je vois Hippolyte;
Dans ses yeux insolents, je vois ma perte écrite.
Fais ce que tu voudras, je m'abandonne à toi.
Dans le trouble où je suis, je ne puis rien pour moi.

SCÈNE IV

THÉSÉE, HIPPOLYTE, PHÈDRE, ŒNONE, THÉRAMÈNE

THÉSÉE

La fortune à mes vœux cesse d'être opposée,
Madame, et dans vos bras met...

PHÈDRE

Arrêtez, Thésée,
Et ne profanez point des transports si charmants.
Je ne mérite plus ces doux empressements.
Vous êtes offensé. La fortune jalouse
N'a pas en votre absence épargné votre épouse.
Indigne de vous plaire et de vous approcher,
Je ne dois désormais songer qu'à me cacher.

SCÈNE V

THÉSÉE, HIPPOLYTE, THÉRAMÈNE

THÉSÉE

Quel est l'étrange accueil qu'on fait à votre père,
Mon fils ?

HIPPOLYTE

Phèdre peut seule expliquer ce mystère.
Mais si mes vœux ardents vous peuvent émouvoir,
Permettez-moi, Seigneur, de ne la plus revoir ;
Souffrez que pour jamais le tremblant Hippolyte
Disparaisse des lieux que votre épouse habite.

THÉSÉE

Vous, mon fils, me quitter ?

HIPPOLYTE

Je ne la cherchais pas :
C'est vous qui sur ces bords conduisîtes ses pas.
Vous daignâtes, Seigneur, aux rives de Trézène
Confier en partant Aricie et la Reine :
Je fus même chargé du soin de les garder.

Mais quels soins désormais peuvent me retarder ?
Assez dans les forêts mon oisive jeunesse
Sur de vils ennemis a montré son adresse.
Ne pourrai-je, en fuyant un indigne repos,
D'un sang plus glorieux teindre mes javelots ?
Vous n'aviez pas encore atteint l'âge où je touche,
Déjà plus d'un tyran, plus d'un monstre farouche
Avait de votre bras senti la pesanteur;
Déjà, de l'insolence heureux persécuteur,
Vous aviez des deux mers assuré les rivages.
Le libre voyageur ne craignait plus d'outrages;
Hercule, respirant sur le bruit de vos coups,
Déjà de son travail se reposait sur vous.
Et moi, fils inconnu d'un si glorieux père,
Je suis même encor loin des traces de ma mère.
Souffrez que mon courage ose enfin s'occuper.
Souffrez, si quelque monstre a pu vous échapper,
Que j'apporte à vos pieds sa dépouille honorable;
Ou que d'un beau trépas la mémoire durable,
Éternisant des jours si noblement finis,
Prouve à tout l'univers que j'étais votre fils.

THÉSÉE

Que vois-je ? Quelle horreur dans ces lieux répandue
Fait fuir devant mes yeux ma famille éperdue ?
Si je reviens si craint et si peu désiré,
O ciel! de ma prison pourquoi m'as-tu tiré ?
Je n'avais qu'un ami. Son imprudente flamme
Du tyran de l'Épire allait ravir la femme;
Je servais à regret ses desseins amoureux;
Mais le sort irrité nous aveuglait tous deux.
Le tyran m'a surpris sans défense et sans armes.
J'ai vu Pirithoüs, triste objet de mes larmes,
Livré par ce barbare à des monstres cruels
Qu'il nourrissait du sang des malheureux mortels.
Moi-même, il m'enferma dans des cavernes sombres,
Lieux profonds, et voisins de l'empire des ombres.
Les Dieux, après six mois, enfin m'ont regardé :
J'ai su tromper les yeux de qui j'étais gardé.
D'un perfide ennemi j'ai purgé la nature;
A ses monstres lui-même a servi de pâture;
Et lorsque avec transport je pense m'approcher
De tout ce que les Dieux m'ont laissé de plus cher;
Que dis-je ? Quand mon âme, à soi-même rendue,
Vient se rassasier d'une si chère vue,

Je n'ai pour tout accueil que des frémissements :
Tout fuit, tout se refuse à mes embrassements.
Et moi-même, éprouvant la terreur que j'inspire,
Je voudrais être encor dans les prisons d'Épire.
Parlez. Phèdre se plaint que je suis outragé.
Qui m'a trahi ? Pourquoi ne suis-je pas vengé ?
La Grèce, à qui mon bras fut tant de fois utile,
A-t-elle au criminel accordé quelque asile ?
Vous ne répondez point. Mon fils, mon propre fils
Est-il d'intelligence avec mes ennemis ?
Entrons. C'est trop garder un doute qui m'accable.
Connaissons à la fois le crime et le coupable.
Que Phèdre explique enfin le trouble où je la vois.

SCÈNE VI

HIPPOLYTE, THÉRAMÈNE

HIPPOLYTE

Où tendait ce discours qui m'a glacé d'effroi ?
Phèdre, toujours en proie à sa fureur extrême,
Veut-elle s'accuser et se perdre elle-même !
Dieux ! que dira le Roi ! Quel funeste poison
L'amour a répandu sur toute sa maison !
Moi-même, plein d'un feu que sa haine réprouve,
Quel il m'a vu jadis, et quel il me retrouve !
De noirs pressentiments viennent m'épouvanter.
Mais l'innocence enfin n'a rien à redouter.
Allons, cherchons ailleurs par quelle heureuse adresse
Je pourrai de mon père émouvoir la tendresse,
Et lui dire un amour qu'il peut vouloir troubler,
Mais que tout son pouvoir ne saurait ébranler.

ACTE IV

SCÈNE PREMIÈRE

THÉSÉE, ŒNONE

THÉSÉE

Ah! qu'est-ce que j'entends? Un traître, un téméraire
Préparait cet outrage à l'honneur de son père?
Avec quelle rigueur, Destin, tu me poursuis!
Je ne sais où je vais, je ne sais où je suis.
O tendresse! ô bonté trop mal récompensée!
Projet audacieux! détestable pensée!
Pour parvenir au but de ses noires amours,
L'insolent de la force empruntait le secours.
J'ai reconnu le fer, instrument de sa rage,
Ce fer dont je l'armai pour un plus noble usage.
Tous les liens du sang n'ont pu le retenir!
Et Phèdre différait à le faire punir!
Le silence de Phèdre épargnait le coupable!

ŒNONE

Phèdre épargnait plutôt un père déplorable.
Honteuse du dessein d'un amant furieux
Et du feu criminel qu'il a pris dans ses yeux,
Phèdre mourait, Seigneur, et sa main meurtrière
Éteignait de ses yeux l'innocente lumière.
J'ai vu lever le bras, j'ai couru la sauver.
Moi seule à votre amour j'ai su la conserver;
Et plaignant à la fois son trouble et vos alarmes,
J'ai servi malgré moi d'interprète à ses larmes.

THÉSÉE

Le perfide! Il n'a pu s'empêcher de pâlir.
De crainte, en m'abordant, je l'ai vu tressaillir.
Je me suis étonné de son peu d'allégresse;
Ses froids embrassements ont glacé ma tendresse.
Mais ce coupable amour dont il est dévoré
Dans Athènes déjà s'était-il déclaré?

ŒNONE

Seigneur, souvenez-vous des plaintes de la Reine.
Un amour criminel causa toute sa haine.

THÉSÉE

Et ce feu dans Trézène a donc recommencé ?

ŒNONE

Je vous ai dit, Seigneur, tout ce qui s'est passé.
C'est trop laisser la Reine à sa douleur mortelle;
Souffrez que je vous quitte et me range auprès d'elle.

SCÈNE II

THÉSÉE, HIPPOLYTE

THÉSÉE

Ah! le voici. Grands Dieux! à ce noble maintien
Quel œil ne serait pas trompé comme le mien ?
Faut-il que sur le front d'un profane adultère
Brille de la vertu le sacré caractère ?
Et ne devrait-on pas à des signes certains
Reconnaître le cœur des perfides humains ?

HIPPOLYTE

Puis-je vous demander quel funeste nuage,
Seigneur, a pu troubler votre auguste visage ?
N'osez-vous confier ce secret à ma foi ?

THÉSÉE

Perfide, oses-tu bien te montrer devant moi ?
Monstre, qu'a trop longtemps épargné le tonnerre,
Reste impur des brigands dont j'ai purgé la terre.
Après que le transport d'un amour plein d'horreur
Jusqu'au lit de ton père a porté sa fureur,
Tu m'oses présenter une tête ennemie,
Tu parais dans des lieux pleins de ton infamie,
Et ne vas pas chercher, sous un ciel inconnu,
Des pays où mon nom ne soit point parvenu.
Fuis, traître. Ne viens point braver ici ma haine,
Et tenter un courroux que je retiens à peine.
C'est bien assez pour moi de l'opprobre éternel
D'avoir pu mettre au jour un fils si criminel,
Sans que ta mort encor, honteuse à ma mémoire,
De mes nobles travaux vienne souiller la gloire.

Fuis; et si tu ne veux qu'un châtiment soudain
T'ajoute aux scélérats qu'a punis cette main,
Prends garde que jamais l'astre qui nous éclaire
Ne te voie en ces lieux mettre un pied téméraire.
Fuis, dis-je; et sans retour précipitant tes pas,
De ton horrible aspect purge tous mes États.

Et toi, Neptune, et toi, si jadis mon courage
D'infâmes assassins nettoya ton rivage,
Souviens-toi que pour prix de mes efforts heureux,
Tu promis d'exaucer le premier de mes vœux.
Dans les longues rigueurs d'une prison cruelle
Je n'ai point imploré ta puissance immortelle.
Avare du secours que j'attends de tes soins,
Mes vœux t'ont réservé pour de plus grands besoins :
Je t'implore aujourd'hui. Venge un malheureux père.
J'abandonne ce traître à toute ta colère;
Étouffe dans son sang ses désirs effrontés :
Thésée à tes fureurs connaîtra tes bontés.

HIPPOLYTE

D'un amour criminel Phèdre accuse Hippolyte!
Un tel excès d'horreur rend mon âme interdite;
Tand de coups imprévus m'accablent à la fois,
Qu'ils m'ôtent la parole et m'étouffent la voix.

THÉSÉE

Traître, tu prétendais qu'en un lâche silence
Phèdre ensevelirait ta brutale insolence.
Il fallait, en fuyant, ne pas abandonner
Le fer qui dans ses mains aide à te condamner;
Ou plutôt il fallait, comblant ta perfidie,
Lui ravir tout d'un coup la parole et la vie.

HIPPOLYTE

D'un mensonge si noir justement irrité,
Je devrais faire ici parler la vérité,
Seigneur; mais je supprime un secret qui vous touche.
Approuvez le respect qui me ferme la bouche;
Et sans vouloir vous-même augmenter vos ennuis,
Examinez ma vie, et songez qui je suis.
Quelques crimes toujours précèdent les grands crimes.
Quiconque a pu franchir les bornes légitimes
Peut violer enfin les droits les plus sacrés;
Ainsi que la vertu, le crime a ses degrés;
Et jamais on n'a vu la timide innocence
Passer subitement à l'extrême licence.

Un jour seul ne fait point d'un mortel vertueux
Un perfide assassin, un lâche incestueux.
Élevé dans le sein d'une chaste héroïne,
Je n'ai point de son sang démenti l'origine.
Pitthée, estimé sage entre tous les humains,
Daigna m'instruire encore au sortir de ses mains.
Je ne veux point me peindre avec trop d'avantage ;
Mais si quelque vertu m'est tombée en partage,
Seigneur, je crois surtout avoir fait éclater
La haine des forfaits qu'on ose m'imputer.
C'est par là qu'Hippolyte est connu dans la Grèce.
J'ai poussé la vertu jusques à la rudesse.
On sait de mes chagrins l'inflexible rigueur.
Le jour n'est pas plus pur que le fond de mon cœur.
Et l'on veut qu'Hippolyte, épris d'un feu profane...

THÉSÉE

Oui, c'est ce même orgueil, lâche, qui te condamne.
Je vois de tes froideurs le principe odieux :
Phèdre seule charmait tes impudiques yeux ;
Et pour tout autre objet ton âme indifférente
Dédaignait de brûler d'une flamme innocente.

HIPPOLYTE

Non, mon père, ce cœur (c'est trop vous le celer)
N'a point d'un chaste amour dédaigné de brûler.
Je confesse à vos pieds ma véritable offense :
J'aime, j'aime, il est vrai, malgré votre défense.
Aricie à ses lois tient mes vœux asservis ;
La fille de Pallante a vaincu votre fils.
Je l'adore, et mon âme, à vos ordres rebelle,
Ne peut ni soupirer ni brûler que pour elle.

THÉSÉE

Tu l'aimes ? Ciel ! Mais non, l'artifice est grossier.
Tu te feins criminel pour te justifier.

HIPPOLYTE

Seigneur, depuis six mois, je l'évite, et je l'aime.
Je venais en tremblant vous le dire à vous-même.
Hé quoi ! de votre erreur rien ne vous peut tirer ?
Par quel affreux serment faut-il vous rassurer ?
Que la terre, le ciel, que toute la nature...

THÉSÉE

Toujours les scélérats ont recours au parjure.

Cesse, cesse, et m'épargne un importun discours,
Si ta fausse vertu n'a point d'autre secours.

HIPPOLYTE

Elle vous paraît fausse et pleine d'artifice.
Phèdre au fond de son cœur me rend plus de justice.

THÉSÉE

Ah! que ton impudence excite mon courroux!

HIPPOLYTE

Quel temps à mon exil, quel lieu prescrivez-vous ?

THÉSÉE

Fusses-tu par-delà les colonnes d'Alcide,
Je me croirais encor trop voisin d'un perfide.

HIPPOLYTE

Chargé du crime affreux dont vous me soupçonnez,
Quels amis me plaindront, quand vous m'abandonnez ?

THÉSÉE

Va chercher des amis dont l'estime funeste
Honore l'adultère, applaudisse à l'inceste,
Des traîtres, des ingrats sans honneur et sans loi,
Dignes de protéger un méchant tel que toi.

HIPPOLYTE

Vous me parlez toujours d'inceste et d'adultère!
Je me tais. Cependant Phèdre sort d'une mère,
Phèdre est d'un sang, Seigneur, vous le savez trop bien,
De toutes ces horreurs plus rempli que le mien.

THÉSÉE

Quoi! ta rage à mes yeux perd toute retenue ?
Pour la dernière fois, ôte-toi de ma vue.
Sors, traître. N'attends pas qu'un père furieux
Te fasse avec opprobre arracher de ces lieux.

SCÈNE III

THÉSÉE, seul.

Misérable, tu cours à ta perte infaillible.
Neptune, par le fleuve aux Dieux mêmes terrible,

M'a donné sa parole, et va l'exécuter.
Un Dieu vengeur te suit, tu ne peux l'éviter.
Je t'aimais; et je sens que malgré ton offense,
Mes entrailles pour toi se troublent par avance.
Mais à te condamner tu m'as trop engagé.
Jamais père en effet fut-il plus outragé ?
Justes Dieux, qui voyez la douleur qui m'accable,
Ai-je pu mettre au jour un enfant si coupable ?

SCÈNE IV

PHÈDRE, THÉSÉE

PHÈDRE

Seigneur, je viens à vous, pleine d'un juste effroi.
Votre voix redoutable a passé jusqu'à moi.
Je crains qu'un prompt effet n'ait suivi la menace.
S'il en est temps encore, épargnez votre race,
Respectez votre sang, j'ose vous en prier.
Sauvez-moi de l'horreur de l'entendre crier;
Ne me préparez point la douleur éternelle
De l'avoir fait répandre à la main paternelle.

THÉSÉE

Non, Madame, en mon sang ma main n'a point trempé;
Mais l'ingrat toutefois ne m'est point échappé.
Une immortelle main de sa perte est chargée.
Neptune me la doit, et vous serez vengée.

PHÈDRE

Neptune vous la doit! Quoi ? vos vœux irrités...

THÉSÉE

Quoi! craignez-vous déjà qu'ils ne soient écoutés ?
Joignez-vous bien plutôt à mes vœux légitimes.
Dans toute leur noirceur retracez-moi ses crimes;
Échauffez mes transports trop lents, trop retenus.
Tous ses crimes encor ne vous sont pas connus;
Sa fureur contre vous se répand en injures :
Votre bouche, dit-il, est pleine d'impostures;
Il soutient qu'Aricie a son cœur, a sa foi,
Qu'il aime.

PHÈDRE

Quoi, Seigneur!

THÉSÉE

Il l'a dit devant moi.
Mais je sais rejeter un frivole artifice.
Espérons de Neptune une prompte justice.
Je vais moi-même encore, au pied de ses autels,
Le presser d'accomplir ses serments immortels.

SCÈNE V

PHÈDRE, *seule*.

Il sort. Quelle nouvelle a frappé mon oreille ?
Quel feu mal étouffé dans mon cœur se réveille ?
Quel coup de foudre, ô ciel ! et quel funeste avis !
Je volais tout entière au secours de son fils ;
Et m'arrachant des bras d'Œnone épouvantée,
Je cédais au remords dont j'étais tourmentée.
Qui sait même où m'allait porter ce repentir ?
Peut-être à m'accuser j'aurais pu consentir ;
Peut-être, si la voix ne m'eût été coupée,
L'affreuse vérité me serait échappée.
Hippolyte est sensible, et ne sent rien pour moi !
Aricie a son cœur ! Aricie a sa foi !
Ah, Dieux ! Lorsqu'à mes vœux l'ingrat inexorable
S'armait d'un œil si fier, d'un front si redoutable,
Je pensais qu'à l'amour son cœur toujours fermé
Fût contre tout mon sexe également armé.
Une autre cependant a fléchi son audace ;
Devant ses yeux cruels une autre a trouvé grâce.
Peut-être a-t-il un cœur facile à s'attendrir.
Je suis le seul objet qu'il ne saurait souffrir ;
Et je me chargerais du soin de le défendre ?

SCÈNE VI

PHÈDRE, ŒNONE

PHÈDRE

Chère Œnone, sais-tu ce que je viens d'apprendre ?

ŒNONE

Non; mais je viens tremblante, à ne vous point mentir.
J'ai pâli du dessein qui vous a fait sortir :
J'ai craint une fureur à vous-même fatale.

PHÈDRE

Œnone, qui l'eût cru ? j'avais une rivale.

ŒNONE

Comment ?

PHÈDRE

            Hippolyte aime, et je n'en puis douter.
Ce farouche ennemi qu'on ne pouvait dompter,
Qu'offensait le respect, qu'importunait la plainte,
Ce tigre, que jamais je n'abordai sans crainte,
Soumis, apprivoisé, reconnaît un vainqueur :
Aricie a trouvé le chemin de son cœur.

ŒNONE

Aricie ?

PHÈDRE

            Ah ! douleur non encore éprouvée !
A quel nouveau tourment je me suis réservée !
Tout ce que j'ai souffert, mes craintes, mes transports,
La fureur de mes feux, l'horreur de mes remords,
Et d'un refus cruel l'insupportable injure
N'était qu'un faible essai du tourment que j'endure.
Ils s'aiment ! Par quel charme ont-ils trompé mes yeux ?
Comment se sont-ils vus ? Depuis quand ? Dans quels
Tu le savais. Pourquoi me laissais-tu séduire ?   [lieux ?
De leur furtive ardeur ne pouvais-tu m'instruire ?
Les a-t-on vus souvent se parler, se chercher ?
Dans le fond des forêts allaient-ils se cacher ?
Hélas ! ils se voyaient avec pleine licence.
Le ciel de leurs soupirs approuvait l'innocence ;
Ils suivaient sans remords leur penchant amoureux ;
Tous les jours se levaient clairs et sereins pour eux.
Et moi, triste rebut de la nature entière,
Je me cachais au jour, je fuyais la lumière.
La mort est le seul Dieu que j'osais implorer.
J'attendais le moment où j'allais expirer ;
Me nourrissant de fiel, de larmes abreuvée,
Encor dans mon malheur de trop près observée,
Je n'osais dans mes pleurs me noyer à loisir ;
Je goûtais en tremblant ce funeste plaisir,

Et sous un front serein déguisant mes alarmes,
Il fallait bien souvent me priver de mes larmes.

ŒNONE

Quel fruit recevront-ils de leurs vaines amours ?
Ils ne se verront plus.

PHÈDRE

     Ils s'aimeront toujours.
Au moment que je parle, ah! mortelle pensée!
Ils bravent la fureur d'une amante insensée.
Malgré ce même exil qui va les écarter,
Ils font mille serments de ne se point quitter.
Non, je ne puis souffrir un bonheur qui m'outrage,
Œnone. Prends pitié de ma jalouse rage.
Il faut perdre Aricie. Il faut de mon époux
Contre un sang odieux réveiller le courroux.
Qu'il ne se borne pas à des peines légères :
Le crime de la sœur passe celui des frères.
Dans mes jaloux transports je le veux implorer.
 Que fais-je ? Où ma raison se va-t-elle égarer ?
Moi jalouse! Et Thésée est celui que j'implore!
Mon époux est vivant, et moi je brûle encore!
Pour qui ? Quel est le cœur où prétendent mes vœux ?
Chaque mot sur mon front fait dresser mes cheveux.
Mes crimes désormais ont comblé la mesure.
Je respire à la fois l'inceste et l'imposture.
Mes homicides mains, promptes à me venger,
Dans le sang innocent brûlent de se plonger.
Misérable! et je vis ? et je soutiens la vue
De ce sacré Soleil dont je suis descendue ?
J'ai pour aïeul le père et le maître des Dieux;
Le ciel, tout l'univers est plein de mes aïeux.
Où me cacher ? Fuyons dans la nuit infernale.
Mais que dis-je ? Mon père y tient l'urne fatale;
Le Sort, dit-on, l'a mise en ses sévères mains :
Minos juge aux enfers tous les pâles humains.
Ah! combien frémira son ombre épouvantée,
Lorsqu'il verra sa fille à ses yeux présentée,
Contrainte d'avouer tant de forfaits divers,
Et des crimes peut-être inconnus aux enfers!
Que diras-tu, mon père, à ce spectacle horrible ?
Je crois voir de ta main tomber l'urne terrible,
Je crois te voir, cherchant un supplice nouveau,
Toi-même de ton sang devenir le bourreau.

Pardonne. Un Dieu cruel a perdu ta famille :
Reconnais sa vengeance aux fureurs de ta fille.
Hélas ! du crime affreux dont la honte me suit
Jamais mon triste cœur n'a recueilli le fruit.
Jusqu'au dernier soupir, de malheurs poursuivie,
Je rends dans les tourments une pénible vie.

ŒNONE

Hé ! repoussez, Madame, une injuste terreur.
Regardez d'un autre œil une excusable erreur.
Vous aimez. On ne peut vaincre sa destinée.
Par un charme fatal vous fûtes entraînée.
Est-ce donc un prodige inouï parmi nous ?
L'amour n'a-t-il encor triomphé que de vous ?
La faiblesse aux humains n'est que trop naturelle.
Mortelle, subissez le sort d'une mortelle.
Vous vous plaignez d'un joug imposé dès longtemps :
Les Dieux même, les Dieux, de l'Olympe habitants,
Qui d'un bruit si terrible épouvantent les crimes,
Ont brûlé quelquefois de feux illégitimes.

PHÈDRE

Qu'entends-je ! Quels conseils ose-t-on me donner ?
Ainsi donc jusqu'au bout tu veux m'empoisonner,
Malheureuse ? Voilà comme tu m'as perdue.
Au jour que je fuyais c'est toi qui m'as rendue.
Tes prières m'ont fait oublier mon devoir.
J'évitais Hippolyte, et tu me l'as fait voir.
De quoi te chargeais-tu ? Pourquoi ta bouche impie
A-t-elle, en l'accusant, osé noircir sa vie ?
Il en mourra peut-être, et d'un père insensé
Le sacrilège vœu peut-être est exaucé.
Je ne t'écoute plus. Va-t'en, monstre exécrable.
Va, laisse-moi le soin de mon sort déplorable.
Puisse le juste ciel dignement te payer ;
Et puisse ton supplice à jamais effrayer
Tous ceux qui, comme toi, par de lâches adresses,
Des princes malheureux nourrissent les faiblesses,
Les poussent au penchant où leur cœur est enclin,
Et leur osent du crime aplanir le chemin ;
Détestables flatteurs, présent le plus funeste
Que puisse faire aux rois la colère céleste !

ŒNONE, seule.

Ah, Dieux ! pour la servir j'ai tout fait, tout quitté ;
Et j'en reçois ce prix ? Je l'ai bien mérité.

ACTE V

SCÈNE PREMIÈRE

HIPPOLYTE, ARICIE

ARICIE

Quoi ! vous pouvez vous taire en ce péril extrême ?
Vous laissez dans l'erreur un père qui vous aime ?
Cruel, si de mes pleurs méprisant le pouvoir,
Vous consentez sans peine à ne me plus revoir,
Partez, séparez-vous de la triste Aricie.
Mais du moins en partant assurez votre vie.
Défendez votre honneur d'un reproche honteux,
Et forcez votre père à révoquer ses vœux.
Il en est temps encor. Pourquoi, par quel caprice,
Laissez-vous le champ libre à votre accusatrice ?
Éclaircissez Thésée.

HIPPOLYTE

                    Hé ! que n'ai-je point dit ?
Ai-je dû mettre au jour l'opprobre de son lit ?
Devais-je, en lui faisant un récit trop sincère,
D'une indigne rougeur couvrir le front d'un père ?
Vous seule avez percé ce mystère odieux.
Mon cœur pour s'épancher n'a que vous et les Dieux.
Je n'ai pu vous cacher, jugez si je vous aime,
Tout ce que je voulais me cacher à moi-même.
Mais songez sous quel sceau je vous l'ai révélé.
Oubliez, s'il se peut, que je vous ai parlé,
Madame ; et que jamais une bouche si pure
Ne s'ouvre pour conter cette horrible aventure.
Sur l'équité des Dieux osons nous confier :
Ils ont trop d'intérêt à me justifier ;
Et Phèdre, tôt ou tard de son crime punie,
N'en saurait éviter la juste ignominie.
C'est l'unique respect que j'exige de vous.
Je permets tout le reste à mon libre courroux.
Sortez de l'esclavage où vous êtes réduite.
Osez me suivre. Osez accompagner ma fuite.

Arrachez-vous d'un lieu funeste et profané,
Où la vertu respire un air empoisonné;
Profitez, pour cacher votre prompte retraite,
De la confusion que ma disgrâce y jette.
Je vous puis de la fuite assurer les moyens;
Vous n'avez jusqu'ici de gardes que les miens;
De puissants défenseurs prendront notre querelle;
Argos nous tend les bras, et Sparte nous appelle.
A nos amis communs portons nos justes cris;
Ne souffrons pas que Phèdre, assemblant nos débris,
Du trône paternel nous chasse l'un et l'autre,
Et promette à son fils ma dépouille et la vôtre.
L'occasion est belle, il la faut embrasser.
Quelle peur vous retient ? Vous semblez balancer ?
Votre seul intérêt m'inspire cette audace.
Quand je suis tout de feu, d'où vous vient cette glace ?
Sur les pas d'un banni craignez-vous de marcher ?

ARICIE

Hélas! qu'un tel exil, Seigneur, me serait cher!
Dans quels ravissements, à votre sort liée,
Du reste des mortels je vivrais oubliée!
Mais n'étant point unis par un lien si doux,
Me puis-je avec honneur dérober avec vous ?
Je sais que sans blesser l'honneur le plus sévère,
Je me puis affranchir des mains de votre père :
Ce n'est point m'arracher du sein de mes parents,
Et la fuite est permise à qui fuit ses tyrans.
Mais vous m'aimez, Seigneur; et ma gloire alarmée...

HIPPOLYTE

Non, non, j'ai trop de soin de votre renommée.
Un plus noble dessein m'amène devant vous :
Fuyez vos ennemis, et suivez votre époux.
Libres dans nos malheurs, puisque le ciel l'ordonne,
Le don de notre foi ne dépend de personne.
L'hymen n'est point toujours entouré de flambeaux.
Aux portes de Trézène, et parmi ces tombeaux,
Des princes de ma race antiques sépultures,
Est un temple sacré formidable aux parjures.
C'est là que les mortels n'osent jurer en vain :
Le perfide y reçoit un châtiment soudain;
Et craignant d'y trouver la mort inévitable,
Le mensonge n'a point de frein plus redoutable.
Là, si vous m'en croyez, d'un amour éternel

Nous irons confirmer le serment solennel;
Nous prendrons à témoin le Dieu qu'on y révère;
Nous le prîrons tous deux de nous servir de père.
Des Dieux les plus sacrés j'attesterai le nom.
Et la chaste Diane, et l'auguste Junon,
Et tous les Dieux enfin, témoins de mes tendresses,
Garantiront la foi de mes saintes promesses.

ARICIE

Le Roi vient. Fuyez, Prince, et partez promptement.
Pour cacher mon départ, je demeure un moment.
Allez, et laissez-moi quelque fidèle guide,
Qui conduise vers vous ma démarche timide.

SCÈNE II

THÉSÉE, ARICIE, ISMÈNE

THÉSÉE

Dieux, éclairez mon trouble, et daignez à mes yeux
Montrer la vérité, que je cherche en ces lieux.

ARICIE

Songe à tout, chère Ismène, et sois prête à la fuite.

SCÈNE III

THÉSÉE, ARICIE

THÉSÉE

Vous changez de couleur, et semblez interdite.
Madame! Que faisait Hippolyte en ce lieu?

ARICIE

Seigneur, il me disait un éternel adieu.

THÉSÉE

Vos yeux ont su dompter ce rebelle courage;
Et ses premiers soupirs sont votre heureux ouvrage.

ARICIE

Seigneur, je ne vous puis nier la vérité :
De votre injuste haine il n'a pas hérité;
Il ne me traitait point comme une criminelle.

THÉSÉE

J'entends, il vous jurait une amour éternelle.
Ne vous assurez point sur ce cœur inconstant;
Car à d'autres que vous il en jurait autant.

ARICIE

Lui, Seigneur ?

THÉSÉE

        Vous deviez le rendre moins volage :
Comment souffriez-vous cet horrible partage ?

ARICIE

Et comment souffrez-vous que d'horribles discours
D'une si belle vie osent noircir le cours ?
Avez-vous de son cœur si peu de connaissance ?
Discernez-vous si mal le crime et l'innocence ?
Faut-il qu'à vos yeux seuls un nuage odieux
Dérobe sa vertu qui brille à tous les yeux ?
Ah ! c'est trop le livrer à des langues perfides.
Cessez. Repentez-vous de vos vœux homicides;
Craignez, Seigneur, craignez que le ciel rigoureux
Ne vous haïsse assez pour exaucer vos vœux.
Souvent dans sa colère il reçoit nos victimes;
Ses présents sont souvent la peine de nos crimes.

THÉSÉE

Non, vous voulez en vain couvrir son attentat;
Votre amour vous aveugle en faveur de l'ingrat.
Mais j'en crois des témoins certains, irréprochables :
J'ai vu, j'ai vu couler des larmes véritables.

ARICIE

Prenez garde, Seigneur. Vos invincibles mains
Ont de monstres sans nombre affranchi les humains;
Mais tout n'est pas détruit, et vous en laissez vivre
Un... Votre fils, Seigneur, me défend de poursuivre.
Instruite du respect qu'il veut vous conserver,
Je l'affligerais trop si j'osais achever.
J'imite sa pudeur, et fuis votre présence
Pour n'être pas forcée à rompre le silence.

SCÈNE IV

THÉSÉE, *seul*.

Quelle est donc sa pensée ? et que cache un discours
Commencé tant de fois, interrompu toujours ?
Veulent-ils m'éblouir par une feinte vaine ?
Sont-ils d'accord tous deux pour me mettre à la gêne ?
Mais moi-même, malgré ma sévère rigueur,
Quelle plaintive voix crie au fond de mon cœur ?
Une pitié secrète et m'afflige et m'étonne.
Une seconde fois interrogeons Œnone.
Je veux de tout le crime être mieux éclairci.
Gardes ? Qu'Œnone sorte, et vienne seule ici.

SCÈNE V

THÉSÉE, PANOPE

PANOPE

J'ignore le projet que la Reine médite,
Seigneur. Mais je crains tout du transport qui l'agite.
Un mortel désespoir sur son visage est peint ;
La pâleur de la mort est déjà sur son teint.
Déjà, de sa présence avec honte chassée,
Dans la profonde mer Œnone s'est lancée.
On ne sait point d'où part ce dessein furieux ;
Et les flots pour jamais l'ont ravie à nos yeux.

THÉSÉE

Qu'entends-je ?

PANOPE

             Son trépas n'a point calmé la Reine :
Le trouble semble croître en son âme incertaine.
Quelquefois, pour flatter ses secrètes douleurs,
Elle prend ses enfants et les baigne de pleurs ;
Et soudain, renonçant à l'amour maternelle,
Sa main avec horreur les repousse loin d'elle.
Elle porte au hasard ses pas irrésolus ;
Son œil tout égaré ne nous reconnaît plus.

Elle a trois fois écrit; et changeant de pensée,
Trois fois elle a rompu sa lettre commencée.
Daignez la voir, Seigneur; daignez la secourir.

THÉSÉE

O ciel! Œnone est morte, et Phèdre veut mourir?
Qu'on rappelle mon fils, qu'il vienne se défendre,
Qu'il vienne me parler, je suis prêt de l'entendre.
Ne précipite point tes funestes bienfaits,
Neptune; j'aime mieux n'être exaucé jamais.
J'ai peut-être trop cru des témoins peu fidèles;
Et j'ai trop tôt vers toi levé mes mains cruelles.
Ah! de quel désespoir mes vœux seraient suivis!

SCÈNE VI

THÉSÉE, THÉRAMÈNE

THÉSÉE

Théramène, est-ce toi? Qu'as-tu fait de mon fils?
Je te l'ai confié dès l'âge le plus tendre.
Mais d'où naissent les pleurs que je te vois répandre?
Que fait mon fils?

THÉRAMÈNE

        O soins tardifs et superflus!
Inutile tendresse! Hippolyte n'est plus.

THÉSÉE

Dieux!

THÉRAMÈNE

     J'ai vu des mortels périr le plus aimable,
Et j'ose dire encor, Seigneur, le moins coupable.

THÉSÉE

Mon fils n'est plus? Hé quoi! quand je lui tends les bras,
Les Dieux impatients ont hâté son trépas?
Quel coup me l'a ravi? Quelle foudre soudaine?

THÉRAMÈNE

A peine nous sortions des portes de Trézène,
Il était sur son char. Ses gardes affligés
Imitaient son silence, autour de lui rangés;
Il suivait tout pensif le chemin de Mycènes;
Sa main sur ses chevaux laissait flotter les rênes.

Ses superbes coursiers, qu'on voyait autrefois
Pleins d'une ardeur si noble obéir à sa voix,
L'œil morne maintenant et la tête baissée,
Semblaient se conformer à sa triste pensée.
Un effroyable cri, sorti du fond des flots,
Des airs en ce moment a troublé le repos ;
Et du sein de la terre une voix formidable
Répond en gémissant à ce cri redoutable.
Jusqu'au fond de nos cœurs notre sang s'est glacé ;
Des coursiers attentifs le crin s'est hérissé.
Cependant sur le dos de la plaine liquide
S'élève à gros bouillons une montagne humide ;
L'onde approche, se brise, et vomit à nos yeux,
Parmi des flots d'écume, un monstre furieux.
Son front large est armé de cornes menaçantes ;
Tout son corps est couvert d'écailles jaunissantes ;
Indomptable taureau, dragon impétueux,
Sa croupe se recourbe en replis tortueux.
Ses longs mugissements font trembler le rivage.
Le ciel avec horreur voit ce monstre sauvage,
La terre s'en émeut, l'air en est infecté,
Le flot qui l'apporta recule épouvanté.
Tout fuit ; et sans s'armer d'un courage inutile,
Dans le temple voisin chacun cherche un asile.
Hippolyte lui seul, digne fils d'un héros,
Arrête ses coursiers, saisit ses javelots,
Pousse au monstre, et d'un dard lancé d'une main sûre,
Il lui fait dans le flanc une large blessure.
De rage et de douleur le monstre bondissant
Vient aux pieds des chevaux tomber en mugissant,
Se roule, et leur présente une gueule enflammée,
Qui les couvre de feu, de sang et de fumée.
La frayeur les emporte, et sourds à cette fois,
Ils ne connaissent plus ni le frein ni la voix.
En efforts impuissants leur maître se consume ;
Ils rougissent le mors d'une sanglante écume.
On dit qu'on a vu même, en ce désordre affreux,
Un Dieu qui d'aiguillons pressait leur flanc poudreux.
A travers des rochers la peur les précipite.
L'essieu crie et se rompt. L'intrépide Hippolyte
Voit voler en éclats tout son char fracassé ;
Dans les rênes lui-même il tombe embarrassé.
Excusez ma douleur. Cette image cruelle
Sera pour moi de pleurs une source éternelle.
J'ai vu, Seigneur, j'ai vu votre malheureux fils

Traîné par les chevaux que sa main a nourris.
Il veut les rappeler, et sa voix les effraie;
Ils courent. Tout son corps n'est bientôt qu'une plaie.
De nos cris douloureux la plaine retentit;
Leur fougue impétueuse enfin se ralentit :
Ils s'arrêtent, non loin de ces tombeaux antiques
Où des rois ses aïeux sont les froides reliques.
J'y cours en soupirant, et sa garde me suit.
De son généreux sang la trace nous conduit :
Les rochers en sont teints; les ronces dégouttantes
Portent de ses cheveux les dépouilles sanglantes.
J'arrive, je l'appelle, et me tendant la main
Il ouvre un œil mourant, qu'il referme soudain.
Le ciel, dit-il, *m'arrache une innocente vie.*
Prends soin après ma mort de la triste Aricie.
Cher ami, si mon père un jour désabusé
Plaint le malheur d'un fils faussement accusé,
Pour apaiser mon sang et mon ombre plaintive,
Dis-lui qu'avec douceur il traite sa captive,
Qu'il lui rende... A ce mot ce héros expiré
N'a laissé dans mes bras qu'un corps défiguré,
Triste objet, où des Dieux triomphe la colère,
Et que méconnaîtrait l'œil même de son père.

THÉSÉE

O mon fils! cher espoir que je me suis ravi!
Inexorables Dieux, qui m'avez trop servi!
A quels mortels regrets ma vie est réservée!

THÉRAMÈNE

La timide Aricie est alors arrivée.
Elle venait, Seigneur, fuyant votre courroux,
A la face des Dieux l'accepter pour époux.
Elle approche : elle voit l'herbe rouge et fumante;
Elle voit (quel objet pour les yeux d'une amante!)
Hippolyte étendu, sans forme et sans couleur.
Elle veut quelque temps douter de son malheur,
Et ne connaissant plus ce héros qu'elle adore,
Elle voit Hippolyte et le demande encore.
Mais trop sûre à la fin qu'il est devant ses yeux,
Par un triste regard elle accuse les Dieux,
Et froide, gémissante, et presque inanimée,
Aux pieds de son amant elle tombe pâmée.
Ismène est auprès d'elle; Ismène, tout en pleurs,
La rappelle à la vie, ou plutôt aux douleurs.

Et moi, je suis venu, détestant la lumière,
Vous dire d'un héros la volonté dernière,
Et m'acquitter, Seigneur, du malheureux emploi
Dont son cœur expirant s'est reposé sur moi.
Mais j'aperçois venir sa mortelle ennemie.

SCÈNE DERNIÈRE

THÉSÉE, PHÈDRE, THÉRAMÈNE
PANOPE, GARDES

THÉSÉE

Hé bien! vous triomphez, et mon fils est sans vie.
Ah! que j'ai lieu de craindre! et qu'un cruel soupçon,
L'excusant dans mon cœur, m'alarme avec raison!
Mais, Madame, il est mort, prenez votre victime :
Jouissez de sa perte, injuste ou légitime.
Je consens que mes yeux soient toujours abusés.
Je le crois criminel, puisque vous l'accusez.
Son trépas à mes pleurs offre assez de matières,
Sans que j'aille chercher d'odieuses lumières,
Qui ne pouvant le rendre à ma juste douleur,
Peut-être ne feraient qu'accroître mon malheur.
Laissez-moi, loin de vous, et loin de ce rivage,
De mon fils déchiré fuir la sanglante image.
Confus, persécuté d'un mortel souvenir,
De l'univers entier je voudrais me bannir.
Tout semble s'élever contre mon injustice.
L'éclat de mon nom même augmente mon supplice.
Moins connu des mortels, je me cacherais mieux.
Je hais jusques au soin dont m'honorent les Dieux;
Et je m'en vais pleurer leurs faveurs meurtrières,
Sans plus les fatiguer d'inutiles prières,
Quoi qu'ils fissent pour moi, leur funeste bonté
Ne me saurait payer de ce qu'ils m'ont ôté.

PHÈDRE

Non, Thésée, il faut rompre un injuste silence;
Il faut à votre fils rendre son innocence.
Il n'était point coupable.

THÉSÉE

Ah! père infortuné!
Et c'est sur votre foi que je l'ai condamné!
Cruelle, pensez-vous être assez excusée...

PHÈDRE

Les moments me sont chers, écoutez-moi, Thésée.
C'est moi qui sur ce fils chaste et respectueux
Osai jeter un œil profane, incestueux.
Le ciel mit dans mon sein une flamme funeste;
La détestable Œnone a conduit tout le reste.
Elle a craint qu'Hippolyte, instruit de ma fureur,
Ne découvrît un feu qui lui faisait horreur.
La perfide, abusant de ma faiblesse extrême,
S'est hâtée à vos yeux de l'accuser lui-même.
Elle s'en est punie, et fuyant mon courroux,
A cherché dans les flots un supplice trop doux.
Le fer aurait déjà tranché ma destinée;
Mais je laissais gémir la vertu soupçonnée.
J'ai voulu, devant vous exposant mes remords,
Par un chemin plus lent descendre chez les morts.
J'ai pris, j'ai fait couler dans mes brûlantes veines
Un poison que Médée apporta dans Athènes.
Déjà jusqu'à mon cœur le venin parvenu
Dans ce cœur expirant jette un froid inconnu;
Déjà je ne vois plus qu'à travers un nuage
Et le ciel, et l'époux que ma présence outrage;
Et la mort, à mes yeux dérobant la clarté,
Rend au jour, qu'ils souillaient, toute sa pureté.

PANOPE

Elle expire, Seigneur.

THÉSÉE

D'une action si noire
Que ne peut avec elle expirer la mémoire!
Allons, de mon erreur, hélas! trop éclaircis,
Mêler nos pleurs au sang de mon malheureux fils.
Allons de ce cher fils embrasser ce qui reste,
Expier la fureur d'un vœu que je déteste.
Rendons-lui les honneurs qu'il a trop mérités;
Et pour mieux apaiser ses mânes irrités,
Que, malgré les complots d'une injuste famille,
Son amante aujourd'hui me tienne lieu de fille.

NOTICE
SUR
ESTHER

Saint-Cyr, 26 janvier 1689.
Édition originale : mars (?) 1689.

Mme de Maintenon, qui se souvenait de sa jeunesse pauvre, avait fondé au bout du parc de Versailles un établissement où deux cent cinquante jeunes filles nobles, mais sans fortune, étaient élevées non pour le cloître, mais pour le monde. Les dames de Saint-Louis qui les éduquaient n'étaient pas des religieuses. La musique, le chant, la comédie avaient place dans cette éducation : on y avait joué *Cinna, Iphigénie, Andromaque* même. Les élèves ayant trop parfaitement représenté cette pièce au gré de Mme de Maintenon, celle-ci écrit à Racine : « *Nos petites filles viennent de jouer* Andromaque, *et l'ont si bien jouée qu'elles ne la joueront plus, ni aucune de vos pièces.* » Pour pallier le danger du théâtre profane, Mme de Maintenon commande à Racine une pièce capable de joindre l'utile à l'agréable. Racine hésite, puis propose un spectacle tiré du livre d'*Esther*, dont Lemaistre de Saci venait de publier la traduction en 1688. Le sujet biblique pouvait flatter Mme de Maintenon. Louis XIV-Assuérus n'avait-il pas distingué cette Esther modeste et sans ambition qu'était l'obscure veuve Scarron, promue pour sa honte et pour sa gloire éducatrice des enfants illégitimes de la Montespan ? Le parallèle comportait un danger : l'altière Vasthi pouvait rappeler trop clairement Mme de Montespan et Aman, Louvois, que le roi n'aimait pas trop et qui assista à la première représentation.

Racine dirigea lui-même les actrices improvisées. La pièce fut jouée six fois entre le 26 janvier et le

19 février 1689, sur invitation. Mme de Sévigné pouvait
écrire : « *Racine s'est surpassé. Il aime Dieu comme il aimait
ses maîtresses* *... » Bossuet lui-même, qui allait quelques
années plus tard réagir contre le théâtre, dont le Père Caffaro avait pris la défense **, le janséniste Arnauld donnèrent
leur approbation à la pièce.

Racine n'avait fait que reprendre le sujet religieux le
plus utilisé depuis un siècle et demi. Lancé à la Renaissance par les protestants allemands et français, qui en
faisaient, ainsi que de *Judith*, une arme de combat pour
leur cause, le sujet fut repris par les jésuites dès 1581 et
ne quitta pas leur scène pendant un siècle : un *Assuérus*
venait encore d'être représenté à Malines et à Bruxelles, en
1680. Le sujet avait donné les pièces françaises de Montchrestien (1601), Mainfray, du Ryer (1643). Lope de Vega
et le Père F. Godinez l'avaient traité en espagnol, le
Père Rossi (1618), F. della Valle (1627), et plus récem-
ment Cicognini en italien.

Malgré le caractère élevé du sujet, la chaleur du jeu
des comédiennes, les allées et venues des grands seigneurs
dans la pieuse maison, l'adjonction de chanteuses profes-
sionnelles pour renforcer les chœurs, inquiétèrent à bon
droit. Après février 1690 la pièce ne fut plus jouée qu'en
privé, sans cérémonie et sans costume ***.

Les demoiselles de Saint-Cyr y perdirent non seulement le plaisir de représentations publiques, mais diverses
libertés : la maison tourna au couvent. En fait, *Esther*
répondit à ses pieuses intentions : cinq comédiennes
prirent le voile.

Le sujet d'*Esther*, ce sont les voies mystérieuses de la Pro-
vidence, la justice immanente qui s'abat à l'improviste
sur les plus puissants, l'acceptation du sacrifice total pour
l'amour de Dieu, la résignation chrétienne dans les épreuves,
l'obéissance inconditionnelle à l'inspiration céleste.

---

*. 7 février 1689. La marquise devait voir jouer la pièce quelques
jours plus tard, le 19.
**. Dans la *Lettre d'un théologien illustre, consulté pour savoir si la
comédie peut être permise ou doit être absolument défendue*, qui avait
été imprimée en 1694 dans l'édition du théâtre de Boursault.
***. La pièce ne fut jouée à Paris et par des acteurs professionnels
qu'en 1721.

Tous les spectateurs, et l'auteur le premier, parlèrent de
« *fidélité à l'Écriture* ». C'était fermer volontairement les
yeux aux entorses faites à l'histoire biblique : la pièce
abaisse la digne Vasthi, répudiée parce qu'elle n'avait
pas voulu se montrer nue aux convives d'Assuérus, et
purifie une Esther qui avait été en réalité poussée vers
Assuérus par Mardochée lui-même. En outre, elle se garde
de trop insister sur une sanglante histoire du nationalisme
judaïque, recouverte des siècles plus tard par les textes
pieux des Septante. Sous ce rapport, les prédécesseurs de
Racine, Montchrestien et Du Ryer, avaient été plus exacts.

Mais Racine ne se contente pas de réaliser une pièce
édifiante. Il rompt d'abord avec les cinq actes sacro-saints :
il y avait en vérité trente ans que l'Italie ne composait
plus que des tragédies en trois actes. Il développe le
spectacle et renonce à l'unité de lieu. Le premier acte est
dans l'appartement d'Esther, le second « dans la chambre
où est le trône d'Assuérus », le troisième dans les jardins
d'Esther. C'était sacrifier au goût nouveau issu de l'opéra.
Mais surtout Racine réalise un rêve ancien : rétablir le
chœur chanté de la tragédie grecque *. Racine avait un
public bien préparé par le triomphe de l'opéra depuis
vingt ans. La pièce n'a de tragédie que le nom : c'est un
oratorio. Les chœurs permirent au poète de faire passer
toute la poétique sagesse « *des grandes vérités de l'Écriture* »,
pour reprendre l'expression de la préface. Il y traduit
souvent littéralement des passages de l'Exode, de Jérémie,
des Psaumes. La langue racinienne y prend, sans que
l'harmonie soit sacrifiée, la vigoureuse coloration réaliste
de la Bible.

*. La musique des chœurs est de Jean-Baptiste Moreau, maître
de musique du roi.

ESTHER

PRÉFACE

La célèbre maison de Saint-Cyr ayant été principalement
établie pour élever dans la piété un fort grand nombre
de jeunes demoiselles rassemblées de tous les endroits
du royaume, on n'y a rien oublié de tout ce qui pouvait
contribuer à les rendre capables de servir Dieu dans les
différents états où il lui plaira de les appeler. Mais en leur
montrant les choses essentielles et nécessaires, on ne
néglige pas de leur apprendre celles qui peuvent servir à
leur polir l'esprit et à leur former le jugement. On a imaginé
pour cela plusieurs moyens qui, sans les détourner de leur
travail et de leurs exercices ordinaires, les instruisent en les
divertissant. On leur met, pour ainsi dire, à profit leurs
heures de récréation. On leur fait faire entre elles, sur leurs
principaux devoirs, des conversations ingénieuses, qu'on
leur a composées exprès, ou qu'elles-mêmes composent
sur-le-champ. On les fait parler sur les histoires qu'on leur a
lues, ou sur les importantes vérités qu'on leur a enseignées.
On leur fait réciter par cœur et déclamer les plus beaux
endroits des meilleurs poètes. Et cela leur sert surtout à les
défaire de quantité de mauvaises prononciations qu'elles
pourraient avoir apportées de leurs provinces. On a soin
aussi de faire apprendre à chanter à celles qui ont de la
voix, et on ne leur laisse pas perdre un talent qui les peut
amuser innocemment et qu'elles peuvent employer un
jour à chanter les louanges de Dieu.

Mais la plupart des plus excellents vers de notre langue
ayant été composés sur des matières fort profanes, et nos
plus beaux airs étant sur des paroles extrêmement molles
et efféminées, capables de faire des impressions dange-
reuses sur de jeunes esprits, les personnes illustres qui
ont bien voulu prendre la principale direction de cette mai-

son ont souhaité qu'il y eût quelque ouvrage qui, sans avoir tous ces défauts, pût produire une partie de ces bons effets. Elles me firent l'honneur de me communiquer leur dessein, et même de me demander si je ne pourrais pas faire, sur quelque sujet de piété et de morale, une espèce de poème où le chant fût mêlé avec le récit, le tout lié par une action qui rendît la chose plus vive et moins capable d'ennuyer.

Je leur proposai le sujet d'Esther, qui les frappa d'abord, cette histoire leur paraissant pleine de grandes leçons d'amour de Dieu et de détachement du monde au milieu du monde même. Et je crus de mon côté que je trouverais assez de facilité à traiter ce sujet; d'autant plus qu'il me sembla que sans altérer aucune des circonstances tant soit peu considérables de l'Écriture sainte, ce qui serait, à mon avis, une espèce de sacrilège, je pourrais remplir toute mon action avec les seules scènes que Dieu lui-même, pour ainsi dire, a préparées.

J'entrepris donc la chose, et je m'aperçus qu'en travaillant sur le plan qu'on m'avait donné j'exécutais en quelque sorte un dessein qui m'avait souvent passé dans l'esprit, qui était de lier, comme dans les anciennes tragédies grecques, le chœur et le chant avec l'action, et d'employer à chanter les louanges du vrai Dieu cette partie du chœur que les païens employaient à chanter les louanges de leurs fausses divinités.

A vrai dire, je ne pensais guère que la chose dût être aussi publique qu'elle l'a été. Mais les grandes vérités de l'Écriture, et la manière sublime dont elles y sont énoncées, pour peu qu'on les présente, même imparfaitement, aux yeux des hommes, sont si propres à les frapper, et d'ailleurs ces jeunes demoiselles ont déclamé et chanté cet ouvrage avec tant de grâce, tant de modestie et tant de piété qu'il n'a pas été possible qu'il demeurât renfermé dans le secret de leur maison. De sorte qu'un divertissement d'enfants est devenu le sujet de l'empressement de toute la cour; le Roi lui-même, qui en avait été touché, n'ayant pu refuser à tout ce qu'il y a de plus grands seigneurs de les y mener, et ayant eu la satisfaction de voir, par le plaisir qu'ils y ont pris, qu'on se peut aussi bien divertir aux choses de piété qu'à tous les spectacles profanes.

Au reste, quoique j'aie évité soigneusement de mêler le profane avec le sacré, j'ai cru néanmoins que je pouvais emprunter deux ou trois traits d'Hérodote, pour mieux peindre Assuérus. Car j'ai suivi le sentiment de plusieurs savants interprètes de l'Écriture, qui tiennent que ce roi est le même que le fameux Darius, fils d'Hystaspe, dont parle cet historien. En effet, ils en rapportent quantité de preuves, dont quelques-unes me paraissent des démonstrations. Mais je n'ai pas jugé à propos de croire ce même Hérodote sur sa parole, lorsqu'il dit que les Perses n'élevaient ni temples, ni autels, ni statues à leurs Dieux, et qu'ils ne se servaient point de libations dans leurs sacrifices. Son témoignage est expressément détruit par l'Écriture, aussi bien que par Xénophon, beaucoup mieux instruit que lui des mœurs et des affaires de la Perse, et enfin par Quinte-Curce.

On peut dire que l'unité de lieu est observée dans cette pièce, en ce que toute l'action se passe dans le palais d'Assuérus. Cependant, comme on voulait rendre ce divertissement plus agréable à des enfants, en jetant quelque variété dans les décorations, cela a été cause que je n'ai pas gardé cette unité avec la même rigueur que j'ai fait autrefois dans mes tragédies.

Je crois qu'il est bon d'avertir ici que bien qu'il y ait dans *Esther* des personnages d'hommes, ces personnages n'ont pas laissé d'être représentés par des filles avec toute la bienséance de leur sexe. La chose leur a été d'autant plus aisée qu'anciennement les habits des Persans et des Juifs étaient de longues robes qui tombaient jusqu'à terre.

Je ne puis me résoudre à finir cette préface sans rendre à celui qui a fait la musique la justice qui lui est due, et sans confesser franchement que ses chants ont fait un des plus grands agréments de la pièce. Tous les connaisseurs demeurent d'accord que depuis longtemps on n'a point entendu d'airs plus touchants ni plus convenables aux paroles. Quelques personnes ont trouvé la musique du dernier chœur un peu longue, quoique très belle. Mais qu'aurait-on dit de ces jeunes Israélites qui avaient tant fait de vœux à Dieu pour être délivrées de l'horrible péril où elles étaient si, ce péril étant passé, elles lui en avaient rendu de médiocres actions de grâces? Elles auraient directement péché contre la louable coutume de leur nation, où l'on ne recevait de Dieu aucun bienfait signalé, qu'on ne l'en remerciât sur-le-champ par de fort longs cantiques : témoins ceux de Marie sœur de Moïse, de Débora et de Judith, et tant d'autres dont l'Écriture est pleine. On dit même que les Juifs encore aujourd'hui célèbrent par de grandes actions de grâces le jour où leurs ancêtres furent délivrés par Esther de la cruauté d'Aman.

PERSONNAGES

ASSUÉRUS, roi de Perse.
ESTHER, reine de Perse.
MARDOCHÉE, oncle d'Esther.
AMAN, favori d'Assuérus.
ZARÈS, femme d'Aman.
HYDASPE, officier du palais intérieur d'Assuérus.
ASAPH, autre officier d'Assuérus.
ÉLISE, confidente d'Esther.
THAMAR, Israélite de la suite d'Esther.
GARDES DU ROI ASSUÉRUS.
CHŒUR DE JEUNES FILLES ISRAÉLITES.

La scène est à Suse, dans le palais d'Assuérus.

LA PIÉTÉ fait le Prologue.

PROLOGUE

LA PIÉTÉ

Du séjour bienheureux de la Divinité
Je descends dans ce lieu *, par la Grâce habité.
L'Innocence s'y plait, ma compagne éternelle,
Et n'a point sous les cieux d'asile plus fidèle.
Ici, loin du tumulte, aux devoirs les plus saints
Tout un peuple naissant est formé par mes mains.
Je nourris dans son cœur la semence féconde
Des vertus dont il doit sanctifier le monde.
Un roi qui me protège, un roi victorieux
A commis à mes soins ce dépôt précieux.
C'est lui qui rassembla ces colombes timides,
Éparses en cent lieux, sans secours et sans guides.
Pour elles à sa porte élevant ce palais,
Il leur y fit trouver l'abondance et la paix.

    Grand Dieu, que cet ouvrage ait place en ta mémoire.
Que tous les soins qu'il prend pour soutenir ta gloire
Soient gravés de ta main au livre où sont écrits
Les noms prédestinés des rois que tu chéris.
Tu m'écoutes. Ma voix ne t'est point étrangère :
Je suis la Piété, cette fille si chère,
Qui t'offre de ce roi les plus tendres soupirs.
Du feu de ton amour j'allume ses désirs.
Du zèle qui pour toi l'enflamme et le dévore
La chaleur se répand du couchant à l'aurore.
Tu le vois tous les jours, devant toi prosterné,
Humilier ce front de splendeur couronné,
Et confondant l'orgueil par d'augustes exemples,
Baiser avec respect le pavé de tes temples.

* La maison de Saint-Cyr.

De ta gloire animé, lui seul de tant de rois
S'arme pour ta querelle, et combat pour tes droits.
Le perfide Intérêt, l'aveugle Jalousie
S'unissent contre toi pour l'affreuse hérésie;
La Discorde en fureur frémit de toutes parts;
Tout semble abandonner tes sacrés étendards,
Et l'enfer, couvrant tout de ses vapeurs funèbres,
Sur les yeux les plus saints a jeté ses ténèbres.
Lui seul, invariable et fondé sur la foi,
Ne cherche, ne regarde et n'écoute que toi;
Et bravant du démon l'impuissant artifice,
De la religion soutient tout l'édifice.
Grand Dieu, juge ta cause, et déploie aujourd'hui
Ce bras, ce même bras qui combattait pour lui,
Lorsque des nations à sa perte animées
Le Rhin vit tant de fois disperser les armées.
Des mêmes ennemis je reconnais l'orgueil;
Ils viennent se briser contre le même écueil.
Déjà, rompant partout leurs plus fermes barrières,
Du débris de leurs forts il couvre ses frontières.
   Tu lui donnes un fils prompt à le seconder,
Qui sait combattre, plaire, obéir, commander;
Un fils qui, comme lui suivi de la victoire,
Semble à gagner son cœur borner toute sa gloire;
Un fils à tous ses vœux avec amour soumis,
L'éternel désespoir de tous ses ennemis.
Pareil à ces esprits que ta Justice envoie,
Quand son roi lui dit : « Pars », il s'élance avec joie,
Du tonnerre vengeur s'en va tout embraser,
Et tranquille à ses pieds revient le déposer.
   Mais tandis qu'un grand roi venge ainsi mes injures,
Vous, qui goûtez ici des délices si pures,
S'il permet à son cœur un moment de repos,
A vos jeux innocents appelez ce héros.
Retracez-lui d'Esther l'histoire glorieuse,
Et sur l'impiété la foi victorieuse.
   Et vous, qui vous plaisez aux folles passions
Qu'allument dans vos cœurs les vaines fictions,
Profanes amateurs de spectacles frivoles,
Dont l'oreille s'ennuie au son de mes paroles,
Fuyez de mes plaisirs la sainte austérité.
Tout respire ici Dieu, la paix, la vérité.

ACTE PREMIER

Le théâtre représente l'appartement d'Esther.

SCÈNE PREMIÈRE

ESTHER, ÉLISE

ESTHER

Est-ce toi, chère Élise ? O jour trois fois heureux !
Que béni soit le ciel qui te rend à mes vœux,
Toi qui de Benjamin comme moi descendue,
Fus de mes premiers ans la compagne assidue,
Et qui d'un même joug souffrant l'oppression,
M'aidais à soupirer les malheurs de Sion.
Combien ce temps encore est cher à ma mémoire !
Mais toi, de ton Esther ignorais-tu la gloire ?
Depuis plus de six mois que je te fais chercher,
Quel climat, quel désert a donc pu te cacher ?

ÉLISE

Au bruit de votre mort justement éplorée,
Du reste des humains je vivais séparée,
Et de mes tristes jours n'attendais que la fin,
Quant tout à coup, Madame, un prophète divin :
« C'est pleurer trop longtemps une mort qui t'abuse,
Lève-toi, m'a-t-il dit; prends ton chemin vers Suse.
Là tu verras d'Esther la pompe et les honneurs,
Et sur le trône assis le sujet de tes pleurs.
Rassure, ajouta-t-il, tes tribus alarmées,
Sion : le jour approche où le Dieu des armées
Va de son bras puissant faire éclater l'appui ;
Et le cri de son peuple est monté jusqu'à lui. »
Il dit. Et moi, de joie et d'horreur pénétrée,
Je cours. De ce palais j'ai su trouver l'entrée.

O spectacle! O triomphe admirable à mes yeux,
Digne en effet du bras qui sauva nos aïeux!
Le fier Assuérus couronne sa captive,
Et le Persan superbe est aux pieds d'une Juive.
Par quels secrets ressorts, par quel enchaînement
Le ciel a-t-il conduit ce grand événement?

ESTHER

Peut-être on t'a conté la fameuse disgrâce
De l'altière Vasthi, dont j'occupe la place,
Lorsque le Roi, contre elle enflammé de dépit,
La chassa de son trône, ainsi que de son lit.
Mais il ne put sitôt en bannir la pensée.
Vasthi régna longtemps dans son âme offensée.
Dans ses nombreux États il fallut donc chercher
Quelque nouvel objet qui l'en pût détacher.
De l'Inde à l'Hellespont ses esclaves coururent.
Les filles de l'Égypte à Suse comparurent.
Celles mêmes du Parthe et du Scythe indompté
Y briguèrent le sceptre offert à la beauté.
On m'élevait alors, solitaire et cachée,
Sous les yeux vigilants du sage Mardochée.
Tu sais combien je dois à ses heureux secours.
La mort m'avait ravi les auteurs de mes jours.
Mais lui, voyant en moi la fille de son frère,
Me tint lieu, chère Élise, et de père et de mère.
Du triste état des Juifs jour et nuit agité,
Il me tira du sein de mon obscurité,
Et sur mes faibles mains fondant leur délivrance,
Il me fit d'un Empire accepter l'espérance.
A ses desseins secrets tremblante j'obéis.
Je vins. Mais je cachais ma race et mon pays.
Qui pourrait cependant t'exprimer les cabales
Que formait en ces lieux ce peuple de rivales,
Qui toutes disputant un si grand intérêt,
Des yeux d'Assuérus attendaient leur arrêt?
Chacune avait sa brigue et de puissants suffrages:
L'une d'un sang fameux vantait les avantages;
L'autre, pour se parer de superbes atours,
Des plus adroites mains empruntait le secours.
Et moi, pour toute brigue et pour tout artifice,
De mes larmes au ciel j'offrais le sacrifice.
    Enfin on m'annonça l'ordre d'Assuérus.
Devant ce fier monarque, Élise, je parus.
Dieu tient le cœur des rois entre ses mains puissantes;

Il fait que tout prospère aux âmes innocentes,
Tandis qu'en ses projets l'orgueilleux est trompé.
De mes faibles attraits le Roi parut frappé.
Il m'observa longtemps dans un sombre silence;
Et le ciel, qui pour moi fit pencher la balance,
Dans ce temps-là sans doute agissait sur son cœur.
Enfin avec des yeux où régnait la douceur :
« Soyez reine », dit-il; et dès ce moment même
De sa main sur mon front posa son diadème.
Pour mieux faire éclater sa joie et son amour,
Il combla de présents tous les grands de sa cour;
Et même ses bienfaits, dans toutes ses provinces,
Invitèrent le peuple aux noces de leurs princes.
   Hélas! durant ces jours de joie et de festins,
Quelle était en secret ma honte et mes chagrins!
« Esther, disais-je, Esther dans la pourpre est assise;
La moitié de la terre à son sceptre est soumise;
Et de Jérusalem l'herbe cache les murs!
Sion, repaire affreux de reptiles impurs,
Voit de son temple saint les pierres dispersées,
Et du Dieu d'Israël les fêtes sont cessées! »

ÉLISE

N'avez-vous point au Roi confié vos ennuis ?

ESTHER

Le Roi, jusqu'à ce jour, ignore qui je suis.
Celui par qui le ciel règle ma destinée
Sur ce secret encor tient ma langue enchaînée.

ÉLISE

Mardochée ? Hé! peut-il approcher de ces lieux ?

ESTHER

Son amitié pour moi le rend ingénieux.
Absent, je le consulte; et ses réponses sages
Pour venir jusqu'à moi trouvent mille passages.
Un père a moins de soin du salut de son fils.
Déjà même, déjà par ses secrets avis,
J'ai découvert au Roi les sanglantes pratiques
Que formaient contre lui deux ingrats domestiques.
Cependant mon amour pour notre nation
A rempli ce palais de filles de Sion,
Jeunes et tendres fleurs, par le sort agitées,
Sous un ciel étranger comme moi transplantées.
Dans un lieu séparé de profanes témoins,

Je mets à les former mon étude et mes soins;
Et c'est là que fuyant l'orgueil du diadème,
Lasse de vains honneurs, et me cherchant moi-même,
Aux pieds de l'Éternel je viens m'humilier,
Et goûter le plaisir de me faire oublier.
Mais à tous les Persans je cache leurs familles.
Il faut les appeler. Venez, venez, mes filles,
Compagnes autrefois de ma captivité,
De l'antique Jacob jeune postérité.

SCÈNE II

ESTHER, ÉLISE, LE CHŒUR

UNE DES ISRAÉLITES *chante derrière le théâtre.*

Ma sœur, quelle voix nous appelle ?

UNE AUTRE

J'en reconnais les agréables sons.
C'est la Reine.

TOUTES DEUX

Courons, mes sœurs, obéissons.
La Reine nous appelle :
Allons, rangeons-nous auprès d'elle.

TOUT LE CHŒUR, *entrant sur la scène par plusieurs endroits différents.*

La Reine nous appelle :
Allons, rangeons-nous auprès d'elle.

ÉLISE

Ciel ! quel nombreux essaim d'innocentes beautés
S'offre à mes yeux en foule et sort de tous côtés !
Quelle aimable pudeur sur leur visage est peinte !
Prospérez, cher espoir d'une nation sainte.
Puissent jusques au ciel vos soupirs innocents
Monter comme l'odeur d'un agréable encens !
Que Dieu jette sur vous des regards pacifiques !

ESTHER

Mes filles, chantez-nous quelqu'un de ces cantiques
Où vos voix si souvent se mêlant à mes pleurs
De la triste Sion célèbrent les malheurs.

UNE ISRAÉLITE, *seule, chante.*

Déplorable Sion, qu'as-tu fait de ta gloire ?
 Tout l'univers admirait ta splendeur :
Tu n'es plus que poussière; et de cette grandeur
Il ne nous reste plus que la triste mémoire.
Sion, jusques au ciel élevée autrefois,
  Jusqu'aux enfers maintenant abaissée,
   Puissé-je demeurer sans voix,
  Si dans mes chants ta douleur retracée
Jusqu'au dernier soupir n'occupe ma pensée !

TOUT LE CHŒUR

O rives du Jourdain ! ô champs aimés des cieux !
  Sacrés monts, fertiles vallées,
  Par cent miracles signalées !
  Du doux pays de nos aïeux
  Serons-nous toujours exilées ?

UNE ISRAÉLITE, *seule.*

Quand verrai-je, ô Sion ! relever tes remparts,
  Et de tes tours les magnifiques faîtes ?
  Quand verrai-je de toutes parts
Tes peuples en chantant accourir à tes fêtes ?

TOUT LE CHŒUR

O rives du Jourdain ! ô champs aimés des cieux !
  Sacrés monts, fertiles vallées,
  Par cent miracles signalées !
  Du doux pays de nos aïeux
  Serons-nous toujours exilées ?

SCÈNE III

ESTHER, MARDOCHÉE, ÉLISE,
LE CHŒUR

ESTHER

Quel profane en ce lieu s'ose avancer vers nous ?
Que vois-je ? Mardochée ? O mon père, est-ce vous ?
Un ange du Seigneur sous son aile sacrée
A donc conduit vos pas et caché votre entrée ?
Mais d'où vient cet air sombre, et ce cilice affreux,
Et cette cendre enfin qui couvre vos cheveux ?
Que nous annoncez-vous ?

MARDOCHÉE

O Reine infortunée!
O d'un peuple innocent barbare destinée!
Lisez, lisez l'arrêt détestable, cruel.
Nous sommes tous perdus, et c'est fait d'Israël.

ESTHER

Juste ciel! tout mon sang dans mes veines se glace.

MARDOCHÉE

On doit de tous les Juifs exterminer la race.
Au sanguinaire Aman nous sommes tous livrés.
Les glaives, les couteaux sont déjà préparés.
Toute la nation à la fois est proscrite.
Aman, l'impie Aman, race d'Amalécite,
A pour ce coup funeste armé tout son crédit,
Et le Roi, trop crédule, a signé cet édit.
Prévenu contre nous par cette bouche impure,
Il nous croit en horreur à toute la nature.
Ses ordres sont donnés, et dans tous ses États
Le jour fatal est pris pour tant d'assassinats.
Cieux, éclairerez-vous cet horrible carnage ?
Le fer ne connaîtra ni le sexe, ni l'âge.
Tout doit servir de proie aux tigres, aux vautours;
Et ce jour effroyable arrive dans dix jours.

ESTHER

O Dieu, qui vois former des desseins si funestes,
As-tu donc de Jacob abandonné les restes ?

UNE DES PLUS JEUNES ISRAÉLITES

Ciel ? qui nous défendra, si tu ne nous défends ?

MARDOCHÉE

Laissez les pleurs, Esther, à ces jeunes enfants.
En vous est tout l'espoir de vos malheureux frères.
Il faut les secourir. Mais les heures sont chères :
Le temps vole, et bientôt amènera le jour
Où le nom des Hébreux doit périr sans retour.
Toute pleine du feu de tant de saints prophètes,
Allez, osez au Roi déclarer qui vous êtes.

ESTHER

Hélas! ignorez-vous quelles sévères lois
Aux timides mortels cachent ici les rois ?
Au fond de leur palais leur majesté terrible
Affecte à leurs sujets de se rendre invisible;
Et la mort est le prix de tout audacieux

Qui sans être appelé se présente à leurs yeux,
Si le Roi dans l'instant, pour sauver le coupable,
Ne lui donne à baiser son sceptre redoutable.
Rien ne met à l'abri de cet ordre fatal,
Ni le rang, ni le sexe; et le crime est égal.
Moi-même, sur son trône à ses côtés assise,
Je suis à cette loi comme une autre soumise;
Et sans le prévenir, il faut, pour lui parler,
Qu'il me cherche, ou du moins qu'il me fasse appeler.

MARDOCHÉE

Quoi! lorsque vous voyez périr votre patrie,
Pour quelque chose, Esther, vous comptez votre vie!
Dieu parle, et d'un mortel vous craignez le courroux!
Que dis-je? Votre vie, Esther, est-elle à vous?
N'est-elle pas au sang dont vous êtes issue?
N'est-elle pas à Dieu dont vous l'avez reçue?
Et qui sait, lorsqu'au trône il conduisit vos pas,
Si pour sauver son peuple il ne vous gardait pas?
   Songez-y bien. Ce Dieu ne vous a pas choisie
Pour être un vain spectacle aux peuples de l'Asie,
Ni pour charmer les yeux des profanes humains.
Pour un plus noble usage il réserve ses saints.
S'immoler pour son nom et pour son héritage,
D'un enfant d'Israël voilà le vrai partage.
Trop heureuse pour lui de hasarder vos jours!
Et quel besoin son bras a-t-il de nos secours?
Que peuvent contre lui tous les rois de la terre?
En vain ils s'uniraient pour lui faire la guerre:
Pour dissiper leur ligue il n'a qu'à se montrer;
Il parle, et dans la poudre il les fait tous rentrer.
Au seul son de sa voix la mer fuit, le ciel tremble;
Il voit comme un néant tout l'univers ensemble;
Et les faibles mortels, vains jouets du trépas,
Sont tous devant ses yeux comme s'ils n'étaient pas.
   S'il a permis d'Aman l'audace criminelle,
Sans doute qu'il voulait éprouver votre zèle.
C'est lui qui m'excitant à vous oser chercher,
Devant moi, chère Esther, a bien voulu marcher;
Et s'il faut que sa voix frappe en vain vos oreilles,
Nous n'en verrons pas moins éclater ses merveilles.
Il peut confondre Aman, il peut briser nos fers
Par la plus faible main qui soit dans l'univers.
Et vous, qui n'aurez point accepté cette grâce,
Vous périrez peut-être, et toute votre race.

ESTHER

Allez. Que tous les Juifs dans Suse répandus,
A prier avec vous jour et nuit assidus,
Me prêtent de leurs vœux le secours salutaire,
Et pendant ces trois jours gardent un jeûne austère.
Déjà la sombre nuit a commencé son tour :
Demain, quand le soleil rallumera le jour,
Contente de périr, s'il faut que je périsse,
J'irai pour mon pays m'offrir en sacrifice.
Qu'on s'éloigne un moment.

Le chœur se retire vers le fond du théâtre.

SCÈNE IV

ESTHER, ÉLISE, LE CHŒUR

ESTHER

O mon souverain Roi !
Me voici donc tremblante et seule devant toi.
Mon père mille fois m'a dit dans mon enfance,
Qu'avec nous tu juras une sainte alliance,
Quand pour te faire un peuple agréable à tes yeux,
Il plut à ton amour de choisir nos aïeux.
Même tu leur promis de ta bouche sacrée
Une postérité d'éternelle durée.
Hélas ! ce peuple ingrat a méprisé ta loi ;
La nation chérie a violé sa foi ;
Elle a répudié son époux et son père,
Pour rendre à d'autres dieux un honneur adultère.
Maintenant elle sert sous un maître étranger.
Mais c'est peu d'être esclave, on la veut égorger.
Nos superbes vainqueurs, insultant à nos larmes,
Imputent à leurs dieux le bonheur de leurs armes,
Et veulent aujourd'hui qu'un même coup mortel
Abolisse ton nom, ton peuple et ton autel.
Ainsi donc un perfide, après tant de miracles,
Pourrait anéantir la foi de tes oracles ?
Ravirait aux mortels le plus cher de tes dons,
Le saint que tu promets et que nous attendons ?
Non, non, ne souffre pas que ces peuples farouches,
Ivres de notre sang, ferment les seules bouches
Qui dans tout l'univers célèbrent tes bienfaits,
Et confonds tous ces dieux qui ne furent jamais.

Pour moi, que tu retiens parmi ces infidèles,
Tu sais combien je hais leurs fêtes criminelles,
Et que je mets au rang des profanations
Leur table, leurs festins et leurs libations ;
Que même cette pompe où je suis condamnée,
Ce bandeau, dont il faut que je paraisse ornée
Dans ces jours solennels à l'orgueil dédiés,
Seule et dans le secret je le foule à mes pieds ;
Qu'à ces vains ornements je préfère la cendre,
Et n'ai de goût qu'aux pleurs que tu me vois répandre.
J'attendais le moment marqué dans ton arrêt,
Pour oser de ton peuple embrasser l'intérêt.
Ce moment est venu. Ma prompte obéissance
Va d'un roi redoutable affronter la présence.
C'est pour toi que je marche. Accompagne mes pas
Devant ce fier lion qui ne te connaît pas,
Commande en me voyant que son courroux s'apaise,
Et prête à mes discours un charme qui lui plaise.
Les orages, les vents, les cieux te sont soumis :
Tourne enfin sa fureur contre nos ennemis.

SCÈNE V

LE CHŒUR
Toute cette scène est chantée.

UNE ISRAÉLITE, *seule.*

Pleurons et gémissons, mes fidèles compagnes.
   A nos sanglots donnons un libre cours.
   Levons les yeux vers les saintes montagnes
   D'où l'innocence attend tout son secours.
     O mortelles alarmes !
Tout Israël périt. Pleurez, mes tristes yeux.
    Il ne fut jamais sous les cieux
    Un si juste sujet de larmes.

TOUT LE CHŒUR

   O mortelles alarmes !

UNE AUTRE ISRAÉLITE

N'était-ce pas assez qu'un vainqueur odieux
De l'auguste Sion eût détruit tous les charmes,
Et traîné ses enfants captifs en mille lieux ?

TOUT LE CHŒUR

O mortelles alarmes !

LA MÊME ISRAÉLITE

Faibles agneaux livrés à des loups furieux,
Nos soupirs sont nos seules armes.

TOUT LE CHŒUR

O mortelles alarmes !

UNE DES ISRAÉLITES

Arrachons, déchirons tous ces vains ornements
Qui parent notre tête.

UNE AUTRE

Revêtons-nous d'habillements
Conformes à l'horrible fête
Que l'impie Aman nous apprête.

TOUT LE CHŒUR

Arrachons, déchirons tous ces vains ornements
Qui parent notre tête.

UNE ISRAÉLITE, *seule*.

Quel carnage de toutes parts !
On égorge à la fois les enfants, les vieillards,
Et la sœur et le frère,
Et la fille et la mère,
Le fils dans les bras de son père.
Que de corps entassés ! Que de membres épars,
Privés de sépulture !
Grand Dieu ! tes saints sont la pâture
Des tigres et des léopards.

UNE DES PLUS JEUNES ISRAÉLITES

Hélas ! si jeune encore,
Par quel crime ai-je pu mériter mon malheur ?
Ma vie à peine a commencé d'éclore.
Je tomberai comme une fleur
Qui n'a vu qu'une aurore.
Hélas ! si jeune encore,
Par quel crime ai-je pu mériter mon malheur ?

UNE AUTRE

Des offenses d'autrui malheureuses victimes,
Que nous servent, hélas ! ces regrets superflus ?

Nos pères ont péché, nos pères ne sont plus,
   Et nous portons la peine de leurs crimes.

TOUT LE CHŒUR

Le Dieu que nous servons est le Dieu des combats :
   Non, non, il ne souffrira pas
   Qu'on égorge ainsi l'innocence.

UNE ISRAÉLITE, *seule.*

Hé quoi ? dirait l'impiété,
   Où donc est-il ce Dieu si redouté
   Dont Israël nous vantait la puissance ?

UNE AUTRE

Ce Dieu jaloux, ce Dieu victorieux,
   Frémissez, peuples de la terre,
Ce Dieu jaloux, ce Dieu victorieux
   Est le seul qui commande aux cieux.
   Ni les éclairs ni le tonnerre
   N'obéissent point à vos dieux.

UNE AUTRE

Il renverse l'audacieux.

UNE AUTRE

Il prend l'humble sous sa défense.

TOUT LE CHŒUR

Le Dieu que nous servons est le Dieu des combats :
   Non, non, il ne souffrira pas
   Qu'on égorge ainsi l'innocence.

DEUX ISRAÉLITES

O Dieu, que la gloire couronne,
   Dieu, que la lumière environne,
   Qui voles sur l'aile des vents,
   Et dont le trône est porté par les anges !

DEUX AUTRES DES PLUS JEUNES

Dieu, qui veux bien que de simples enfants
   Avec eux chantent tes louanges.

TOUT LE CHŒUR

Tu vois nos pressants dangers :
   Donne à ton nom la victoire;
   Ne souffre point que ta gloire
   Passe à des dieux étrangers.

UNE ISRAÉLITE, *seule*.

Arme-toi, viens nous défendre :
Descends, tel qu'autrefois la mer te vit descendre.
Que les méchants apprennent aujourd'hui
          A craindre ta colère.
Qu'ils soient comme la poudre et la paille légère
          Que le vent chasse devant lui.

TOUT LE CHŒUR

Tu vois nos pressants dangers :
Donne à ton nom la victoire;
Ne souffre point que ta gloire
Passe à des dieux étrangers.

ACTE II

Le théâtre représente la chambre où est le trône d'Assuérus.

SCÈNE PREMIÈRE
AMAN, HYDASPE

AMAN

Hé quoi ? lorsque le jour ne commence qu'à luire,
Dans ce lieu redoutable oses-tu m'introduire ?

HYDASPE

Vous savez qu'on s'en peut reposer sur ma foi,
Que ces portes, Seigneur, n'obéissent qu'à moi.
Venez. Partout ailleurs on pourrait nous entendre.

AMAN

Quel est donc le secret que tu me veux apprendre ?

HYDASPE

Seigneur, de vos bienfaits mille fois honoré,
Je me souviens toujours que je vous ai juré
D'exposer à vos yeux par des avis sincères
Tout ce que ce palais renferme de mystères.
Le Roi d'un noir chagrin paraît enveloppé.
Quelque songe effrayant cette nuit l'a frappé.
Pendant que tout gardait un silence paisible,

Sa voix s'est fait entendre avec un cri terrible.
J'ai couru. Le désordre était dans ses discours.
Il s'est plaint d'un péril qui menaçait ses jours :
Il parlait d'ennemi, de ravisseur farouche;
Même le nom d'Esther est sorti de sa bouche.
Il a dans ces horreurs passé toute la nuit.
Enfin, las d'appeler un sommeil qui le fuit,
Pour écarter de lui ces images funèbres,
Il s'est fait apporter ces annales célèbres
Où les faits de son règne, avec soin amassés,
Par de fidèles mains chaque jour sont tracés.
On y conserve écrits le service et l'offense,
Monuments éternels d'amour et de vengeance.
Le Roi, que j'ai laissé plus calme dans son lit,
D'une oreille attentive écoute ce récit.

AMAN

De quel temps de sa vie a-t-il choisi l'histoire ?

HYDASPE

Il revoit tous ces temps si remplis de sa gloire,
Depuis le fameux jour qu'au trône de Cyrus
Le choix du sort plaça l'heureux Assuérus.

AMAN

Ce songe, Hydaspe, est donc sorti de son idée ?

HYDASPE

Entre tous les devins fameux dans la Chaldée,
Il a fait assembler ceux qui savent le mieux
Lire en un songe obscur les volontés des cieux.
Mais quel trouble vous-même aujourd'hui vous agite ?
Votre âme, en m'écoutant, paraît toute interdite.
L'heureux Aman a-t-il quelques secrets ennuis ?

AMAN

Peux-tu le demander dans la place où je suis,
Haï, craint, envié, souvent plus misérable
Que tous les malheureux que mon pouvoir accable ?

HYDASPE

Hé! qui jamais du ciel eut des regards plus doux ?
Vous voyez l'univers prosterné devant vous.

AMAN

L'univers ? Tous les jours un homme... un vil esclave,
D'un front audacieux me dédaigne et me brave.

HYDASPE

Quel est cet ennemi de l'État et du Roi ?

AMAN

Le nom de Mardochée est-il connu de toi ?

HYDASPE

Qui ? Ce chef d'une race abominable, impie ?

AMAN

Oui, lui-même.

HYDASPE

Hé, Seigneur ! d'une si belle vie
Un si faible ennemi peut-il troubler la paix ?

AMAN

L'insolent devant moi ne se courba jamais.
En vain de la faveur du plus grand des monarques
Tout révère à genoux les glorieuses marques.
Lorsque d'un saint respect tous les Persans touchés
N'osent lever leurs fronts à la terre attachés,
Lui, fièrement assis, et la tête immobile,
Traite tous ces honneurs d'impiété servile,
Présente à mes regards un front séditieux,
Et ne daignerait pas au moins baisser les yeux.
Du palais cependant il assiège la porte :
A quelque heure que j'entre, Hydaspe, ou que je sorte,
Son visage odieux m'afflige et me poursuit ;
Et mon esprit troublé le voit encor la nuit.
Ce matin j'ai voulu devancer la lumière :
Je l'ai trouvé couvert d'une affreuse poussière,
Revêtu de lambeaux, tout pâle. Mais son œil
Conservait sous la cendre encor le même orgueil.
D'où lui vient, cher ami, cette impudente audace ?
Toi, qui dans ce palais vois tout ce qui se passe,
Crois-tu que quelque voix ose parler pour lui ?
Sur quel roseau fragile a-t-il mis son appui ?

HYDASPE

Seigneur, vous le savez, son avis salutaire
Découvrit de Tharès le complot sanguinaire.
Le Roi promit alors de le récompenser.
Le Roi, depuis ce temps, paraît n'y plus penser.

AMAN

Non, il faut à tes yeux dépouiller l'artifice.
J'ai su de mon destin corriger l'injustice.

Dans les mains des Persans jeune enfant apporté,
Je gouverne l'Empire où je fus acheté.
Mes richesses des rois égalent l'opulence.
Environné d'enfants, soutiens de ma puissance,
Il ne manque à mon front que le bandeau royal.
Cependant, des mortels aveuglement fatal!
De cet amas d'honneurs la douceur passagère
Fait sur mon cœur à peine une atteinte légère;
Mais Mardochée, assis aux portes du palais,
Dans ce cœur malheureux enfonce mille traits;
Et toute ma grandeur me devient insipide,
Tandis que le soleil éclaire ce perfide.

HYDASPE

Vous serez de sa vue affranchi dans dix jours :
La nation entière est promise aux vautours.

AMAN

Ah! que ce temps est long à mon impatience!
C'est lui, je te veux bien confier ma vengeance,
C'est lui qui, devant moi refusant de ployer,
Les a livrés au bras qui les va foudroyer.
C'était trop peu pour moi d'une telle victime :
La vengeance trop faible attire un second crime.
Un homme tel qu'Aman, lorsqu'on l'ose irriter,
Dans sa juste fureur ne peut trop éclater.
Il faut des châtiments dont l'univers frémisse;
Qu'on tremble en comparant l'offense et le supplice;
Que les peuples entiers dans le sang soient noyés.
Je veux qu'on dise un jour aux siècles effrayés :
Il fut des Juifs. Il fut une insolente race.
Répandus sur la terre, ils en couvraient la face.
Un seul osa d'Aman attirer le courroux,
Aussitôt de la terre ils disparurent tous.

HYDASPE

Ce n'est donc pas, Seigneur, le sang amalécite
Dont la voix à les perdre en secret vous excite ?

AMAN

Je sais que descendu de ce sang malheureux,
Une éternelle haine a dû m'armer contre eux;
Qu'ils firent d'Amalec un indigne carnage;
Que jusqu'aux vils troupeaux, tout éprouva leur rage;
Qu'un déplorable reste à peine fut sauvé.
Mais, crois-moi, dans le rang où je suis élevé,
Mon âme, à ma grandeur tout entière attachée,

Des intérêts du sang est faiblement touchée.
Mardochée est coupable, et que faut-il de plus ?
Je prévins donc contre eux l'esprit d'Assuérus :
J'inventai des couleurs; j'armai la calomnie;
J'intéressai sa gloire; il trembla pour sa vie.
Je les peignis puissants, riches, séditieux;
Leur dieu même ennemi de tous les autres dieux.
Jusqu'à quand souffre-t-on que ce peuple respire,
Et d'un culte profane infecte votre Empire ?
Étrangers dans la Perse, à nos lois opposés,
Du reste des humains ils semblent divisés,
N'aspirent qu'à troubler le repos où nous sommes,
Et détestés partout, détestent tous les hommes.
Prévenez, punissez leurs insolents efforts;
De leur dépouille enfin grossissez vos trésors.
Je dis, et l'on me crut. Le Roi, dès l'heure même,
Mit dans ma main le sceau de son pouvoir suprême :
Assure, me dit-il, *le repos de ton roi;*
Va, perds ces malheureux : leur dépouille est à toi.
Toute la nation fut ainsi condamnée.
Du carnage avec lui je réglai la journée.
Mais de ce traître enfin le trépas différé
Fait trop souffrir mon cœur de son sang altéré.
Un je ne sais quel trouble empoisonne ma joie.
Pourquoi dix jours encor faut-il que je le voie ?

HYDASPE

Et ne pouvez-vous pas d'un mot l'exterminer ?
Dites au Roi, Seigneur, de vous l'abandonner.

AMAN

Je viens pour épier le moment favorable.
Tu connais comme moi ce prince inexorable.
Tu sais combien terrible en ses soudains transports,
De nos desseins souvent il rompt tous les ressorts.
Mais à me tourmenter ma crainte est trop subtile :
Mardochée à ses yeux est une âme trop vile.

HYDASPE

Que tardez-vous ? Allez, et faites promptement
Élever de sa mort le honteux instrument.

AMAN

J'entends du bruit; je sors. Toi, si le Roi m'appelle...

HYDASPE

Il suffit.

SCÈNE II

ASSUÉRUS, HYDASPE, ASAPH,
SUITE D'ASSUÉRUS

ASSUÉRUS

Ainsi donc, sans cet avis fidèle,
Deux traîtres dans son lit assassinaient leur roi ?
Qu'on me laisse, et qu'Asaph seul demeure avec moi.

SCÈNE III

ASSUÉRUS, ASAPH

ASSUÉRUS, *assis sur son trône.*

Je veux bien l'avouer : de ce couple perfide
J'avais presque oublié l'attentat parricide;
Et j'ai pâli deux fois au terrible récit
Qui vient d'en retracer l'image à mon esprit.
Je vois de quel succès leur fureur fut suivie,
Et que dans les tourments ils laissèrent la vie.
Mais ce sujet zélé qui, d'un œil si subtil,
Sut de leur noir complot développer le fil,
Qui me montra sur moi leur main déjà levée,
Enfin par qui la Perse avec moi fut sauvée,
Quel honneur pour sa foi, quel prix a-t-il reçu ?

ASAPH

On lui promit beaucoup : c'est tout ce que j'ai su.

ASSUÉRUS

O d'un si grand service oubli trop condamnable !
Des embarras du trône effet inévitable !
De soins tumultueux un prince environné
Vers de nouveaux objets est sans cesse entraîné;
L'avenir l'inquiète, et le présent le frappe;
Mais plus prompt que l'éclair, le passé nous échappe.
Et de tant de mortels à toute heure empressés
A nous faire valoir leurs soins intéressés,
Il ne s'en trouve point qui, touchés d'un vrai zèle,
Prennent à notre gloire un intérêt fidèle;

Du mérite oublié nous fassent souvenir;
Trop prompts à nous parler de ce qu'il faut punir!
Ah! que plutôt l'injure échappe à ma vengeance
Qu'un si rare bienfait à ma reconnaissance.
Et qui voudrait jamais s'exposer pour son roi ?
Ce mortel, qui montra tant de zèle pour moi,
Vit-il encore ?

ASAPH

Il voit l'astre qui vous éclaire.

ASSUÉRUS

Et que n'a-t-il plus tôt demandé son salaire ?
Quel pays reculé le cache à mes bienfaits ?

ASAPH

Assis le plus souvent aux portes du palais,
Sans se plaindre de vous, ni de sa destinée,
Il y traîne, Seigneur, sa vie infortunée.

ASSUÉRUS

Et je dois d'autant moins oublier la vertu,
Qu'elle-même s'oublie. Il se nomme, dis-tu ?

ASAPH

Mardochée est le nom que je viens de vous lire.

ASSUÉRUS

Et son pays ?

ASAPH

Seigneur, puisqu'il faut vous le dire,
C'est un de ces captifs à périr destinés,
Des rives du Jourdain sur l'Euphrate amenés.

ASSUÉRUS

Il est donc Juif ? O ciel ! Sur le point que la vie
Par mes propres sujets m'allait être ravie,
Un Juif rend par ses soins leurs efforts impuissants ?
Un Juif m'a préservé du glaive des Persans ?
Mais puisqu'il m'a sauvé, quel qu'il soit, il n'importe.
Holà! quelqu'un.

SCÈNE IV

ASSUÉRUS, HYDASPE, ASAPH

HYDASPE

Seigneur.

ASSUÉRUS

Regarde à cette porte.
Vois s'il s'offre à tes yeux quelque grand de ma cour.

HYDASPE

Aman à votre porte a devancé le jour.

ASSUÉRUS

Qu'il entre. Ses avis m'éclaireront peut-être.

SCÈNE V

ASSUÉRUS, AMAN, HYDASPE, ASAPH

ASSUÉRUS

Approche, heureux appui du trône de ton maître,
Ame de mes conseils, et qui seul tant de fois
Du sceptre dans ma main as soulagé le poids.
Un reproche secret embarrasse mon âme.
Je sais combien est pur le zèle qui t'enflamme :
Le mensonge jamais n'entra dans tes discours,
Et mon intérêt seul est le but où tu cours.
Dis-moi donc : que doit faire un prince magnanime
Qui veut combler d'honneurs un sujet qu'il estime ?
Par quel gage éclatant et digne d'un grand roi
Puis-je récompenser le mérite et la foi ?
Ne donne point de borne à ma reconnaissance :
Mesure tes conseils sur ma vaste puissance.

AMAN, *tout bas.*

C'est pour toi-même, Aman, que tu vas prononcer;
Et quel autre que toi peut-on récompenser?

ASSUÉRUS

Que penses-tu ?

AMAN

Seigneur, je cherche, j'envisage
Des monarques persans la conduite et l'usage.
Mais à mes yeux en vain je les rappelle tous :
Pour vous régler sur eux que sont-ils près de vous ?
Votre règne aux neveux doit servir de modèle.
Vous voulez d'un sujet reconnaître le zèle;
L'honneur seul peut flatter un esprit généreux :
Je voudrais donc, Seigneur, que ce mortel heureux,
De la pourpre aujourd'hui paré comme vous-même,
Et portant sur le front le sacré diadème,
Sur un de vos coursiers pompeusement orné,
Aux yeux de vos sujets dans Suse fût mené;
Que pour comble de gloire et de magnificence,
Un seigneur éminent en richesse, en puissance,
Enfin de votre Empire après vous le premier,
Par la bride guidât son superbe coursier;
Et lui-même, marchant en habits magnifiques,
Criât à haute voix dans les places publiques :
Mortels, prosternez-vous : c'est ainsi que le Roi
Honore le mérite et couronne la foi.

ASSUÉRUS

Je vois que la sagesse elle-même t'inspire.
Avec mes volontés ton sentiment conspire.
Va, ne perds point ton temps. Ce que tu m'as dicté,
Je veux de point en point qu'il soit exécuté.
La vertu dans l'oubli ne sera plus cachée.
Aux portes du palais prends le Juif Mardochée :
C'est lui que je prétends honorer aujourd'hui.
Ordonne son triomphe, et marche devant lui.
Que Suse par ta voix de son nom retentisse,
Et fais à son aspect que tout genou fléchisse.
Sortez tous.

AMAN

Dieux!

SCÈNE VI

ASSUÉRUS, *seul.*

Le prix est sans doute inouï :
Jamais d'un tel honneur un sujet n'a joui.
Mais plus la récompense est grande et glorieuse,
Plus même de ce Juif la race est odieuse,

Plus j'assure ma vie, et montre avec éclat
Combien Assuérus redoute d'être ingrat.
On verra l'innocent discerné du coupable.
Je n'en perdrai pas moins ce peuple abominable.
Leurs crimes...

SCÈNE VII

ASSUÉRUS, ESTHER, ÉLISE, THAMAR,
PARTIE DU CHŒUR

*Esther entre, s'appuyant sur Élise ; quatre Israélites
soutiennent sa robe.*

ASSUÉRUS

Sans mon ordre on porte ici ses pas ?
Quel mortel insolent vient chercher le trépas ?
Gardes! C'est vous, Esther ? Quoi ? sans être attendue ?

ESTHER

Mes filles, soutenez votre reine éperdue.
Je me meurs.

Elle tombe évanouie.

ASSUÉRUS

Dieux puissants! Quelle étrange pâleur
De son teint tout à coup efface la couleur ?
Esther, que craignez-vous ? Suis-je pas votre frère ?
Est-ce pour vous qu'est fait un ordre si sévère ?
Vivez, le sceptre d'or, que vous tend cette main,
Pour vous de ma clémence est un gage certain.

ESTHER

Quelle voix salutaire ordonne que je vive,
Et rappelle en mon sein mon âme fugitive ?

ASSUÉRUS

Ne connaissez-vous pas la voix de votre époux ?
Encore un coup, vivez, et revenez à vous.

ESTHER

Seigneur, je n'ai jamais contemplé qu'avec crainte
L'auguste majesté sur votre front empreinte :
Jugez combien ce front irrité contre moi
Dans mon âme troublée a dû jeter d'effroi.
Sur ce trône sacré, qu'environne la foudre,
J'ai cru vous voir tout prêt à me réduire en poudre.

Hélas! sans frissonner, quel cœur audacieux
Soutiendrait les éclairs qui partaient de vos yeux ?
Ainsi du Dieu vivant la colère étincelle...

ASSUÉRUS

O soleil! O flambeaux de lumière immortelle!
Je me trouble moi-même, et sans frémissement
Je ne puis voir sa peine et son saisissement.
Calmez, Reine, calmez la frayeur qui vous presse;
Du cœur d'Assuérus souveraine maîtresse,
Éprouvez seulement son ardente amitié.
Faut-il de mes États vous donner la moitié ?

ESTHER

Hé! se peut-il qu'un roi craint de la terre entière,
Devant qui tout fléchit et baise la poussière,
Jette sur son esclave un regard si serein,
Et m'offre sur son cœur un pouvoir souverain ?

ASSUÉRUS

Croyez-moi, chère Esther, ce sceptre, cet Empire,
Et ces profonds respects que la terreur inspire,
A leur pompeux éclat mêlent peu de douceur,
Et fatiguent souvent leur triste possesseur.
Je ne trouve qu'en vous je ne sais quelle grâce
Qui me charme toujours et jamais ne me lasse.
De l'aimable vertu doux et puissants attraits!
Tout respire en Esther l'innocence et la paix,
Du chagrin le plus noir elle écarte les ombres,
Et fait des jours sereins de mes jours les plus sombres.
Que dis-je ? sur ce trône assis auprès de vous,
Des astres ennemis j'en crains moins le courroux,
Et crois que votre front prête à mon diadème
Un éclat qui le rend respectable aux Dieux même.
Osez donc me répondre, et ne me cachez pas
Quel sujet important conduit ici vos pas.
Quel intérêt, quels soins vous agitent, vous pressent ?
Je vois qu'en m'écoutant vos yeux au ciel s'adressent.
Parlez : de vos désirs le succès est certain,
Si ce succès dépend d'une mortelle main.

ESTHER

O bonté qui m'assure autant qu'elle m'honore!
Un intérêt pressant veut que je vous implore.
J'attends ou mon malheur ou ma félicité;
Et tout dépend, Seigneur, de votre volonté.

Un mot de votre bouche, en terminant mes peines,
Peut rendre Esther heureuse entre toutes les reines.

ASSUÉRUS

Ah! que vous enflammez mon désir curieux!

ESTHER

Seigneur, si j'ai trouvé grâce devant vos yeux,
Si jamais à mes vœux vous fûtes favorable,
Permettez avant tout qu'Esther puisse à sa table
Recevoir aujourd'hui son souverain seigneur,
Et qu'Aman soit admis à cet excès d'honneur.
J'oserai devant lui rompre ce grand silence,
Et j'ai, pour m'expliquer, besoin de sa présence.

ASSUÉRUS

Dans quelle inquiétude, Esther, vous me jetez!
Toutefois qu'il soit fait comme vous souhaitez.

A ceux de sa suite.

Vous, que l'on cherche Aman; et qu'on lui fasse entendre
Qu'invité chez la Reine, il ait soin de s'y rendre.

HYDASPE

Les savants Chaldéens, par votre ordre appelés,
Dans cet appartement, Seigneur, sont assemblés.

ASSUÉRUS

Princesse, un songe étrange occupe ma pensée.
Vous-même en leur réponse êtes intéressée.
Venez, derrière un voile écoutant leurs discours,
De vos propres clartés me prêter le secours.
Je crains pour vous, pour moi, quelque ennemi perfide.

ESTHER

Suis-moi, Thamar. Et vous, troupe jeune et timide,
Sans craindre ici les yeux d'une profane cour,
A l'abri de ce trône attendez mon retour.

SCÈNE VIII

ÉLISE, PARTIE DU CHŒUR

*Cette scène est partie déclamée sans chant,
et partie chantée.*

ÉLISE

Que vous semble, mes sœurs, de l'état où nous sommes ?
  D'Esther, d'Aman, qui le doit emporter ?
    Est-ce Dieu, sont-ce les hommes
    Dont les œuvres vont éclater ?
    Vous avez vu quelle ardente colère
Allumait de ce roi le visage sévère.

UNE DES ISRAÉLITES

Des éclairs de ses yeux l'œil était ébloui.

UNE AUTRE

Et sa voix m'a paru comme un tonnerre horrible.

ÉLISE

    Comment ce courroux si terrible
    En un moment s'est-il évanoui ?

UNE DES ISRAÉLITES *chante*.

Un moment a changé ce courage inflexible.
Le lion rugissant est un agneau paisible.
Dieu, notre Dieu sans doute a versé dans son cœur
    Cet esprit de douceur.

LE CHŒUR *chante*.

Dieu, notre Dieu sans doute a versé dans son cœur
    Cet esprit de douceur.

LA MÊME ISRAÉLITE *chante*.

    Tel qu'un ruisseau docile
Obéit à la main qui détourne son cours,
Et laissant de ses eaux partager le secours,
    Va rendre tout un champ fertile,
Dieu, de nos volontés arbitre souverain,
    Le cœur des rois est ainsi dans ta main.

ÉLISE

Ah! que je crains, mes sœurs, les funestes nuages
 Qui de ce prince obscurcissent les yeux!
Comme il est aveuglé du culte de ses dieux!

UNE ISRAÉLITE

Il n'atteste jamais que leurs noms odieux.

UNE AUTRE

Aux feux inanimés dont se parent les cieux
 Il rend de profanes hommages.

UNE AUTRE

Tout son palais est plein de leurs images.

LE CHŒUR *chante.*

Malheureux! vous quittez le maître des humains
 Pour adorer l'ouvrage de vos mains!

UNE ISRAÉLITE *chante.*

Dieu d'Israël, dissipe enfin cette ombre.
Des larmes de tes saints quand seras-tu touché?
 Quand sera le voile arraché
Qui sur tout l'univers jette une nuit si sombre?
 Dieu d'Israël, dissipe enfin cette ombre:
 Jusqu'à quand seras-tu caché?

UNE DES PLUS JEUNES ISRAÉLITES

Parlons plus bas, mes sœurs. Ciel! si quelque infidèle,
Écoutant nos discours, nous allait déceler!

ÉLISE

Quoi! fille d'Abraham, une crainte mortelle
 Semble déjà vous faire chanceler!
Hé! si l'impie Aman, dans sa main homicide
Faisant luire à vos yeux un glaive menaçant,
 A blasphémer le nom du Tout-Puissant
 Voulait forcer votre bouche timide?

UNE AUTRE ISRAÉLITE

Peut-être Assuérus, frémissant de courroux,
 Si nous ne courbons les genoux
 Devant une muette idole,
 Commandera qu'on nous immole.
 Chère sœur, que choisirez-vous?

LA JEUNE ISRAÉLITE

Moi! je pourrais trahir le Dieu que j'aime ?
J'adorerais un dieu sans force et sans vertu,
Reste d'un tronc par les vents abattu,
Qui ne peut se sauver lui-même ?

LE CHŒUR *chante.*   [implorent

Dieux impuissants, dieux sourds, tous ceux qui vous
Ne seront jamais entendus.
Que les démons, et ceux qui les adorent,
Soient à jamais détruits et confondus.

UNE ISRAÉLITE *chante.*

Que ma bouche et mon cœur, et tout ce que je suis,
Rendent honneur au Dieu qui m'a donné la vie.
Dans les craintes, dans les ennuis,
En ses bontés mon âme se confie.
Veut-il par mon trépas que je le glorifie ?
Que ma bouche et mon cœur, et tout ce que je suis,
Rendent honneur au Dieu qui m'a donné la vie ?

ÉLISE

Je n'admirai jamais la gloire de l'impie.

UNE AUTRE ISRAÉLITE

Au bonheur du méchant qu'une autre porte envie.

ÉLISE

Tous ses jours paraissent charmants ;
L'or éclate en ses vêtements ;
Son orgueil est sans borne ainsi que sa richesse ;
Jamais l'air n'est troublé de ses gémissements ;
Il s'endort, il s'éveille au son des instruments ;
Son cœur nage dans la mollesse.

UNE AUTRE ISRAÉLITE

Pour comble de prospérité,
Il espère revivre en sa postérité ;
Et d'enfants à sa table une riante troupe
Semble boire avec lui la joie à pleine coupe.

LE CHŒUR *(Tout ce reste est chanté.)*

Heureux, dit-on, le peuple florissant
Sur qui ces biens coulent en abondance !
Plus heureux le peuple innocent
Qui dans le Dieu du ciel a mis sa confiance !

UNE ISRAÉLITE, *seule.*
Pour contenter ses frivoles désirs,
L'homme insensé vainement se consume :
　　Il trouve l'amertume
　　Au milieu des plaisirs.

UNE AUTRE, *seule.*
Le bonheur de l'impie est toujours agité ;
Il erre à la merci de sa propre inconstance.
　　Ne cherchons la félicité
　　Que dans la paix de l'innocence.

LA MÊME, *avec une autre.*
　　O douce paix !
　　O lumière éternelle !
　　Beauté toujours nouvelle !
Heureux le cœur épris de tes attraits !
　　O douce paix !
　　O lumière éternelle !
Heureux le cœur qui ne te perd jamais !

LE CHŒUR
　　O douce paix !
　　O lumière éternelle !
　　Beauté toujours nouvelle !
　　O douce paix !
Heureux le cœur qui ne te perd jamais !

LA MÊME, *seule.*
Nulle paix pour l'impie. Il la cherche ; elle fuit ;
Et le calme en son cœur ne trouve point de place.
　　Le glaive au-dehors le poursuit ;
　　Le remords au-dedans le glace.

UNE AUTRE
La gloire des méchants en un moment s'éteint.
　　L'affreux tombeau pour jamais les dévore.
Il n'en est pas ainsi de celui qui te craint :
　　Il renaîtra, mon Dieu, plus brillant que l'aurore.

LE CHŒUR
　　O douce paix !
Heureux le cœur qui ne te perd jamais !

ÉLISE, *sans chanter.*
Mes sœurs, j'entends du bruit dans la chambre prochaine.
On nous appelle : allons rejoindre notre reine.

ACTE III

Le théâtre représente les jardins d'Esther et un des côtés du salon où se fait le festin.

SCÈNE PREMIÈRE

AMAN, ZARÈS

ZARÈS

C'est donc ici d'Esther le superbe jardin,
Et ce salon pompeux est le lieu du festin.
Mais tandis que la porte en est encor fermée,
Écoutez les conseils d'une épouse alarmée.
Au nom du sacré nœud qui me lie avec vous,
Dissimulez, Seigneur, cet aveugle courroux;
Éclaircissez ce front où la tristesse est peinte :
Les rois craignent surtout le reproche et la plainte.
Seul entre tous les grands par la Reine invité,
Ressentez donc aussi cette félicité.
Si le mal vous aigrit, que le bienfait vous touche.
Je l'ai cent fois appris de votre propre bouche :
Quiconque ne sait pas dévorer un affront,
Ni de fausses couleurs se déguiser le front,
Loin de l'aspect des rois qu'il s'écarte, qu'il fuie.
Il est des contretemps qu'il faut qu'un sage essuie.
Souvent avec prudence un outrage enduré
Aux honneurs les plus hauts a servi de degré.

AMAN

O douleur! ô supplice affreux à la pensée!
O honte, qui jamais ne peut être effacée!
Un exécrable Juif, l'opprobre des humains,
S'est donc vu de la pourpre habillé par mes mains ?
C'est peu qu'il ait sur moi remporté la victoire;
Malheureux, j'ai servi de héraut à sa gloire.
Le traître! Il insultait à ma confusion.
Et tout le peuple même avec dérision,
Observant la rougeur qui couvrait mon visage,
De ma chute certaine en tirait le présage.

Roi cruel! ce sont là les jeux où tu te plais.
Tu ne m'as prodigué tes perfides bienfaits
Que pour me faire mieux sentir ta tyrannie,
Et m'accabler enfin de plus d'ignominie.

ZARÈS

Pourquoi juger si mal de son intention;
Il croit récompenser une bonne action.
Ne faut-il pas, Seigneur, s'étonner au contraire
Qu'il en ait si longtemps différé le salaire ?
Du reste, il n'a rien fait que par votre conseil.
Vous-même avez dicté tout ce triste appareil.
Vous êtes après lui le premier de l'Empire.
Sait-il toute l'horreur que ce Juif vous inspire ?

AMAN

Il sait qu'il me doit tout, et que pour sa grandeur
J'ai foulé sous les pieds remords, crainte, pudeur;
Qu'avec un cœur d'airain exerçant sa puissance,
J'ai fait taire les lois et gémir l'innocence.
Que pour lui des Persans bravant l'aversion,
J'ai chéri, j'ai cherché la malédiction.
Et pour prix de ma vie à leur haine exposée,
Le barbare aujourd'hui m'expose à leur risée!

ZARÈS

Seigneur, nous sommes seuls. Que sert de se flatter ?
Ce zèle que pour lui vous fîtes éclater,
Ce soin d'immoler tout à son pouvoir suprême,
Entre nous, avaient ils d'autre objet que vous-même ?
Et sans chercher plus loin, tous ces Juifs désolés,
N'est-ce pas à vous seul que vous les immolez ?
Et ne craignez-vous point que quelque avis funeste...
Enfin la cour nous hait, le peuple nous déteste.
Ce Juif même, il le faut confesser malgré moi,
Ce Juif comblé d'honneurs me cause quelque effroi.
Les malheurs sont souvent enchaînés l'un à l'autre;
Et sa race toujours fut fatale à la vôtre.
De ce léger affront songez à profiter.
Peut-être la fortune est prête à vous quitter;
Aux plus affreux excès son inconstance passe.
Prévenez son caprice avant qu'elle se lasse.
Où tendez-vous plus haut ? Je frémis quand je voi
Les abîmes profonds qui s'offrent devant moi.
La chute désormais ne peut être qu'horrible.
Osez chercher ailleurs un destin plus paisible.

Regagnez l'Hellespont, et ces bords écartés
Où vos aïeux errant jadis furent jetés,
Lorsque des Juifs contre eux la vengeance allumée
Chassa tout Amalec de la triste Idumée.
Aux malices du sort enfin dérobez-vous.
Nos plus riches trésors marcheront devant nous.
Vous pouvez du départ me laisser la conduite;
Surtout de vos enfants j'assurerai la fuite.
N'ayez soin cependant que de dissimuler.
Contente, sur vos pas vous me verrez voler :
La mer la plus terrible et la plus orageuse
Est plus sûre pour nous que cette cour trompeuse.
Mais à grands pas vers vous je vois quelqu'un marcher.
C'est Hydaspe.

SCÈNE II

AMAN, ZARÈS, HYDASPE

HYDASPE

Seigneur, je courais vous chercher.
Votre absence en ces lieux suspend toute la joie;
Et pour vous y conduire Assuérus m'envoie.

AMAN

Et Mardochée est-il aussi de ce festin ?

HYDASPE

A la table d'Esther portez-vous ce chagrin ?
Quoi! toujours de ce Juif l'image vous désole ?
Laissez-le s'applaudir d'un triomphe frivole.
Croit-il d'Assuérus éviter la rigueur ?
Ne possédez-vous pas son oreille et son cœur ?
On a payé le zèle, on punira le crime;
Et l'on vous a, Seigneur, orné votre victime.
Je me trompe, ou vos vœux par Esther secondés
Obtiendront plus encor que vous ne demandez.

AMAN

Croirai-je le bonheur que ta bouche m'annonce ?

HYDASPE

J'ai des savants devins entendu la réponse.
Ils disent que la main d'un perfide étranger
Dans le sang de la Reine est prête à se plonger;

Et le Roi, qui ne sait où trouver le coupable,
N'impute qu'aux seuls Juifs ce projet détestable.

AMAN

Oui, ce sont, cher ami, des monstres furieux.
Il faut craindre surtout leur chef audacieux.
La terre avec horreur dès longtemps les endure ;
Et l'on n'en peut trop tôt délivrer la nature.
Ah ! je respire enfin. Chère Zarès, adieu.

HYDASPE

Les compagnes d'Esther s'avancent vers ce lieu.
Sans doute leur concert va commencer la fête.
Entrez, et recevez l'honneur qu'on vous apprête.

SCÈNE III

ÉLISE, LE CHŒUR
Ceci se récite sans chant.

UNE DES ISRAÉLITES

C'est Aman.

UNE AUTRE

C'est lui-même, et j'en frémis, ma sœur.

LA PREMIÈRE

Mon cœur de crainte et d'horreur se resserre.

L'AUTRE

C'est d'Israël le superbe oppresseur.

LA PREMIÈRE

C'est celui qui trouble la terre.

ÉLISE

Peut-on, en le voyant, ne le connaître pas ?
L'orgueil et le dédain sont peints sur son visage.

UNE ISRAÉLITE

On lit dans ses regards sa fureur et sa rage.

UNE AUTRE

Je croyais voir marcher la Mort devant ses pas.

UNE DES PLUS JEUNES

Je ne sais si ce tigre a reconnu sa proie;
Mais en nous regardant, mes sœurs, il m'a semblé
Qu'il avait dans les yeux une barbare joie,
        Dont tout mon sang est encore troublé.

ÉLISE

Que ce nouvel honneur va croître son audace!
        Je le vois, mes sœurs, je le vois :
A la table d'Esther l'insolent près du Roi
        A déjà pris sa place.

UNE DES ISRAÉLITES

Ministres du festin, de grâce, dites-nous
Quels mets à ce cruel, quel vin préparez-vous ?

UNE AUTRE

Le sang de l'orphelin,

UNE TROISIÈME

        Les pleurs des misérables,

LA SECONDE

Sont ses mets les plus agréables.

LA TROISIÈME

C'est son breuvage le plus doux.

ÉLISE

Chères sœurs, suspendez la douleur qui vous presse.
Chantons, on nous l'ordonne; et que puissent nos chants
Du cœur d'Assuérus adoucir la rudesse,
Comme autrefois David par ses accords touchants
Calmait d'un roi jaloux la sauvage tristesse!

                              Tout le reste de cette scène est chanté.

UNE ISRAÉLITE

        Que le peuple est heureux,
        Lorsqu'un roi généreux,
Craint dans tout l'univers, veut encore qu'on l'aime!
Heureux le peuple! heureux le roi lui-même!

TOUT LE CHŒUR

        O repos! ô tranquillité!
O d'un parfait bonheur assurance éternelle,
        Quand la suprême autorité
        Dans ses conseils a toujours auprès d'elle
        La justice et la vérité!

Une Israélite

Ces quatre stances sont chantées alternativement par une voix seule et par tout le Chœur :

Rois, chassez la calomnie.
Ses criminels attentats
Des plus paisibles États
Troublent l'heureuse harmonie.

Sa fureur, de sang avide,
Poursuit partout l'innocent.
Rois, prenez soin de l'absent
Contre sa langue homicide.

De ce monstre si farouche
Craignez la feinte douceur.
La vengeance est dans son cœur,
Et la pitié dans sa bouche.

La fraude adroite et subtile
Sème de fleurs son chemin ;
Mais sur ses pas vient enfin
Le repentir inutile.

Une Israélite, *seule.*

D'un souffle l'aquilon écarte les nuages,
  Et chasse au loin la foudre et les orages.
Un roi sage, ennemi du langage menteur,
Écarte d'un regard le perfide imposteur.

Une Autre

  J'admire un roi victorieux,
Que sa valeur conduit triomphant en tous lieux ;
  Mais un roi sage et qui hait l'injustice,
  Qui sous la loi du riche impérieux
  Ne souffre point que le pauvre gémisse,
    Est le plus beau présent des cieux.

Une Autre

La veuve en sa défense espère.

Une Autre

De l'orphelin il est le père ;

Toutes Ensemble

Et les larmes du juste implorant son appui
    Sont précieuses devant lui.

UNE ISRAÉLITE, *seule.*

Détourne, Roi puissant, détourne tes oreilles
De tout conseil barbare et mensonger.
          Il est temps que tu t'éveilles :
Dans le sang innocent ta main va se plonger,
          Pendant que tu sommeilles.
Détourne, Roi puissant, détourne tes oreilles
De tout conseil barbare et mensonger.

UNE AUTRE

Ainsi puisse sous toi trembler la terre entière.
Ainsi puisse à jamais contre tes ennemis
Le bruit de ta valeur te servir de barrière.
S'ils t'attaquent, qu'ils soient en un moment soumis.

          Que de ton bras la force les renverse.
          Que de ton nom la terreur les disperse.
Que tout leur camp nombreux soit devant tes soldats
          Comme d'enfants une troupe inutile;
Et si par un chemin il entre en tes États,
          Qu'il en sorte par plus de mille.

SCÈNE IV

ASSUÉRUS, ESTHER, AMAN, ÉLISE,
LE CHŒUR

ASSUÉRUS, *à Esther.*

Oui, vos moindres discours ont des grâces secrètes :
Une noble pudeur à tout ce que vous faites
Donne un prix que n'ont point ni la pourpre ni l'or.
Quel climat renfermait un si rare trésor ?
Dans quel sein vertueux avez-vous pris naissance ?
Et quelle main si sage éleva votre enfance ?
    Mais dites promptement ce que vous demandez.
Tous vos désirs, Esther, vous seront accordés,
Dussiez-vous, je l'ai dit, et veux bien le redire,
Demander la moitié de ce puissant Empire.

ESTHER

Je ne m'égare point dans ces vastes désirs.
Mais puisqu'il faut enfin expliquer mes soupirs,
Puisque mon roi lui-même à parler me convie,

                              Elle se jette aux pieds du Roi.

J'ose vous implorer, et pour ma propre vie,
Et pour les tristes jours d'un peuple infortuné,
Qu'à périr avec moi vous avez condamné.

ASSUÉRUS, *la relevant.*

A périr ? Vous ? Quel peuple ? Et quel est ce mystère ?

AMAN, *tout bas.*

Je tremble.

ESTHER

Esther, Seigneur, eut un Juif pour son père.
De vos ordres sanglants vous savez la rigueur.

AMAN

Ah, Dieux !

ASSUÉRUS

Ah ! de quel coup me percez-vous le cœur ?
Vous la fille d'un Juif ? Hé quoi ? tout ce que j'aime,
Cette Esther, l'innocence et la sagesse même,
Que je croyais du ciel les plus chères amours,
Dans cette source impure aurait puisé ses jours ?
Malheureux !

ESTHER

Vous pouvez rejeter ma prière.
Mais je demande au moins que pour grâce dernière,
Jusqu'à la fin, Seigneur, vous m'entendiez parler,
Et que surtout Aman n'ose point me troubler.

ASSUÉRUS

Parlez.

ESTHER

O Dieu, confonds l'audace et l'imposture.
Ces Juifs, dont vous voulez délivrer la nature,
Que vous croyez, Seigneur, le rebut des humains,
D'une riche contrée autrefois souverains,
Pendant qu'ils n'adoraient que le Dieu de leurs pères
Ont vu bénir le cours de leurs destins prospères.
Ce Dieu, maître absolu de la terre et des cieux,
N'est point tel que l'erreur le figure à vos yeux.
L'Éternel est son nom. Le monde est son ouvrage.
Il entend les soupirs de l'humble qu'on outrage.
Juge tous les mortels avec d'égales lois,
Et du haut de son trône interroge les rois.
Des plus fermes États la chute épouvantable,
Quand il veut, n'est qu'un jeu de sa main redoutable.
Les Juifs à d'autres dieux osèrent s'adresser :

Roi, peuples, en un jour tout se vit disperser.
Sous les Assyriens leur triste servitude
Devint le juste prix de leur ingratitude.
      Mais pour punir enfin nos maîtres à leur tour,
Dieu fit choix de Cyrus, avant qu'il vît le jour,
L'appela par son nom, le promit à la terre,
Le fit naître, et soudain l'arma de son tonnerre,
Brisa les fiers remparts et les portes d'airain,
Mit des superbes rois la dépouille en sa main,
De son temple détruit vengea sur eux l'injure.
Babylone paya nos pleurs avec usure.
Cyrus, par lui vainqueur, publia ses bienfaits,
Regarda notre peuple avec des yeux de paix,
Nous rendit et nos lois, et nos fêtes divines ;
Et le temple déjà sortait de ses ruines.
Mais de ce roi si sage héritier insensé,
Son fils interrompit l'ouvrage commencé,
Fut sourd à nos douleurs. Dieu rejeta sa race,
Le retrancha lui-même, et vous mit en sa place.
      Que n'espérions-nous point d'un roi si généreux ?
« Dieu regarde en pitié son peuple malheureux,
Disions-nous : un roi règne, ami de l'innocence. »
Partout du nouveau prince on vantait la clémence :
Les Juifs partout de joie en poussèrent des cris.
Ciel ! verra-t-on toujours par de cruels esprits
Des princes les plus doux l'oreille environnée,
Et du bonheur public la source empoisonnée ?
Dans le fond de la Thrace un barbare enfanté
Est venu dans ces lieux souffler la cruauté.
Un ministre ennemi de votre propre gloire...

                              AMAN

De votre gloire ? Moi ? Ciel ! Le pourriez-vous croire ?
Moi, qui n'ai d'autre objet ni d'autre Dieu...

                              ASSUÉRUS

                                          Tais-toi.
Oses-tu donc parler sans l'ordre de ton roi ?

                              ESTHER

Notre ennemi cruel devant vous se déclare :
C'est lui. C'est ce ministre infidèle et barbare,
Qui d'un zèle trompeur à vos yeux revêtu,
Contre notre innocence arma votre vertu.
Et quel autre, grand Dieu ! qu'un Scythe impitoyable
Aurait de tant d'horreurs dicté l'ordre effroyable ?

Partout l'affreux signal en même temps donné
De meurtres remplira l'univers étonné.
On verra, sous le nom du plus juste des princes,
Un perfide étranger désoler vos provinces,
Et dans ce palais même en proie à son courroux,
Le sang de vos sujets regorger jusqu'à vous.
    Et que reproche aux Juifs sa haine envenimée ?
Quelle guerre intestine avons-nous allumée ?
Les a-t-on vus marcher parmi vos ennemis ?
Fut-il jamais au joug esclaves plus soumis ?
Adorant dans leurs fers le Dieu qui les châtie,
Pendant que votre main sur eux appesantie
A leurs persécuteurs les livrait sans secours,
Ils conjuraient ce Dieu de veiller sur vos jours,
De rompre des méchants les trames criminelles,
De mettre votre trône à l'ombre de ses ailes.
N'en doutez point, Seigneur, il fut votre soutien.
Lui seul mit à vos pieds le Parthe et l'Indien,
Dissipa devant vous les innombrables Scythes,
Et renferma les mers dans vos vastes limites.
Lui seul aux yeux d'un Juif découvrit le dessein
De deux traîtres tout prêts à vous percer le sein.
Hélas ! ce Juif jadis m'adopta pour sa fille.

ASSUÉRUS

Mardochée ?

ESTHER

Il restait seul de notre famille.
Mon père était son frère. Il descend comme moi
Du sang infortuné de notre premier roi.
Plein d'une juste horreur pour un Amalécite,
Race que notre Dieu de sa bouche a maudite,
Il n'a devant Aman pu fléchir les genoux,
Ni lui rendre un honneur qu'il ne croit dû qu'à vous.
De là contre les Juifs, et contre Mardochée,
Cette haine, Seigneur, sous d'autres noms cachée.
En vain de vos bienfaits Mardochée est paré.
A la porte d'Aman est déjà préparé
D'un infâme trépas l'instrument exécrable.
Dans une heure au plus tard ce vieillard vénérable,
Des portes du palais par son ordre arraché,
Couvert de votre pourpre y doit être attaché.

ASSUÉRUS

Quel jour mêlé d'horreur vient effrayer mon âme ?
Tout mon sang de colère et de honte s'enflamme.

J'étais donc le jouet... Ciel, daigne m'éclairer.
Un moment sans témoins cherchons à respirer.
Appelez Mardochée, il faut aussi l'entendre.

Le Roi s'éloigne.

UNE ISRAÉLITE

Vérité que j'implore, achève de descendre.

SCÈNE V

ESTHER, AMAN, LE CHŒUR

AMAN, *à Esther.*

D'un juste étonnement je demeure frappé.
Les ennemis des Juifs m'ont trahi, m'ont trompé.
J'en atteste du ciel la puissance suprême,
En les perdant j'ai cru vous assurer vous-même.
Princesse, en leur faveur employez mon crédit :
Le Roi, vous le voyez, flotte encore interdit.
Je sais par quels ressorts on le pousse, on l'arrête,
Et fais, comme il me plaît, le calme et la tempête.
Les intérêts des Juifs déjà me sont sacrés.
Parlez. Vos ennemis aussitôt massacrés,
Victimes de la foi que ma bouche vous jure,
De ma fatale erreur répareront l'injure.
Quel sang demandez-vous ?

ESTHER

                          Va, traître, laisse-moi.
Les Juifs n'attendent rien d'un méchant tel que toi.
Misérable, le Dieu vengeur de l'innocence,
Tout prêt à te juger, tient déjà sa balance.
Bientôt son juste arrêt te sera prononcé.
Tremble. Son jour approche, et ton règne est passé.

AMAN

Oui, ce Dieu, je l'avoue, est un Dieu redoutable.
Mais veut-il que l'on garde une haine implacable ?
C'en est fait : mon orgueil est forcé de plier;
L'inexorable Aman est réduit à prier.

Il se jette à ses pieds.

Par le salut des Juifs, par ces pieds que j'embrasse,
Par ce sage vieillard, l'honneur de votre race,
Daignez d'un roi terrible apaiser le courroux.
Sauvez Aman, qui tremble à vos sacrés genoux.

SCÈNE VI

ASSUÉRUS, ESTHER, AMAN, ÉLISE,
GARDES, LE CHŒUR

ASSUÉRUS

Quoi ? le traître sur vous porte ses mains hardies ?
Ah ! dans ses yeux confus je lis ses perfidies ;
Et son trouble, appuyant la foi de vos discours,
De tous ses attentats me rappelle le cours.
Qu'à ce monstre à l'instant l'âme soit arrachée ;
Et que devant sa porte, au lieu de Mardochée,
Apaisant par sa mort et la terre et les cieux,
De mes peuples vengés il repaisse les yeux.

Aman est emmené par les gardes.

SCÈNE VII

ASSUÉRUS, ESTHER, MARDOCHÉE,
ÉLISE, LE CHŒUR

ASSUÉRUS *continue en s'adressant à Mardochée.*

Mortel chéri du ciel, mon salut et ma joie,
Aux conseils des méchants ton roi n'est plus en proie.
Mes yeux sont dessillés, le crime est confondu.
Viens briller près de moi dans le rang qui t'est dû.
Je te donne d'Aman les biens et la puissance :
Possède justement son injuste opulence.
Je romps le joug funeste où les Juifs sont soumis.
Je leur livre le sang de tous leurs ennemis ;
A l'égal des Persans je veux qu'on les honore,
Et que tout tremble au nom du Dieu qu'Esther adore.
Rebâtissez son temple, et peuplez vos cités.
Que vos heureux enfants dans leurs solennités
Consacrent de ce jour le triomphe et la gloire,
Et qu'à jamais mon nom vive dans leur mémoire.

SCÈNE VIII

ASSUÉRUS, ESTHER, MARDOCHÉE,
ASAPH, ÉLISE, LE CHŒUR

ASSUÉRUS

Que veut Asaph ?

ASAPH

Seigneur, le traître est expiré,
Par le peuple en fureur à moitié déchiré.
On traîne, on va donner en spectacle funeste
De son corps tout sanglant le misérable reste.

MARDOCHÉE

Roi, qu'à jamais le ciel prenne soin de vos jours.
Le péril des Juifs presse, et veut un prompt secours.

ASSUÉRUS

Oui, je t'entends. Allons, par des ordres contraires,
Révoquer d'un méchant les ordres sanguinaires.

ESTHER

O Dieu, par quelle route inconnue aux mortels
Ta sagesse conduit ses desseins éternels !

SCÈNE DERNIÈRE

LE CHŒUR

TOUT LE CHŒUR

Dieu fait triompher l'innocence :
Chantons, célébrons sa puissance.

UNE ISRAÉLITE

Il a vu contre nous les méchants s'assembler,
Et notre sang prêt à couler.
Comme l'eau sur la terre ils allaient le répandre :
Du haut du ciel sa voix s'est fait entendre ;
L'homme superbe est renversé.
Ses propres flèches l'ont percé.

UNE AUTRE

J'ai vu l'impie adoré sur la terre.
Pareil au cèdre, il cachait dans les cieux
Son front audacieux.
Il semblait à son gré gouverner le tonnerre,
Foulait aux pieds ses ennemis vaincus.
Je n'ai fait que passer, il n'était déjà plus.

UNE AUTRE

On peut des plus grands rois surprendre la justice.
Incapables de tromper,
Ils ont peine à s'échapper
Des pièges de l'artifice.
Un cœur noble ne peut soupçonner en autrui
La bassesse et la malice
Qu'il ne sent point en lui.

UNE AUTRE

Comment s'est calmé l'orage ?

UNE AUTRE

Quelle main salutaire a chassé le nuage ?

TOUT LE CHŒUR

L'aimable Esther a fait ce grand ouvrage.

UNE ISRAÉLITE, seule.

De l'amour de son Dieu son cœur s'est embrasé.
Au péril d'une mort funeste
Son zèle ardent s'est exposé.
Elle a parlé. Le ciel a fait le reste.

DEUX ISRAÉLITES

Esther a triomphé des filles des Persans.
La nature et le ciel à l'envi l'ont ornée.

L'UNE DES DEUX

Tout ressent de ses yeux les charmes innocents.
Jamais tant de beauté fut-elle couronnée ?

L'AUTRE

Les charmes de son cœur sont encor plus puissants.
Jamais tant de vertu fut-elle couronnée ?

TOUTES DEUX ENSEMBLE

Esther a triomphé des filles des Persans.
La nature et le ciel à l'envi l'ont ornée.

UNE ISRAÉLITE, *seule.*

Ton Dieu n'est plus irrité.
Réjouis-toi, Sion, et sors de la poussière.
Quitte les vêtements de ta captivité,
        Et reprends ta splendeur première.
Les chemins de Sion à la fin sont ouverts.
                Rompez vos fers,
                Tribus captives,
                Troupes fugitives,
        Repassez les monts et les mers.
Rassemblez-vous des bouts de l'univers.

TOUT LE CHŒUR

                Rompez vos fers,
                Tribus captives.
                Troupes fugitives,
        Repassez les monts et les mers.
Rassemblez-vous des bouts de l'univers.

UNE ISRAÉLITE, *seule.*

Je reverrai ces campagnes si chères.

UNE AUTRE

J'irai pleurer au tombeau de mes pères.

TOUT LE CHŒUR

        Repassez les monts et les mers.
Rassemblez-vous des bouts de l'univers.

UNE ISRAÉLITE, *seule.*

Relevez, relevez les superbes portiques
Du temple où notre Dieu se plaît d'être adoré.
Que de l'or le plus pur son autel soit paré.
Et que du sein des monts le marbre soit tiré.
Liban, dépouille-toi de tes cèdres antiques.
        Prêtres sacrés, préparez vos cantiques.

UNE AUTRE

Dieu descend et revient habiter parmi nous.
        Terre, frémis d'allégresse et de crainte;
        Et vous, sous sa majesté sainte,
                Cieux, abaissez-vous!

UNE AUTRE

Que le Seigneur est bon! Que son joug est aimable!
Heureux qui dès l'enfance en connaît la douceur!

Jeune peuple, courez à ce maître adorable.
Les biens les plus charmants n'ont rien de comparable
Aux torrents de plaisirs qu'il répand dans un cœur.
Que le Seigneur est bon! Que son joug est aimable!
Heureux qui dès l'enfance en connaît la douceur!

Une Autre

Il s'apaise, il pardonne.
Du cœur ingrat qui l'abandonne
Il attend le retour.
Il excuse notre faiblesse.
A nous chercher même il s'empresse.
Pour l'enfant qu'elle a mis au jour
Une mère a moins de tendresse.
Ah! qui peut avec lui partager notre amour?

Trois Israélites

Il nous fait remporter une illustre victoire.

L'Une des Trois

Il nous a révélé sa gloire.

Toutes Trois ensemble

Ah! qui peut avec lui partager notre amour?

Tout le Chœur

Que son nom soit béni! Que son nom soit chanté!
Que l'on célèbre ses ouvrages
Au-delà des temps et des âges,
Au-delà de l'éternité!

NOTICE
SUR
ATHALIE

Saint-Cyr, 5 janvier 1691.
Édition originale : achevé d'imprimer,
3 mars 1691.

Malgré la dangereuse expérience d'*Esther* et la réserve de
Mme de Maintenon, le Roi, enthousiaste, commande une
autre pièce à Racine [1]. A Saint-Cyr on prit d'ailleurs des
précautions. Ni costumes, ni foule, une discrétion et une
solennité quasi religieuse aux trois « représentations »
qui furent données le 5 janvier, le 8 et le 22 février 1691 et
qui ressemblèrent plutôt à des répétitions générales qu'à
de véritables représentations [2]. La pièce ne fut plus jouée
ensuite qu'en privé.
   A la différence de ce qu'il avait fait pour *Esther*, Racine
avait cette fois retenu un sujet qui ne l'obligeait pas de
louvoyer avec la vérité historique : une reine effrayante et
humaine à la fois, face au Jéhovah de la Bible, dans sa
rigueur justicière. Racine renouait avec lui-même : sur un
sujet biblique, il réalisait le spectacle de terreur et de pitié
le plus conforme à l'esprit de la tragédie grecque.
   Les jésuites, utilisateurs audacieux du théâtre sacré,
avaient en général reculé devant un tel sujet, comme devant
ceux de Judith ou de Deborah [3]. Le rôle guerrier de Joad
et d'Abner, le redoutable Jéhovah, si étranger au Dieu

   1. Mme de Sévigné parle d'une nouvelle pièce de Racine dès le
7 mars 1689, mais elle indique comme sujet *Absalon* ou *Jephté*.
   2. La représentation du 22 février eut lieu à la demande expresse
des souverains anglais.
   3, Une tragédie latine d'*Athalie* avait été représentée en 1658 au
Collège de Clermont.

d'amour du christianisme, rendaient le sujet dangereux pour une Compagnie partout et constamment attaquée pour son action militante. La piété sévère de l'ami de Port-Royal y trouvait son compte. *Athalie* n'est pas pour autant une pièce janséniste, puisque le Dieu qui conduit de haut individus et nations est celui de Bossuet, dont s'inspire d'ailleurs à l'occasion Racine.

La tragédie a pour thème central le renversement de l'usurpatrice Athalie et le rétablissement sur le trône de Juda du prince Joas par le grand prêtre Joad. Action plus religieuse que politique, puisqu'il ne s'agit pas tant de restaurer la légitimité que de rétablir le culte du vrai Dieu, combattu par l'impie Jézabel et Mathan l'apostat. On a voulu y voir une allusion à Guillaume d'Orange, usurpateur du trône d'Angleterre; Mathan serait Burnet, Joad, Sancroft, Joas, le futur Jacques III : le renversement de la politique française, en 1690, expliquerait la discrétion des représentations. De son côté un janséniste, Quesnel, y retrouvait l'image de Port-Royal persécuté. Ce sont là des interprétations ingénieuses, mais qui paraissent étrangères aux intentions de Racine.

Autour de l'action centrale, dont Dieu est le seul protagoniste, la tragédie se résout au niveau des consciences individuelles : drame d'Abner, partagé entre sa foi et son engagement d'officier envers le pouvoir officiel, — drame de Joad, exposant la vie de son prince élevé avec un cœur de père, — drame d'Athalie, orgueilleuse et perverse fille d'Achab, mais émue d'un songe prophétique, de la candeur d'un enfant, de la grandeur de ce temple dont elle souhaite la ruine, — drame de Mathan lui-même, qui a tout sacrifié à l'ambition et ne ressent de sa réussite qu'un goût de cendres et la nostalgique inquiétude d'un prêtre apostat.

Par la grandeur du sujet, la complexité trouble des âmes, l'interrogation angoissée sur le problème de la destinée individuelle, Racine rassemblait dans *Athalie* les problèmes tragiques de son ancien théâtre.

Autant, dans *Esther*, il s'était efforcé de s'adapter aux soucis candides et sérieux des actrices qui devaient jouer la pièce, autant il s'en libère ici, dans une tragédie composée pour lui-même et, peut-être, pour un Roi encore mal converti.

La pièce, imprimée en mars 1691, trouva peu de
lecteurs. Reprise à Saint-Cyr en 1697 pour la princesse
de Savoie et « *fort en particulier* », selon l'expression de
Dangeau, à Versailles, chez Mme de Maintenon en 1699,
malgré la violente querelle du théâtre qui continuait de se
livrer autour de la *Lettre d'un théologien illustre* (1694) du
Père Caffaro, elle connut sa première représentation
publique à la Cour en 1702 [1].

Voltaire, qui la regarde comme la première tragédie
française, contribuera à affermir un succès bien établi.
La beauté du sujet et le goût des comédiennes pour les
grands rôles difficiles en assurent la pérennité.

1. C'est seulement en mars 1716 que la pièce fut jouée pour la
première fois à la Comédie-Française sans les chœurs, dont la musique,
comme celle des chœurs d'*Esther*, avait été composée par Jean-Baptiste Moreau.

ATHALIE

PRÉFACE

Tout le monde sait que le royaume de Juda était composé des deux tribus de Juda et de Benjamin, et que les dix autres tribus qui se révoltèrent contre Roboam composaient le royaume d'Israël. Comme les rois de Juda étaient de la maison de David, et qu'ils avaient dans leur partage la ville et le temple de Jérusalem, tout ce qu'il y avait de prêtres et de lévites se retirèrent auprès d'eux, et leur demeurèrent toujours attachés. Car depuis que le temple de Salomon fut bâti, il n'était plus permis de sacrifier ailleurs, et tous ces autres autels qu'on élevait à Dieu sur des montagnes, appelés par cette raison dans l'Écriture les hauts lieux, ne lui étaient point agréables. Ainsi le culte légitime ne subsistait plus que dans Juda. Les dix tribus, excepté un très petit nombre de personnes, étaient ou idolâtres ou schismatiques.

Au reste, ces prêtres et ces lévites faisaient eux-mêmes une tribu fort nombreuse. Ils furent partagés en diverses classes pour servir tour à tour dans le temple, d'un jour de sabbat à l'autre. Les prêtres étaient de la famille d'Aaron; et il n'y avait que ceux de cette famille, lesquels pussent exercer la sacrificature. Les lévites leur étaient subordonnés, et avaient soin, entre autres choses, du chant, de la préparation des victimes, et de la garde du temple. Ce nom de lévite ne laisse pas d'être donné quelquefois indifféremment à tous ceux de la tribu. Ceux qui étaient en semaine avaient, ainsi que le grand prêtre, leur logement dans les portiques ou galeries, dont le temple était environné, et qui faisaient partie du temple même. Tout l'édifice s'appelait en général le lieu saint. Mais on appelait plus particulièrement de ce nom cette partie du temple intérieur où était le chandelier d'or, l'autel des parfums, et les tables des pains de proposition. Et cette partie était encore distinguée du Saint des Saints, où était l'arche, et où le grand prêtre seul avait droit d'entrer une fois l'année. C'était une tradition assez constante que la montagne sur laquelle le temple fut bâti était la même montagne où Abraham avait autrefois offert en sacrifice son fils Isaac.

J'ai cru devoir expliquer ici ces particularités, afin que ceux à qui l'histoire de l'Ancien Testament ne sera pas assez présente n'en soient point arrêtés en lisant cette tragédie. Elle a pour sujet Joas reconnu et mis sur le trône ; et j'aurais dû dans les règles l'intituler *Joas*. Mais la plupart du monde n'en ayant entendu parler que sous le nom d'*Athalie*, je n'ai pas jugé à propos de la leur présenter sous un autre titre, puisque d'ailleurs Athalie y joue un personnage si considérable, et que c'est sa mort qui termine la pièce. Voici une partie des principaux événements qui devancèrent cette grande action.

Joram, roi de Juda, fils de Josaphat, et le septième roi de la race de David, épousa Athalie, fille d'Achab et de Jézabel, qui régnaient en Israël, fameux l'un et l'autre, mais principalement Jézabel, par leurs sanglantes persécutions contre les prophètes. Athalie, non moins impie que sa mère, entraîna bientôt le Roi son mari dans l'idolâtrie, et fit même construire dans Jérusalem un temple à Baal, qui était le Dieu du pays de Tyr et de Sidon, où Jézabel avait pris naissance. Joram, après avoir vu périr par les mains des Arabes et des Philistins tous les princes ses enfants à la réserve d'Ochosias, mourut lui-même misérablement d'une longue maladie qui lui consuma les entrailles. Sa mort funeste n'empêcha pas Ochosias d'imiter son impiété et celle d'Athalie sa mère. Mais ce prince, après avoir régné seulement un an, étant allé rendre visite au roi d'Israël, frère d'Athalie, fut enveloppé dans la ruine de la maison d'Achab, et tué par l'ordre de Jéhu, que Dieu avait fait sacrer par ses prophètes pour régner sur Israël, et pour être le ministre de ses vengeances. Jéhu extermina toute la postérité d'Achab, et fit jeter par les fenêtres Jézabel, qui, selon la prédiction d'Élie, fut mangée des chiens dans la vigne de ce même Naboth qu'elle avait fait mourir autrefois pour s'emparer de son héritage. Athalie, ayant appris à Jérusalem tous ces massacres, entreprit de son côté d'éteindre entièrement la race royale de David, en faisant mourir tous les enfants d'Ochosias, ses petits-

fils. Mais heureusement Josabet, sœur d'Ochosias, et fille
de Joram, mais d'une autre mère qu'Athalie, étant arrivée
lorsqu'on égorgeait les princes ses neveux, elle trouva
moyen de dérober du milieu des morts le petit Joas encore
à la mamelle, et le confia avec sa nourrice au grand prêtre,
son mari, qui les cacha tous deux dans le temple, où
l'enfant fut élevé secrètement jusqu'au jour qu'il fut proclamé roi de Juda. L'Histoire des *Rois* dit que ce fut la
septième année d'après. Mais le texte grec des *Paralipo-
mènes*, que Sévère Sulpice a suivi, dit que ce fut la hui-
tième. C'est ce qui m'a autorisé à donner à ce prince neuf à
dix ans, pour le mettre déjà en état de répondre aux ques-
tions qu'on lui fait.

Je crois ne lui avoir rien fait dire qui soit au-dessus de
la portée d'un enfant de cet âge, qui a de l'esprit et de la
mémoire. Mais quand j'aurais été un peu au-delà, il faut
considérer que c'est ici un enfant tout extraordinaire,
élevé dans le temple par un grand prêtre, qui, le regardant
comme l'unique espérance de sa nation, l'avait instruit
de bonne heure dans tous les devoirs de la religion et de la
royauté. Il n'en était pas de même des enfants des Juifs
que de la plupart des nôtres. On leur apprenait les saintes
Lettres, non seulement dès qu'ils avaient atteint l'usage de
la raison, mais, pour me servir de l'expression de saint Paul,
dès la mamelle. Chaque Juif était obligé d'écrire une fois
en sa vie, de sa propre main, le volume de la Loi tout entier.
Les rois étaient même obligés de l'écrire deux fois, et il
leur était enjoint de l'avoir continuellement devant les
yeux. Je puis dire ici que la France voit en la personne
d'un prince de huit ans et demi, qui fait aujourd'hui ses
plus chères délices, un exemple illustre de ce que peut dans
un enfant un heureux naturel aidé d'une excellente éducation; et que si j'avais donné au petit Joas la même viva-
cité et le même discernement qui brillent dans les reparties
de ce jeune prince, on m'aurait accusé avec raison d'avoir
péché contre les règles de la vraisemblance.

L'âge de Zacharie, fils du grand prêtre, n'étant point
marqué, on peut lui supposer, si l'on veut, deux ou trois
ans de plus qu'à Joas.

J'ai suivi l'explication de plusieurs commentateurs
fort habiles, qui prouvent, par le texte même de l'Écriture, que tous ces soldats à qui Joïada, ou Joad, comme il
est appelé dans Josèphe, fit prendre les armes consacrées à
Dieu par David, étaient autant de prêtres et de lévites,
aussi bien que les cinq centeniers qui les commandaient.

En effet, disent ces interprètes, tout devait être saint dans une si sainte action, et aucun profane n'y devait être employé. Il s'y agissait non seulement de conserver le sceptre dans la maison de David, mais encore de conserver à ce grand roi cette suite de descendants dont devait naître le Messie. *Car ce Messie, tant de fois promis comme fils d'Abraham, devait aussi être le fils de David et de tous les rois de Juda.* De là vient que l'illustre et savant prélat * de qui j'ai emprunté ces paroles appelle Joas le précieux reste de la maison de David. Josèphe en parle dans les mêmes termes. Et l'Écriture dit expressément que Dieu n'extermina pas toute la famille de Joram, voulant conserver à David la lampe qu'il lui avait promise. Or cette lampe, qu'était-ce autre chose que la lumière qui devait être un jour révélée aux nations ?

L'histoire ne spécifie point le jour où Joas fut proclamé. Quelques interprètes veulent que ce fût un jour de fête. J'ai choisi celle de la Pentecôte, qui était l'une des trois grandes fêtes des Juifs. On y célébrait la mémoire de la publication de la loi sur le mont de Sinaï, et on y offrait aussi à Dieu les premiers pains de la nouvelle moisson ; ce qui faisait qu'on la nommait encore la fête des prémices. J'ai songé que ces circonstances me fourniraient quelque variété pour les chants du chœur.

Ce chœur est composé de jeunes filles de la tribu de Lévi, et je mets à leur tête une fille que je donne pour sœur à Zacharie. C'est elle qui introduit le chœur chez sa mère. Elle chante avec lui, porte la parole pour lui, et fait enfin les fonctions de ce personnage des anciens chœurs qu'on appelait le coryphée. J'ai aussi essayé d'imiter des anciens cette continuité d'action qui fait que leur théâtre ne demeure jamais vide ; les intervalles des actes n'étant marqués que par des hymnes et par des moralités du chœur, qui ont rapport à ce qui se passe.

On me trouvera peut-être un peu hardi d'avoir osé mettre sur la scène un prophète inspiré de Dieu, et qui prédit l'avenir. Mais j'ai eu la précaution de ne mettre dans sa bouche que des expressions tirées des prophètes mêmes. Quoique l'Écriture ne dise pas en termes exprès que Joïada ait eu l'esprit de prophétie, comme elle le dit de son fils, elle le représente comme un homme tout plein de l'esprit de Dieu. Et d'ailleurs ne paraît-il pas par l'Évangile qu'il a pu prophétiser en qualité de souverain pontife ? Je suppose

* M. de Meaux.

donc qu'il voit en esprit le funeste changement de Joas, qui, après trente années d'un règne fort pieux, s'abandonna aux mauvais conseils des flatteurs, et se souilla du meurtre de Zacharie, fils et successeur de ce grand prêtre. Ce meurtre commis dans le temple fut une des principales causes de la colère de Dieu contre les Juifs, et de tous les malheurs qui leur arrivèrent dans la suite. On prétend même que depuis ce jour-là les réponses de Dieu cessèrent entièrement dans le sanctuaire. C'est ce qui m'a donné lieu de faire prédire tout de suite à Joad et la destruction du temple et la ruine de Jérusalem. Mais comme les prophètes joignent d'ordinaire les consolations aux menaces, et que d'ailleurs il s'agit de mettre sur le trône un des ancêtres du Messie, j'ai pris occasion de faire entrevoir la venue de ce consolateur, après lequel tous les anciens justes soupiraient. Cette scène, qui est une espèce d'épisode, amène très naturellement la musique, par la coutume qu'avaient plusieurs prophètes d'entrer dans leurs saints transports au son des instruments. Témoin cette troupe de prophètes qui vinrent au-devant de Saül avec des harpes et des lyres qu'on portait devant eux; et témoin Élisée lui-même, qui étant consulté sur l'avenir par le roi de Juda et par le roi d'Israël, dit, comme fait ici Joad : *Adducite mihi psaltem.* Ajoutez à cela que cette prophétie sert beaucoup à augmenter le trouble dans la pièce, par la consternation et par les différents mouvements où elle jette le chœur et les principaux acteurs.

PERSONNAGES

JOAS, roi de Juda, fils d'Ochosias.
ATHALIE, veuve de Joram, aïeule de Joas.
JOAD, autrement JOIADA, grand prêtre.
JOSABET, tante de Joas, femme du grand prêtre.
ZACHARIE, fils de Joad et de Josabet.
SALOMITH, sœur de Zacharie.
ABNER, l'un des principaux officiers des rois de Juda.
AZARIAS,
 ISMAEL,
  ET LES TROIS AUTRES CHEFS DES PRÊTRES ET DES LÉVITES.
MATHAN, prêtre apostat, sacrificateur de Baal.
NABAL, confident de Mathan.
AGAR, femme de la suite d'Athalie.
TROUPE DE PRÊTRES ET DE LÉVITES.
SUITE D'ATHALIE.
LA NOURRICE DE JOAS.
CHŒUR DE JEUNES FILLES DE LA TRIBU DE LÉVI.

*La scène est dans le temple de Jérusalem,
dans un vestibule de l'appartement du grand prêtre.*

ACTE PREMIER

SCÈNE PREMIÈRE

JOAD, ABNER

ABNER

Oui, je viens dans son temple adorer l'Éternel.
Je viens, selon l'usage antique et solennel,
Célébrer avec vous la fameuse journée
Où sur le mont Sina la loi nous fut donnée.
Que les temps sont changés! Sitôt que de ce jour
La trompette sacrée annonçait le retour,
Du temple, orné partout de festons magnifiques,
Le peuple saint en foule inondait les portiques;
Et tous devant l'autel avec ordre introduits,
De leurs champs dans leurs mains portant les nouveaux [fruits,
Au Dieu de l'univers consacraient ces prémices.
Les prêtres ne pouvaient suffire aux sacrifices.
L'audace d'une femme, arrêtant ce concours,
En des jours ténébreux a changé ces beaux jours.
D'adorateurs zélés à peine un petit nombre
Ose des premiers temps nous retracer quelque ombre.
Le reste pour son Dieu montre un oubli fatal,
Ou même, s'empressant aux autels de Baal,
Se fait initier à ses honteux mystères,
Et blasphème le nom qu'ont invoqué leurs pères.
Je tremble qu'Athalie, à ne vous rien cacher,
Vous-même de l'autel vous faisant arracher,
N'achève enfin sur vous ses vengeances funestes,
Et d'un respect forcé ne dépouille les restes.

JOAD

D'où vous vient aujourd'hui ce noir pressentiment?

ABNER

Pensez-vous être saint et juste impunément ?
Dès longtemps elle hait cette fermeté rare
Qui rehausse en Joad l'éclat de la tiare.
Dès longtemps votre amour pour la religion
Est traité de révolte et de sédition.
Du mérite éclatant cette reine jalouse
Hait surtout Josabet, votre fidèle épouse.
Si du grand prêtre Aaron Joad est successeur,
De notre dernier roi Josabet est la sœur.
Mathan d'ailleurs, Mathan, ce prêtre sacrilège,
Plus méchant qu'Athalie, à toute heure l'assiège;
Mathan, de nos autels infâme déserteur,
Et de toute vertu zélé persécuteur.
C'est peu que le front ceint d'une mitre étrangère,
Ce lévite à Baal prête son ministère :
Ce temple l'importune, et son impiété
Voudrait anéantir le Dieu qu'il a quitté.
Pour vous perdre il n'est point de ressorts qu'il n'invente :
Quelquefois il vous plaint, souvent même il vous vante;
Il affecte pour vous une fausse douceur,
Et par là de son fiel colorant la noirceur,
Tantôt à cette reine il vous peint redoutable,
Tantôt, voyant pour l'or sa soif insatiable,
Il lui feint qu'en un lieu que vous seul connaissez,
Vous cachez des trésors par David amassés.
Enfin depuis deux jours la superbe Athalie
Dans un sombre chagrin paraît ensevelie.
Je l'observais hier, et je voyais ses yeux
Lancer sur le lieu saint des regards furieux;
Comme si dans le fond de ce vaste édifice
Dieu cachait un vengeur armé pour son supplice.
Croyez-moi, plus j'y pense, et moins je puis douter
Que sur vous son courroux ne soit prêt d'éclater,
Et que de Jézabel la fille sanguinaire
Ne vienne attaquer Dieu jusqu'en son sanctuaire.

JOAD

Celui qui met un frein à la fureur des flots
Sait aussi des méchants arrêter les complots.
Soumis avec respect à sa volonté sainte,
Je crains Dieu, cher Abner, et n'ai point d'autre crainte.
Cependant je rends grâce au zèle officieux
Qui sur tous mes périls vous fait ouvrir les yeux.
Je vois que l'injustice en secret vous irrite,

Que vous avez encor le cœur israélite.
Le ciel en soit béni. Mais ce secret courroux,
Cette oisive vertu, vous en contentez-vous ?
La foi qui n'agit point, est-ce une foi sincère ?
Huit ans déjà passés, une impie étrangère
Du sceptre de David usurpe tous les droits,
Se baigne impunément dans le sang de nos rois,
Des enfants de son fils détestable homicide,
Et même contre Dieu lève son bras perfide.
Et vous, l'un des soutiens de ce tremblant État,
Vous nourri dans les camps du saint roi Josaphat,
Qui sous son fils Joram commandiez nos armées,
Qui rassurâtes seul nos villes alarmées,
Lorsque d'Ochosias le trépas imprévu
Dispersa tout son camp à l'aspect de Jéhu,
« Je crains Dieu, dites-vous, sa vérité me touche. »
Voici comme ce Dieu vous répond par ma bouche :
« Du zèle de ma loi que sert de vous parer ?
Par de stériles vœux pensez-vous m'honorer ?
Quel fruit me revient-il de tous vos sacrifices ?
Ai-je besoin du sang des boucs et des génisses ?
Le sang de vos rois crie, et n'est point écouté.
Rompez, rompez tout pacte avec l'impiété,
Du milieu de mon peuple exterminez les crimes,
Et vous viendrez alors m'immoler des victimes. »

ABNER

Hé ! que puis-je au milieu de ce peuple abattu ?
Benjamin est sans force, et Juda sans vertu.
Le jour qui de leurs rois vit éteindre la race
Éteignit tout le feu de leur antique audace.
« Dieu même, disent-ils, s'est retiré de nous :
De l'honneur des Hébreux autrefois si jaloux,
Il voit sans intérêt leur grandeur terrassée.
Et sa miséricorde à la fin s'est lassée.
On ne voit plus pour nous ses redoutables mains
De merveilles sans nombre effrayer les humains,
L'arche sainte est muette, et ne rend plus d'oracles. »

JOAD

Et quel temps fut jamais si fertile en miracles ?
Quand Dieu par plus d'effets montra-t-il son pouvoir ?
Auras-tu donc toujours des yeux pour ne point voir,
Peuple ingrat ? Quoi ? toujours les plus grandes merveilles
Sans ébranler ton cœur frapperont tes oreilles ?

Faut-il, Abner, faut-il vous rappeler le cours
Des prodiges fameux accomplis en nos jours ?
Des tyrans d'Israël les célèbres disgrâces,
Et Dieu trouvé fidèle en toutes ses menaces ;
L'impie Achab détruit, et de son sang trempé
Le champ que par le meurtre il avait usurpé ;
Près de ce champ fatal Jézabel immolée,
Sous les pieds des chevaux cette reine foulée,
Dans son sang inhumain les chiens désaltérés,
Et de son corps hideux les membres déchirés ;
Des prophètes menteurs la troupe confondue,
Et la flamme du ciel sur l'autel descendue ;
Élie aux éléments parlant en souverain,
Les cieux par lui fermés et devenus d'airain,
Et la terre trois ans sans pluie et sans rosée ;
Les morts se ranimant à la voix d'Élisée ;
Reconnaissez, Abner, à ces traits éclatants,
Un Dieu tel aujourd'hui qu'il fut dans tous les temps.
Il sait, quand il lui plaît, faire éclater sa gloire,
Et son peuple est toujours présent à sa mémoire.

ABNER

Mais où sont ces honneurs à David tant promis,
Et prédits même encore à Salomon son fils ?
Hélas ! nous espérions que de leur race heureuse
Devait sortir de rois une suite nombreuse ;
Que sur toute tribu, sur toute nation,
L'un d'eux établirait sa domination,
Ferait cesser partout la discorde et la guerre,
Et verrait à ses pieds tous les rois de la terre.

JOAD

Aux promesses du ciel pourquoi renoncez-vous ?

ABNER

Ce roi fils de David, où le chercherons-nous ?
Le ciel même peut-il réparer les ruines
De cet arbre séché jusque dans ses racines ?
Athalie étouffa l'enfant même au berceau.
Les morts après huit ans sortent-ils du tombeau ?
Ah ! si dans sa fureur elle s'était trompée,
Si du sang de nos rois quelque goutte échappée...

JOAD

Hé bien ! que feriez-vous ?

ABNER

O jour heureux pour moi !
De quelle ardeur j'irais reconnaître mon roi !
Doutez-vous qu'à ses pieds nos tribus empressées...
Mais pourquoi me flatter de ces vaines pensées ?
Déplorable héritier de ces rois triompnants,
Ochosias restait seul avec ses enfants.
Par les traits de Jéhu je vis percer le père,
Vous avez vu les fils massacrés par la mère.

JOAD

Je ne m'explique point. Mais quand l'astre du jour
Aura sur l'horizon fait le tiers de son tour,
Lorsque la troisième heure aux prières rappelle,
Retrouvez-vous au temple avec ce même zèle.
Dieu pourra vous montrer par d'importants bienfaits
Que sa parole est stable et ne trompe jamais.
Allez : pour ce grand jour il faut que je m'apprête,
Et du temple déjà l'aube blanchit le faîte.

ABNER

Quel sera ce bienfait que je ne comprends pas ?
L'illustre Josabet porte vers vous ses pas.
Je sors, et vais me joindre à la troupe fidèle
Qu'attire de ce jour la pompe solennelle.

SCÈNE II

JOAD, JOSABET

JOAD

Les temps sont accomplis, Princesse, il faut parler,
Et votre heureux larcin ne se peut plus celer.
Des ennemis de Dieu la coupable insolence,
Abusant contre lui de ce profond silence,
Accuse trop longtemps ses promesses d'erreur.
Que dis-je ? Le succès animant leur fureur,
Jusque sur notre autel votre injuste marâtre
Veut offrir à Baal un encens idolâtre.
Montrons ce jeune roi que vos mains ont sauvé,
Sous l'aile du Seigneur dans le temple élevé.
De nos princes hébreux il aura le courage,
Et déjà son esprit a devancé son âge.

Avant que son destin s'explique par ma voix,
Je vais l'offrir au Dieu par qui règnent les rois.
Aussitôt assemblant nos lévites, nos prêtres,
Je leur déclarerai l'héritier de leurs maîtres.

JOSABET

Sait-il déjà son nom et son noble destin ?

JOAD

Il ne répond encor qu'au nom d'Éliacin,
Et se croit quelque enfant rejeté par sa mère,
A qui j'ai par pitié daigné servir de père.

JOSABET

Hélas ! de quel péril je l'avais su tirer !
Dans quel péril encore est-il prêt de rentrer !

JOAD

Quoi ? déjà votre foi s'affaiblit et s'étonne ?

JOSABET

A vos sages conseils, Seigneur, je m'abandonne.
Du jour que j'arrachai cet enfant à la mort,
Je remis en vos mains tout le soin de son sort.
Même, de mon amour craignant la violence,
Autant que je le puis, j'évite sa présence,
De peur qu'en le voyant, quelque trouble indiscret
Ne fasse avec mes pleurs échapper mon secret.
Surtout j'ai cru devoir aux larmes, aux prières
Consacrer ces trois jours et ces trois nuits entières.
Cependant aujourd'hui puis-je vous demander
Quels amis vous avez, prêts à vous seconder ?
Abner, le brave Abner viendra-t-il nous défendre ?
A-t-il près de son roi fait serment de se rendre ?

JOAD

Abner, quoiqu'on se pût assurer sur sa foi,
Ne sait pas même encor si nous avons un roi.

JOSABET

Mais à qui de Joas confiez-vous la garde ?
Est-ce Obed, est-ce Amnon que cet honneur regarde ?
De mon père sur eux les bienfaits répandus...

JOAD

A l'injuste Athalie ils se sont tous vendus.

JOSABET

Qui donc opposez-vous contre ses satellites ?

JOAD

Ne vous l'ai-je pas dit ? Nos prêtres, nos lévites.

JOSABET

Je sais que près de vous en secret assemblé,
Par vos soins prévoyants leur nombre est redoublé ;
Que pleins d'amour pour vous, d'horreur pour Athalie,
Un serment solennel par avance les lie
A ce fils de David qu'on leur doit révéler.
Mais quelque noble ardeur dont ils puissent brûler,
Peuvent-ils de leur roi venger seuls la querelle ?
Pour un si grand ouvrage, est-ce assez de leur zèle ?
Doutez-vous qu'Athalie, au premier bruit semé
Qu'un fils d'Ochosias est ici renfermé,
De ses fiers étrangers assemblant les cohortes,
N'environne le temple, et n'en brise les portes ?
Suffira-t-il contre eux de vos ministres saints,
Qui levant au Seigneur leurs innocentes mains,
Ne savent que gémir et prier pour nos crimes,
Et n'ont jamais versé que le sang des victimes ?
Peut-être dans leurs bras Joas percé de coups...

JOAD

Et comptez-vous pour rien Dieu qui combat pour nous ?
Dieu, qui de l'orphelin protège l'innocence,
Et fait dans la faiblesse éclater sa puissance ;
Dieu, qui hait les tyrans, et qui dans Jezraël
Jura d'exterminer Achab et Jézabel ;
Dieu, qui frappant Joram, le mari de leur fille,
A jusque sur son fils poursuivi leur famille ;
Dieu, dont le bras vengeur, pour un temps suspendu,
Sur cette race impie est toujours étendu.

JOSABET

Et c'est sur tous ces rois sa justice sévère
Que je crains pour le fils de mon malheureux frère.
Qui sait si cet enfant, par leur crime entraîné,
Avec eux en naissant ne fut pas condamné ?
Si Dieu, le séparant d'une odieuse race,
En faveur de David voudra lui faire grâce ?
   Hélas ! l'état horrible où le ciel me l'offrit
Revient à tout moment effrayer mon esprit.

De princes égorgés la chambre était remplie.
Un poignard à la main, l'implacable Athalie
Au carnage animait ses barbares soldats,
Et poursuivait le cours de ses assassinats.
Joas, laissé pour mort, frappa soudain ma vue.
Je me figure encor sa nourrice éperdue,
Qui devant les bourreaux s'était jetée en vain,
Et faible le tenait renversé sur son sein.
Je le pris tout sanglant. En baignant son visage,
Mes pleurs du sentiment lui rendirent l'usage;
Et soit frayeur encore, ou pour me caresser,
De ses bras innocents je me sentis presser.
Grand Dieu, que mon amour ne lui soit point funeste.
Du fidèle David c'est le précieux reste.
Nourri dans ta maison, en l'amour de ta loi,
Il ne connaît encor d'autre père que toi.
Sur le point d'attaquer une reine homicide,
A l'aspect du péril si ma foi s'intimide.
Si la chair et le sang, se troublant aujourd'hui,
Ont trop de part aux pleurs que je répands pour lui,
Conserve l'héritier de tes saintes promesses,
Et ne punis que moi de toutes mes faiblesses.

JOAD

Vos larmes, Josabet, n'ont rien de criminel;
Mais Dieu veut qu'on espère en son soin paternel.
Il ne recherche point, aveugle en sa colère,
Sur le fils qui le craint l'impiété du père.
Tout ce qui reste encor de fidèles Hébreux
Lui viendront aujourd'hui renouveler leurs vœux.
Autant que de David la race est respectée,
Autant de Jézabel la fille est détestée.
Joas les touchera par sa noble pudeur,
Où semble de son sang reluire la splendeur;
Et Dieu, par sa voix même appuyant notre exemple,
De plus près à leur cœur parlera dans son temple.
Deux infidèles rois tour à tour l'ont bravé :
Il faut que sur le trône un roi soit élevé,
Qui se souvienne un jour qu'au rang de ses ancêtres
Dieu l'a fait remonter par la main de ses prêtres,
L'a tiré par leur main de l'oubli du tombeau,
Et de David éteint rallumé le flambeau.
   Grand Dieu, si tu prévois qu'indigne de sa race,
Il doive de David abandonner la trace,
Qu'il soit comme le fruit en naissant arraché,

Ou qu'un souffle ennemi dans sa fleur a séché.
Mais si ce même enfant, à tes ordres docile,
Doit être à tes desseins un instrument utile,
Fais qu'au juste héritier le sceptre soit remis;
Livre en mes faibles mains ses puissants ennemis;
Confonds dans ses conseils une reine cruelle.
Daigne, daigne, mon Dieu, sur Mathan et sur elle
Répandre cet esprit d'imprudence et d'erreur,
De la chute des rois funestes avant-coureur.
    L'heure me presse. Adieu. Des plus saintes familles
Votre fils et sa sœur vous amènent les filles.

SCÈNE III

JOSABET, ZACHARIE, SALOMITH,
LE CHŒUR

JOSABET

Cher Zacharie, allez, ne vous arrêtez pas,
De votre auguste père accompagnez les pas.
    O filles de Lévi, troupe jeune et fidèle,
Que déjà le Seigneur embrase de son zèle,
Qui venez si souvent partager mes soupirs,
Enfants, ma seule joie en mes longs déplaisirs,
Ces festons dans vos mains et ces fleurs sur vos têtes
Autrefois convenaient à nos pompeuses fêtes.
Mais, hélas! en ce temps d'opprobre et de douleurs,
Quelle offrande sied mieux que celle de nos pleurs?
J'entends déjà, j'entends la trompette sacrée,
Et du temple bientôt on permettra l'entrée.
Tandis que je me vais préparer à marcher,
Chantez, louez le Dieu que vous venez chercher.

SCÈNE IV

LE CHŒUR

TOUT LE CHŒUR *chante.*

Tout l'univers est plein de sa magnificence.
Qu'on l'adore ce Dieu, qu'on l'invoque à jamais.
Son empire a des temps précédé la naissance.
    Chantons, publions ses bienfaits.

UNE VOIX, *seule.*

En vain l'injuste violence
Au peuple qui le loue imposerait silence,
            Son nom ne périra jamais.
Le jour annonce au jour sa gloire et sa puissance.
Tout l'univers est plein de sa magnificence :
            Chantons, publions ses bienfaits.

TOUT LE CHŒUR *répète.*

Tout l'univers est plein de sa magnificence :
            Chantons, publions ses bienfaits.

UNE VOIX, *seule.*

Il donne aux fleurs leur aimable peinture.
            Il fait naître et mûrir les fruits.
            Il leur dispense avec mesure
Et la chaleur des jours et la fraîcheur des nuits;
Le champ qui les reçut les rend avec usure.

UNE AUTRE

Il commande au soleil d'animer la nature,
            Et la lumière est un don de ses mains;
            Mais sa loi sainte, sa loi pure,
Est le plus riche don qu'il ait fait aux humains.

UNE AUTRE

O mont de Sinaï, conserve la mémoire
De ce jour à jamais auguste et renommé,
            Quand, sur ton sommet enflammé,
Dans un nuage épais le Seigneur enfermé
Fit luire aux yeux mortels un rayon de sa gloire.
            Dis-nous pourquoi ces feux et ces éclairs,
Ces torrents de fumée, et ce bruit dans les airs,
            Ces trompettes et ce tonnerre ?
Venait-il renverser l'ordre des éléments ?
            Sur ses antiques fondements
            Venait-il ébranler la terre ?

UNE AUTRE

Il venait révéler aux enfants des Hébreux
De ses préceptes saints la lumière immortelle.
            Il venait à ce peuple heureux
Ordonner de l'aimer d'une amour éternelle.

TOUT LE CHŒUR

            O divine, ô charmante loi !
            O justice ! ô bonté suprême !

Que de raisons, quelle douceur extrême
D'engager à ce Dieu son amour et sa foi!

UNE VOIX, *seule.*

D'un joug cruel il sauva nos aïeux,
Les nourrit au désert d'un pain délicieux.
Il nous donne ses lois, il se donne lui-même.
Pour tant de biens, il commande qu'on l'aime.

LE CHŒUR

O justice! ô bonté suprême!

LA MÊME VOIX

Des mers pour eux il entr'ouvrit les eaux,
D'un aride rocher fit sortir des ruisseaux.
Il nous donne ses lois, il se donne lui-même.
Pour tant de biens, il commande qu'on l'aime.

LE CHŒUR

O divine, ô charmante loi!
Que de raisons, quelle douceur extrême
D'engager à ce Dieu son amour et sa foi!

UNE AUTRE VOIX, *seule.*

Vous qui ne connaissez qu'une crainte servile,
Ingrats, un Dieu si bon ne peut-il vous charmer?
Est-il donc à vos cœurs, est-il si difficile
      Et si pénible de l'aimer?
      L'esclave craint le tyran qui l'outrage;
      Mais des enfants l'amour est le partage.
Vous voulez que ce Dieu vous comble de bienfaits,
      Et ne l'aimer jamais?

TOUT LE CHŒUR

O divine, ô charmante loi, *etc.*

ACTE II

SCÈNE PREMIÈRE

JOSABET, SALOMITH, LE CHŒUR

JOSABET

Mes filles, c'est assez ; suspendez vos cantiques.
Il est temps de nous joindre aux prières publiques.
Voici notre heure. Allons célébrer ce grand jour,
Et devant le Seigneur paraître à notre tour.

SCÈNE II

ZACHARIE, JOSABET, SALOMITH,
LE CHŒUR

JOSABET

Mais que vois-je ? Mon fils, quel sujet vous ramène ?
Où courez-vous ainsi tout pâle et hors d'haleine ?

ZACHARIE

O ma mère !

JOSABET

Hé bien, quoi ?

ZACHARIE

Le temple est profané.

JOSABET

Comment ?

ZACHARIE

Et du Seigneur l'autel abandonné.

JOSABET

Je tremble. Hâtez-vous d'éclaircir votre mère.

ZACHARIE

Déjà, selon la loi, le grand prêtre mon père,
Après avoir au Dieu qui nourrit les humains

De la moisson nouvelle offert les premiers pains,
Lui présentait encore entre ses mains sanglantes
Des victimes de paix les entrailles fumantes.
Debout à ses côtés le jeune Éliacin
Comme moi le servait en long habit de lin;
Et cependant, du sang de la chair immolée,
Les prêtres arrosaient l'autel et l'assemblée.
Un bruit confus s'élève, et du peuple surpris
Détourne tout à coup les yeux et les esprits.
Une femme... Peut-on la nommer sans blasphème ?
Une femme... C'était Athalie elle-même.

JOSABET

Ciel !

ZACHARIE

          Dans un des parvis aux hommes réservé
Cette femme superbe entre, le front levé,
Et se préparait même à passer les limites
De l'enceinte sacrée ouverte aux seuls lévites.
Le peuple s'épouvante et fuit de toutes parts.
Mon père... Ah! quel courroux animait ses regards!
Moïse à Pharaon parut moins formidable :
« Reine, sors, a-t-il dit, de ce lieu redoutable,
D'où te bannit ton sexe et ton impiété.
Viens-tu du Dieu vivant braver la majesté ? »
La Reine alors, sur lui jetant un œil farouche,
Pour blasphémer sans doute ouvrait déjà la bouche.
J'ignore si de Dieu l'ange se dévoilant
Est venu lui montrer un glaive étincelant;
Mais sa langue en sa bouche à l'instant s'est glacée,
Et toute son audace a paru terrassée.
Ses yeux, comme effrayés, n'osaient se détourner;
Surtout Éliacin paraissait l'étonner.

JOSABET

Quoi donc ? Éliacin a paru devant elle ?

ZACHARIE

Nous regardions tous deux cette reine cruelle,
Et d'une égale horreur nos cœurs étaient frappés.
Mais les prêtres bientôt nous ont enveloppés.
On nous a fait sortir. J'ignore tout le reste,
Et venais vous conter ce désordre funeste.

JOSABET

Ah! de nos bras sans doute elle vient l'arracher;
Et c'est lui qu'à l'autel sa fureur vient chercher.

Peut-être en ce moment l'objet de tant de larmes...
Souviens-toi de David, Dieu, qui vois mes alarmes.

SALOMITH

Quel est-il cet objet des pleurs que vous versez ?

ZACHARIE

Les jours d'Éliacin seraient-ils menacés ?

SALOMITH

Aurait-il de la Reine attiré la colère ?

ZACHARIE

Que craint-on d'un enfant sans support et sans père ?

JOSABET

Ah! la voici. Sortons. Il la faut éviter.

SCÈNE III

ATHALIE, AGAR, ABNER, SUITE D'ATHALIE

AGAR

Madame, dans ces lieux pourquoi vous arrêter ?
Ici tous les objets vous blessent, vous irritent.
Abandonnez ce temple aux prêtres qui l'habitent;
Fuyez tout ce tumulte, et dans votre palais
A vos sens agités venez rendre la paix.

ATHALIE

Non, je ne puis : tu vois mon trouble et ma faiblesse.
Va, fais dire à Mathan qu'il vienne, qu'il se presse,
Heureuse si je puis trouver par son secours
Cette paix que je cherche et qui me fuit toujours.

Elle s'assied.

SCÈNE IV

ATHALIE, ABNER, etc.

ABNER

Madame, pardonnez si j'ose le défendre.
Le zèle de Joad n'a point dû vous surprendre.

Du Dieu que nous servons tel est l'ordre éternel.
Lui-même il nous traça son temple et son autel,
Aux seuls enfants d'Aaron commit ses sacrifices,
Aux lévites marqua leur place et leurs offices,
Et surtout défendit à leur postérité
Avec tout autre Dieu toute société.
Hé quoi ? vous de nos rois et la femme et la mère,
Etes-vous à ce point parmi nous étrangère ?
Ignorez-vous nos lois ? Et faut-il qu'aujourd'hui...
Voici votre Mathan, je vous laisse avec lui.

ATHALIE

Votre présence, Abner, est ici nécessaire.
Laissons là de Joad l'audace téméraire,
Et tout ce vain amas de superstitions
Qui ferment votre temple aux autres nations.
Un sujet plus pressant excite mes alarmes.
Je sais que dès l'enfance élevé dans les armes,
Abner a le cœur noble, et qu'il rend à la fois
Ce qu'il doit à son Dieu, ce qu'il doit à ses rois.
Demeurez.

SCÈNE V

MATHAN, ATHALIE, ABNER, etc.

MATHAN

Grande Reine, est-ce ici votre place ?
Quel trouble vous agite, et quel effroi vous glace ?
Parmi vos ennemis que venez-vous chercher ?
De ce temple profane osez-vous approcher ?
Avez-vous dépouillé cette haine si vive...

ATHALIE

Prêtez-moi l'un et l'autre une oreille attentive.
Je ne veux point ici rappeler le passé,
Ni vous rendre raison du sang que j'ai versé.
Ce que j'ai fait, Abner, j'ai cru le devoir faire.
Je ne prends point pour juge un peuple téméraire.
Quoi que son insolence ait osé publier,
Le Ciel même a pris soin de me justifier.
Sur d'éclatants succès ma puissance établie
A fait jusqu'aux deux mers respecter Athalie.
Par moi Jérusalem goûte un calme profond.
Le Jourdain ne voit plus l'Arabe vagabond,

Ni l'altier Philistin, par d'éternels ravages,
Comme au temps de vos rois, désoler ses rivages;
Le Syrien me traite et de reine et de sœur.
Enfin de ma maison le perfide oppresseur,
Qui devait jusqu'à moi pousser sa barbarie,
Jéhu, le fier Jéhu, tremble dans Samarie.
De toutes parts pressé par un puissant voisin,
Que j'ai su soulever contre cet assassin,
Il me laisse en ces lieux souveraine maîtresse.
Je jouissais en paix du fruit de ma sagesse;
Mais un trouble importun vient, depuis quelques jours,
De mes prospérités interrompre le cours.
Un songe (me devrais-je inquiéter d'un songe?)
Entretient dans mon cœur un chagrin qui le ronge.
Je l'évite partout, partout il me poursuit.
   C'était pendant l'horreur d'une profonde nuit.
Ma mère Jézabel devant moi s'est montrée,
Comme au jour de sa mort pompeusement parée.
Ses malheurs n'avaient point abattu sa fierté;
Même elle avait encor cet éclat emprunté
Dont elle eut soin de peindre et d'orner son visage,
Pour réparer des ans l'irréparable outrage.
Tremble, m'a-t-elle dit, *fille digne de moi.*
Le cruel Dieu des Juifs l'emporte aussi sur toi.
Je te plains de tomber dans ses mains redoutables,
Ma fille. En achevant ces mots épouvantables,
Son ombre vers mon lit a paru se baisser;
Et moi, je lui tendais les mains pour l'embrasser.
Mais je n'ai plus trouvé qu'un horrible mélange
D'os et de chair meurtris, et traînés dans la fange,
Des lambeaux pleins de sang, et des membres affreux,
Que des chiens dévorants se disputaient entre eux.

ABNER

Grand Dieu!

ATHALIE

                    Dans ce désordre à mes yeux se présente
Un jeune enfant couvert d'une robe éclatante,
Tels qu'on voit des Hébreux les prêtres revêtus.
Sa vue a ranimé mes esprits abattus.
Mais lorsque revenant de mon trouble funeste,
J'admirais sa douceur, son air noble et modeste,
J'ai senti tout à coup un homicide acier,
Que le traître en mon sein a plongé tout entier.

De tant d'objets divers le bizarre assemblage
Peut-être du hasard vous paraît un ouvrage.
Moi-même quelque temps honteuse de ma peur,
Je l'ai pris pour l'effet d'une sombre vapeur.
Mais de ce souvenir mon âme possédée
A deux fois en dormant revu la même idée :
Deux fois mes tristes yeux se sont vu retracer
Ce même enfant toujours tout prêt à me percer.
Lasse enfin des horreurs dont j'étais poursuivie,
J'allais prier Baal de veiller sur ma vie,
Et chercher du repos au pied de ses autels.
Que ne peut la frayeur sur l'esprit des mortels ?
Dans le temple des Juifs un instinct m'a poussée,
Et d'apaiser leur Dieu j'ai conçu la pensée :
J'ai cru que des présents calmeraient son courroux,
Que ce Dieu, quel qu'il soit, en deviendrait plus doux.
Pontife de Baal, excusez ma faiblesse.
J'entre. Le peuple fuit. Le sacrifice cesse.
Le grand prêtre vers moi s'avance avec fureur.
Pendant qu'il me parlait, ô surprise ! ô terreur !
J'ai vu ce même enfant dont je suis menacée,
Tel qu'un songe effrayant l'a peint à ma pensée.
Je l'ai vu : son même air, son même habit de lin,
Sa démarche, ses yeux, et tous ses traits enfin.
C'est lui-même. Il marchait à côté du grand prêtre;
Mais bientôt à ma vue on l'a fait disparaître.
Voilà quel trouble ici m'oblige à m'arrêter,
Et sur quoi j'ai voulu tous deux vous consulter.
Que présage, Mathan, ce prodige incroyable ?

MATHAN

Ce songe et ce rapport, tout me semble effroyable.

ATHALIE

Mais cet enfant fatal, Abner, vous l'avez vu :
Quel est-il ? De quel sang ? Et de quelle tribu ?

ABNER

Deux enfants à l'autel prêtaient leur ministère.
L'un est fils de Joab, Josabet est sa mère.
L'autre m'est inconnu.

MATHAN

Pourquoi délibérer ?
De tous les deux, Madame, il se faut assurer.
Vous savez pour Joad mes égards, mes mesures,

Que je ne cherche point à venger mes injures,
Que la seule équité règne en tous mes avis;
Mais lui-même après tout, fût-ce son propre fils,
Voudrait-il un moment laisser vivre un coupable ?

ABNER

De quel crime un enfant peut-il être capable ?

MATHAN

Le ciel nous le fait voir un poignard à la main :
Le ciel est juste et sage, et ne fait rien en vain.
Que cherchez-vous de plus ?

ABNER

                 Mais, sur la foi d'un songe,
Dans le sang d'un enfant voulez-vous qu'on se plonge ?
Vous ne savez encor de quel père il est né,
Quel il est.

MATHAN

         On le craint, tout est examiné.
A d'illustres parents s'il doit son origine,
La splendeur de son sort doit hâter sa ruine.
Dans le vulgaire obscur si le sort l'a placé,
Qu'importe qu'au hasard un sang vil soit versé ?
Est-ce aux rois à garder cette lente justice ?
Leur sûreté souvent dépend d'un prompt supplice.
N'allons point les gêner d'un soin embarrassant.
Dès qu'on leur est suspect, on n'est plus innocent.

ABNER

Hé quoi, Mathan ? D'un prêtre est-ce là le langage ?
Moi, nourri dans la guerre aux horreurs du carnage,
Des vengeances des rois ministre rigoureux,
C'est moi qui prête ici ma voix au malheureux;
Et vous, qui lui devez des entrailles de père,
Vous, ministre de paix dans les temps de colère,
Couvrant d'un zèle faux votre ressentiment,
Le sang à votre gré coule trop lentement ?
   Vous m'avez commandé de vous parler sans feinte,
Madame : quel est donc ce grand sujet de crainte ?
Un songe, un faible enfant que votre œil prévenu
Peut-être sans raison croit avoir reconnu.

ATHALIE

Je le veux croire, Abner; je puis m'être trompée.
Peut-être un songe vain m'a trop préoccupée.
Hé bien! il faut revoir cet enfant de plus près;

Il en faut à loisir examiner les traits.
Qu'on les fasse tous deux paraître en ma présence.

ABNER

Je crains...

ATHALIE

     Manquerait-on pour moi de complaisance ?
De ce refus bizarre où seraient les raisons ?
Il pourrait me jeter en d'étranges soupçons.
Que Josabet, vous dis-je, ou Joad les amène.
Je puis, quand je voudrai, parler en souveraine.
Vos prêtres, je veux bien, Abner, vous l'avouer,
Des bontés d'Athalie ont lieu de se louer,
Je sais sur ma conduite et contre ma puissance
Jusqu'où de leurs discours ils portent la licence.
Ils vivent cependant, et leur temple est debout.
Mais je sens que bientôt ma douceur est à bout.
Que Joad mette un frein à son zèle sauvage,
Et ne m'irrite point par un second outrage.
Allez.

SCÈNE VI

ATHALIE, MATHAN, etc.

MATHAN

    Enfin, je puis parler en liberté :
Je puis dans tout son jour mettre la vérité.
Quelque monstre naissant dans ce temple s'élève,
Reine. N'attendez pas que le nuage crève.
Abner chez le grand prêtre a devancé le jour.
Pour le sang de ses rois vous savez son amour.
Et qui sait si Joad ne veut point en leur place
Substituer l'enfant dont le ciel vous menace,
Soit son fils, soit quelque autre...

ATHALIE

               Oui, vous m'ouvrez les yeux.
Je commence à voir clair dans cet avis des cieux.
Mais je veux de mon doute être débarrassée.
Un enfant est peu propre à trahir sa pensée.
Souvent d'un grand dessein un mot nous fait juger.
Laissez-moi, cher Mathan, le voir, l'interroger.
Vous cependant, allez; et sans jeter d'alarmes,
A tous mes Tyriens faites prendre les armes.

SCÈNE VII

JOAS, JOSABET, ATHALIE, ZACHARIE, ABNER, SALOMITH, DEUX LÉVITES, LE CHŒUR, *etc.*

JOSABET, *aux deux lévites.*

O vous, sur ces enfants si chers, si précieux,
Ministres du Seigneur, ayez toujours les yeux.

ABNER, *à Josabet.*

Princesse, assurez-vous, je les prends sous ma garde.

ATHALIE

O ciel! plus j'examine, et plus je le regarde,
C'est lui. D'horreur encor tous mes sens sont saisis.
Épouse de Joad, est-ce là votre fils ?

JOSABET

Qui ? Lui, Madame ?

ATHALIE

Lui.

JOSABET

Je ne suis point sa mère.
Voilà mon fils.

ATHALIE

Et vous, quel est donc votre père ?
Jeune enfant, répondez.

JOSABET

Le ciel jusqu'aujourd'hui...

ATHALIE

Pourquoi vous pressez-vous de répondre pour lui ?
C'est à lui de parler.

JOSABET

Dans un âge si tendre
Quel éclaircissement en pouvez-vous attendre ?

ATHALIE

Cet âge est innocent. Son ingénuité
N'altère point encor la simple vérité.
Laissez-le s'expliquer sur tout ce qui le touche.

JOSABET, *tout bas*.

Daigne mettre, grand Dieu, ta sagesse en sa bouche.

ATHALIE

Comment vous nommez-vous ?

JOAS

J'ai nom Éliacin.

ATHALIE

Votre père ?

JOAS

Je suis, dit-on, un orphelin
Entre les bras de Dieu jeté dès ma naissance,
Et qui de mes parents n'eus jamais connaissance.

ATHALIE

Vous êtes sans parents ?

JOAS

Ils m'ont abandonné.

ATHALIE

Comment ? Et depuis quand ?

JOAS

Depuis que je suis né.

ATHALIE

Ne sait-on pas au moins quel pays est le vôtre ?

JOAS

Ce temple est mon pays, je n'en connais point d'autre.

ATHALIE

Où dit-on que le sort vous a fait ren contrer ?

JOAS

Parmi des loups cruels prêts à me dévorer.

ATHALIE

Qui vous mit dans ce temple ?

JOAS

Une femme inconnue,
Qui ne dit point son nom, et qu'on n'a point revue.

ATHALIE

Mais de vos premiers ans quelles mains ont pris soin ?

JOAS

Dieu laissa-t-il jamais ses enfants au besoin ?
Aux petits des oiseaux il donne leur pâture,
Et sa bonté s'étend sur toute la nature.
Tous les jours je l'invoque, et d'un soin paternel
Il me nourrit des dons offerts sur son autel.

ATHALIE

Quel prodige nouveau me trouble et m'embarrasse ?
La douceur de sa voix, son enfance, sa grâce,
Font insensiblement à mon inimitié
Succéder... Je serais sensible à la pitié ?

ABNER

Madame, voilà donc cet ennemi terrible.
De vos songes menteurs l'imposture est visible,
A moins que la pitié qui semble vous troubler
Ne soit ce coup fatal qui vous faisait trembler.

ATHALIE, à Joas et à Josabet.

Vous sortez ?

JOSABET

Vous avez entendu sa fortune.
Sa présence à la fin pourrait être importune.

ATHALIE

Non. Revenez. Quel est tous les jours votre emploi ?

JOAS

J'adore le Seigneur. On m'explique sa loi.
Dans son livre divin on m'apprend à la lire,
Et déjà de ma main je commence à l'écrire.

ATHALIE

Que vous dit cette loi ?

JOAS

Que Dieu veut être aimé,
Qu'il venge tôt ou tard son saint nom blasphémé,
Qu'il est le défenseur de l'orphelin timide,
Qu'il résiste au superbe et punit l'homicide.

ATHALIE

J'entends. Mais tout ce peuple enfermé dans ce lieu,
A quoi s'occupe-t-il ?

JOAS

Il loue, il bénit Dieu.

ATHALIE

Dieu veut-il qu'à toute heure on prie, on le contemple ?

JOAS

Tout profane exercice est banni de son temple.

ATHALIE

Quels sont donc vos plaisirs ?

JOAS

Quelquefois à l'autel
Je présente au grand prêtre ou l'encens ou le sel.
J'entends chanter de Dieu les grandeurs infinies.
Je vois l'ordre pompeux de ses cérémonies.

ATHALIE

Hé quoi! vous n'avez point de passe-temps plus doux ?
Je plains le triste sort d'un enfant tel que vous.
Venez dans mon palais, vous y verrez ma gloire.

JOAS

Moi, des bienfaits de Dieu je perdrais la mémoire ?

ATHALIE

Non, je ne vous veux pas contraindre à l'oublier.

JOAS

Vous ne le priez point.

ATHALIE

Vous pourrez le prier.

JOAS

Je verrais cependant en invoquer un autre ?

ATHALIE

J'ai mon Dieu que je sers; vous servirez le vôtre.
Ce sont deux puissants dieux.

JOAS

Il faut craindre le mien :
Lui seul est Dieu, Madame, et le vôtre n'est rien.

ATHALIE

Les plaisirs près de moi vous chercheront en foule.

JOAS

Le bonheur des méchants comme un torrent s'écoule.

ATHALIE

Ces méchants, qui sont-ils ?

JOSABET

Hé, Madame ! excusez

Un enfant...

ATHALIE, à Josabet.

J'aime à voir comme vous l'instruisez.
Enfin, Eliacin, vous avez su me plaire ;
Vous n'êtes point sans doute un enfant ordinaire.
Vous voyez, je suis reine, et n'ai point d'héritier.
Laissez là cet habit, quittez ce vil métier.
Je veux vous faire part de toutes mes richesses ;
Essayez dès ce jour l'effet de mes promesses.
A ma table, partout, à mes côtés assis,
Je prétends vous traiter comme mon propre fils.

JOAS

Comme votre fils ?

ATHALIE

Oui. Vous vous taisez ?

JOAS

Quel père

Je quitterais ! Et pour...

ATHALIE

Hé bien ?

JOAS

Pour quelle mère !

ATHALIE, à Josabet.

Sa mémoire est fidèle, et dans tout ce qu'il dit
De vous et de Joad je reconnais l'esprit.
Voilà comme infectant cette simple jeunesse,
Vous employez tous deux le calme où je vous laisse.
Vous cultivez déjà leur haine et leur fureur ;
Vous ne leur prononcez mon nom qu'avec horreur.

JOSABET

Peut-on de nos malheurs leur dérober l'histoire ?
Tout l'univers les sait ; vous-même en faites gloire.

ATHALIE

Oui, ma juste fureur, et j'en fais vanité,
A vengé mes parents sur ma postérité.

J'aurais vu massacrer et mon père et mon frère,
Du haut de son palais précipiter ma mère,
Et dans un même jour égorger à la fois,
Quel spectacle d'horreur! quatre-vingts fils de rois.
Et pourquoi? Pour venger je ne sais quels prophètes,
Dont elle avait puni les fureurs indiscrètes.
Et moi, reine sans cœur, fille sans amitié,
Esclave d'une lâche et frivole pitié,
Je n'aurais pas du moins à cette aveugle rage
Rendu meurtre pour meurtre, outrage pour outrage,
Et de votre David traité tous les neveux
Comme on traitait d'Achab les restes malheureux?
Où serais-je aujourd'hui, si domptant ma faiblesse,
Je n'eusse d'une mère étouffé la tendresse,
Si de mon propre sang ma main versant des flots
N'eût par ce coup hardi réprimé vos complots?
Enfin de votre Dieu l'implacable vengeance
Entre nos deux maisons rompit toute alliance.
David m'est en horreur; et les fils de ce roi,
Quoique nés de mon sang, sont étrangers pour moi.

JOSABET

Tout vous a réussi? Que Dieu voie, et nous juge.

ATHALIE

Ce Dieu, depuis longtemps votre unique refuge,
Que deviendra l'effet de ses prédictions?
Qu'il vous donne ce roi promis aux nations,
Cet enfant de David, votre espoir, votre attente...
Mais nous nous reverrons. Adieu; je sors contente:
J'ai voulu voir; j'ai vu.

ABNER, à Josabet.

        Je vous l'avais promis,
Je vous rends le dépôt que vous m'avez commis.

SCÈNE VIII
JOAD, JOSABET, JOAS, ZACHARIE,
ABNER, SALOMITH, LÉVITES, LE CHŒUR

JOSABET, à Joad.

Avez-vous entendu cette superbe reine,
Seigneur?

JOAD

J'entendais tout, et plaignais votre peine.
Ces lévites et moi, prêts à vous secourir,
Nous étions avec vous résolus de périr.

À Joas, en l'embrassant.

Que Dieu veille sur vous, enfant dont le courage
Vient de rendre à son nom ce noble témoignage.
Je reconnais, Abner, ce service important.
Souvenez-vous de l'heure où Joad vous attend.
Et nous dont cette femme impie et meurtrière
A souillé les regards et troublé la prière,
Rentrons, et qu'un sang pur, par mes mains épanché,
Lave jusques au marbre où ses pas ont touché.

SCÈNE IX

LE CHŒUR

UNE DES FILLES DU CHŒUR

Quel astre à nos yeux vient de luire ?
Quel sera quelque jour cet enfant merveilleux ?
    Il brave le faste orgueilleux,
    Et ne se laisse point séduire
    A tous ses attraits périlleux.

UNE AUTRE

    Pendant que du dieu d'Athalie
    Chacun court encenser l'autel,
    Un enfant courageux publie
    Que Dieu lui seul est éternel,
    Et parle comme un autre Elie
    Devant cette autre Jézabel.

UNE AUTRE

Qui nous révélera ta naissance secrète,
Cher enfant ? Es-tu fils de quelque saint prophète ?

UNE AUTRE

    Ainsi l'on vit l'aimable Samuel
    Croître à l'ombre du tabernacle.
Il devint des Hébreux l'espérance et l'oracle.
Puisses-tu, comme lui, consoler Israël !

UNE AUTRE *chante.*

O bienheureux mille fois
L'enfant que le Seigneur aime,
Qui de bonne heure entend sa voix,
Et que ce Dieu daigne instruire lui-même!
Loin du monde élevé, de tous les dons des cieux
Il est orné dès sa naissance;
Et du méchant l'abord contagieux
N'altère point son innocence.

TOUT LE CHŒUR

Heureuse, heureuse enfance
Que le Seigneur instruit et prend sous sa défense!

LA MÊME VOIX, *seule.*

Tel en un secret vallon,
Sur le bord d'une onde pure,
Croît à l'abri de l'aquilon
Un jeune lis, l'amour de la nature.
Loin du monde élevé, *etc.*

TOUT LE CHŒUR

Heureux, heureux mille fois
L'enfant que le Seigneur rend docile à ses lois!

UNE VOIX, *seule.*

Mon Dieu, qu'une vertu naissante
Parmi tant de périls marche à pas incertains!
Qu'une âme qui te cherche et veut être innocente
Trouve d'obstacle à ses desseins!
Que d'ennemis lui font la guerre!
Où se peuvent cacher tes saints?
Les pécheurs couvrent la terre.

UNE AUTRE

O palais de David, et sa chère cité,
Mont fameux, que Dieu même a longtemps habité,
Comment as-tu du ciel attiré la colère?
Sion, chère Sion, que dis-tu quand tu vois
Une impie étrangère
Assise, hélas! au trône de tes rois?

TOUT LE CHŒUR

Sion, chère Sion, que dis-tu quand tu vois
Une impie étrangère
Assise, hélas! au trône de tes rois?

La même Voix *continue.*

Au lieu des cantiques charmants
Où David t'exprimait ses saints ravissements,
Et bénissait son Dieu, son Seigneur et son père,
Sion, chère Sion, que dis-tu quand tu vois
      Louer le Dieu de l'impie étrangère,
Et blasphémer le nom qu'ont adoré tes rois ?

Une Voix, *seule.*

Combien de temps, Seigneur, combien de temps encore
Verrons-nous contre toi les méchants s'élever ?
Jusque dans ton saint temple ils viennent te braver.
Ils traitent d'insensé le peuple qui t'adore.
Combien de temps, Seigneur, combien de temps encore
Verrons-nous contre toi les méchants s'élever ?

Une Autre

Que vous sert, disent-ils, cette vertu sauvage ?
      De tant de plaisirs si doux
      Pourquoi fuyez-vous l'usage ?
    Votre Dieu ne fait rien pour vous.

Une Autre

   Rions, chantons, dit cette troupe impie ;
  De fleurs en fleurs, de plaisirs en plaisirs,
      Promenons nos désirs.
    Sur l'avenir, insensé qui se fie.
De nos ans passagers le nombre est incertain.
Hâtons-nous aujourd'hui de jouir de la vie ;
      Qui sait si nous serons demain ?

Tout Le Chœur

Qu'ils pleurent, ô mon Dieu, qu'ils frémissent de crainte,
    Ces malheureux, qui de ta cité sainte
    Ne verront point l'éternelle splendeur.
C'est à nous de chanter, nous à qui tu révèles
      Tes clartés immortelles ;
C'est à nous de chanter tes dons et ta grandeur.

Une Voix, *seule.*

De tous ces vains plaisirs où leur âme se plonge,
Que leur restera-t-il ? Ce qui reste d'un songe
      Dont on a reconnu l'erreur.
    A leur réveil, ô réveil plein d'horreur !
      Pendant que le pauvre à ta table
Goûtera de ta paix la douceur ineffable,

Ils boiront dans la coupe affreuse, inépuisable,
Que tu présenteras au jour de ta fureur
         A toute la race coupable.

TOUT LE CHŒUR

    O réveil plein d'horreur!
    O songe peu durable!
    O dangereuse erreur!

ACTE III

SCÈNE PREMIÈRE

MATHAN, NABAL, LE CHŒUR

MATHAN

Jeunes filles, allez : qu'on dise à Josabet
Que Mathan veut ici lui parler en secret.

UNE DES FILLES DU CHŒUR

Mathan! O Dieu du ciel, puisses-tu le confondre!

NABAL

Hé quoi ? tout se disperse et fuit sans vous répondre ?

MATHAN

Approchons.

SCÈNE II

ZACHARIE, MATHAN, NABAL

ZACHARIE

         Téméraire, où voulez-vous passer ?
Au-delà de ce lieu gardez-vous d'avancer.
C'est des ministres saints la demeure sacrée;
Les lois à tout profane en défendent l'entrée.
Qui cherchez-vous ? Mon père, en ce jour solennel,
De l'idolâtre impur fuit l'aspect criminel;
Et devant le Seigneur maintenant prosternée,
Ma mère en ce devoir craint d'être détournée.

MATHAN

Mon fils, nous attendrons : cessez de vous troubler.
C'est votre illustre mère à qui je veux parler.
Je viens ici chargé d'un ordre de la Reine.

SCÈNE III

MATHAN, NABAL

NABAL

Les enfants ont déjà leur audace hautaine.
Mais que veut Athalie en cette occasion ?
D'où naît dans ses conseils cette confusion ?
Par l'insolent Joad ce matin offensée,
Et d'un enfant fatal en songe menacée,
Elle allait immoler Joad à son courroux,
Et dans ce temple enfin placer Baal et vous.
Vous m'en aviez déjà confié votre joie,
Et j'espérais ma part d'une si riche proie.
Qui fait changer ainsi ses vœux irrésolus ?

MATHAN

Ami, depuis deux jours je ne la connais plus.
Ce n'est plus cette reine éclairée, intrépide,
Elevée au-dessus de son sexe timide,
Qui d'abord accablait ses ennemis surpris,
Et d'un instant perdu connaissait tout le prix.
La peur d'un vain remords trouble cette grande âme :
Elle flotte, elle hésite; en un mot, elle est femme.
J'avais tantôt rempli d'amertume et de fiel
Son cœur déjà saisi des menaces du ciel.
Elle-même, à mes soins confiant sa vengeance,
M'avait dit d'assembler sa garde en diligence.
Mais soit que cet enfant devant elle amené,
De ses parents, dit-on, rebut infortuné,
Eût d'un songe effrayant diminué l'alarme,
Soit qu'elle eût même en lui vu je ne sais quel charme,
J'ai trouvé son courroux chancelant, incertain,
Et déjà remettant sa vengeance à demain.
Tous ses projets semblaient l'un l'autre se détruire.
« Du sort de cet enfant je me suis fait instruire,
Ai-je dit. On commence à vanter ses aïeux;
Joad de temps en temps le montre aux factieux,

Le fait attendre aux Juifs comme un autre Moïse,
Et d'oracles menteurs s'appuie et s'autorise. »
Ces mots ont fait monter la rougeur sur son front.
Jamais mensonge heureux n'eut un effet si prompt.
« Est-ce à moi de languir dans cette incertitude ?
Sortons, a-t-elle dit, sortons d'inquiétude.
Vous-même à Josabet prononcez cet arrêt :
Les feux vont s'allumer, et le fer est tout prêt;
Rien ne peut de leur temple empêcher le ravage,
Si je n'ai de leur foi cet enfant pour otage. »

NABAL

Hé bien! pour un enfant qu'ils ne connaissent pas,
Que le hasard peut-être a jeté dans leurs bras,
Voudront-ils que leur temple enseveli sous l'herbe...

MATHAN

Ah! de tous les mortels connais le plus superbe.
Plutôt que dans mes mains par Joad soit livré
Un enfant qu'à son Dieu Joad a consacré,
Tu lui verras subir la mort la plus terrible.
D'ailleurs pour cet enfant leur attache est visible.
Si j'ai bien de la Reine entendu le récit,
Joad sur sa naissance en sait plus qu'il ne dit.
Quel qu'il soit, je prévois qu'il leur sera funeste.
Ils le refuseront. Je prends sur moi le reste;
Et j'espère qu'enfin de ce temple odieux
Et la flamme et le fer vont délivrer mes yeux.

NABAL

Qui peut vous inspirer une haine si forte ?
Est-ce que de Baal le zèle vous transporte ?
Pour moi, vous le savez, descendu d'Ismaël,
Je ne sers ni Baal, ni le Dieu d'Israël.

MATHAN

Ami, peux-tu penser que d'un zèle frivole
Je me laisse aveugler pour une vaine idole,
Pour un fragile bois, que malgré mon secours
Les vers sur son autel consument tous les jours ?
Né ministre du Dieu qu'en ce temple on adore,
Peut-être que Mathan le servirait encore,
Si l'amour des grandeurs, la soif de commander
Avec son joug étroit pouvaient s'accommoder.
    Qu'est-il besoin, Nabal, qu'à tes yeux je rappelle
De Joad et de moi la fameuse querelle,

Quand j'osai contre lui disputer l'encensoir,
Mes brigues, mes combats, mes pleurs, mon désespoir ?
Vaincu par lui, j'entrai dans une autre carrière,
Et mon âme à la cour s'attacha tout entière,
J'approchai par degrés de l'oreille des rois,
Et bientôt en oracle on érigea ma voix.
J'étudiai leur cœur, je flattai leurs caprices,
Je leur semai de fleurs le bord des précipices.
Près de leurs passions rien ne me fut sacré ;
De mesure et de poids je changeais à leur gré.
Autant que de Joad l'inflexible rudesse
De leur superbe oreille offensait la mollesse,
Autant je les charmais par ma dextérité,
Dérobant à leurs yeux la triste vérité,
Prêtant à leurs fureurs des couleurs favorables,
Et prodigue surtout du sang des misérables.
Enfin au Dieu nouveau, qu'elle avait introduit,
Par les mains d'Athalie un temple fut construit.
Jérusalem pleura de se voir profanée ;
Des enfants de Lévi la troupe consternée
En poussa vers le ciel des hurlements affreux.
Moi seul, donnant l'exemple aux timides Hébreux,
Déserteur de leur loi, j'approuvai l'entreprise,
Et par là de Baal méritai la prêtrise.
Par là je me rendis terrible à mon rival,
Je ceignis la tiare, et marchai son égal.
Toutefois, je l'avoue, en ce comble de gloire,
Du Dieu que j'ai quitté l'importune mémoire
Jette encore en mon âme un reste de terreur ;
Et c'est ce qui redouble et nourrit ma fureur.
Heureux si sur son temple achevant ma vengeance,
Je puis convaincre enfin sa haine d'impuissance,
Et parmi le débris, le ravage et les morts,
A force d'attentats perdre tous mes remords !
Mais voici Josabet.

SCÈNE IV

JOSABET, MATHAN, NABAL

MATHAN

Envoyé par la Reine
Pour rétablir le calme et dissiper la haine,
Princesse, en qui le ciel mit un esprit si doux,
Ne vous étonnez pas si je m'adresse à vous.

Un bruit, que j'ai pourtant soupçonné de mensonge,
Appuyant les avis qu'elle a reçus en songe,
Sur Joad, accusé de dangereux complots,
Allait de sa colère attirer tous les flots.
Je ne veux point ici vous vanter mes services.
De Joad contre moi je sais les injustices ;
Mais il faut à l'offense opposer les bienfaits.
Enfin je viens chargé de paroles de paix.
Vivez, solennisez vos fêtes sans ombrage.
De votre obéissance elle ne veut qu'un gage :
C'est, pour l'en détourner j'ai fait ce que j'ai pu,
Cet enfant sans parents, qu'elle dit qu'elle a vu.

JOSABET

Eliacin !

MATHAN

       J'en ai pour elle quelque honte.
D'un vain songe peut-être elle fait trop de compte.
Mais vous vous déclarez ses mortels ennemis,
Si cet enfant sur l'heure en mes mains n'est remis.
La Reine impatiente attend votre réponse.

JOSABET

Et voilà de sa part la paix qu'on nous annonce !

MATHAN

Pourriez-vous un moment douter de l'accepter ?
D'un peu de complaisance est-ce trop l'acheter ?

JOSABET

J'admirais si Mathan, dépouillant l'artifice,
Avait pu de son cœur surmonter l'injustice,
Et si de tant de maux le funeste inventeur
De quelque ombre de bien pouvait être l'auteur.

MATHAN

De quoi vous plaignez-vous ? Vient-on avec furie
Arracher de vos bras votre fils Zacharie ?
Quel est cet autre enfant si cher à votre amour ?
Ce grand attachement me surprend à mon tour.
Est-ce un trésor pour vous si précieux, si rare ?
Est-ce un libérateur que le ciel vous prépare ?
Songez-y : vos refus pourraient me confirmer
Un bruit sourd que déjà l'on commence à semer.

JOSABET

Quel bruit ?

MATHAN

Que cet enfant vient d'illustre origine,
Qu'à quelque grand projet votre époux le destine.

JOSABET

Et Mathan par ce bruit qui flatte sa fureur...

MATHAN

Princesse, c'est à vous à me tirer d'erreur.
Je sais que du mensonge implacable ennemie,
Josabet livrerait même sa propre vie,
S'il fallait que sa vie à sa sincérité
Coûtât le moindre mot contre la vérité.
Du sort de cet enfant on n'a donc nulle trace ?
Une profonde nuit enveloppe sa race ?
Et vous-même ignorez de quels parents issu,
De quelles mains Joad en ses bras l'a reçu ?
Parlez, je vous écoute, et suis prêt de vous croire.
Au Dieu que vous servez, Princesse, rendez gloire.

JOSABET

Méchant, c'est bien à vous d'oser ainsi nommer
Un Dieu que votre bouche enseigne à blasphémer.
Sa vérité par vous peut-elle être attestée,
Vous, malheureux, assis dans la chaire empestée
Où le mensonge règne et répand son poison,
Vous, nourri dans la fourbe et dans la trahison ?

SCÈNE V
JOAD, JOSABET, MATHAN, NABAL

JOAD

Où suis-je ? De Baal ne vois-je pas le prêtre ?
Quoi, fille de David, vous parlez à ce traître ?
Vous souffrez qu'il vous parle ? Et vous ne craignez pas
Que du fond de l'abîme entrouvert sous ses pas
Il ne sorte à l'instant des feux qui vous embrasent,
Ou qu'en tombant sur lui ces murs ne vous écrasent ?
Que veut-il ? De quel front cet ennemi de Dieu
Vient-il infecter l'air qu'on respire en ce lieu ?

MATHAN

On reconnaît Joad à cette violence.
Toutefois, il devrait montrer plus de prudence,

Respecter une reine, et ne pas outrager
Celui que de son ordre elle a daigné charger.

JOAD

Hé bien, que nous fait-elle annoncer de sinistre ?
Quel sera l'ordre affreux qu'apporte un tel ministre ?

MATHAN

J'ai fait à Josabet savoir sa volonté.

JOAD

Sors donc de devant moi, monstre d'impiété.
De toutes tes horreurs, va, comble la mesure.
Dieu s'apprête à te joindre à la race parjure,
Abiron et Dathan, Doëg, Achitophel.
Les chiens, à qui son bras a livré Jézabel,
Attendant que sur toi sa fureur se déploie,
Déjà sont à ta porte et demandent leur proie.

MATHAN *(Il se trouble.)*

Avant la fin du jour... on verra qui de nous...
Doit... Mais sortons, Nabal.

NABAL

                                    Où vous égarez-vous ?
De vos sens étonnés quel désordre s'empare ?
Voilà votre chemin.

SCÈNE VI

JOAD, JOSABET

JOSABET

                                    L'orage se déclare.
Athalie en fureur demande Éliacin.
Déjà de sa naissance et de votre dessein
On commence, Seigneur, à percer le mystère :
Peut s'en faut que Mathan ne m'ait nommé son père.

JOAD

Au perfide Mathan qui l'aurait révélé ?
Votre trouble à Mathan n'a-t-il point trop parlé ?

JOSABET

J'ai fait ce que j'ai pu pour m'en rendre maîtresse.
Cependant, croyez-moi, Seigneur, le péril presse.

Réservons cet enfant pour un temps plus heureux.
Tandis que les méchants délibèrent entre eux,
Avant qu'on l'environne, avant qu'on nous l'arrache,
Une seconde fois souffrez que je le cache.
Les portes, les chemins lui sont encore ouverts.
Faut-il le transporter aux plus affreux déserts ?
Je suis prête. Je sais une secrète issue
Par où, sans qu'on le voie, et sans être aperçue,
De Cédron avec lui traversant le torrent,
J'irai dans le désert, où jadis en pleurant,
Et cherchant comme nous son salut dans la fuite,
David d'un fils rebelle évita la poursuite.
Je craindrai moins pour lui les lions et les ours...
Mais pourquoi de Jéhu refuser le secours ?
Je vous ouvre peut-être un avis salutaire.
Faisons de ce trésor Jéhu dépositaire.
On peut dans ses États le conduire aujourd'hui,
Et le chemin est court qui mène jusqu'à lui.
Jéhu n'a point un cœur farouche, inexorable ;
De David à ses yeux le nom est favorable.
Hélas ; est-il un roi si dur et si cruel,
A moins qu'il n'eût pour mère une autre Jézabel,
Qui d'un tel suppliant ne plaignît l'infortune ?
Sa cause à tous les rois n'est-elle pas commune ?

JOAD

Quels timides conseils m'osez-vous suggérer ?
En l'appui de Jéhu pourriez-vous espérer ?

JOSABET

Dieu défend-il tout soin et toute prévoyance ?
Ne l'offense-t-on point par trop de confiance ?
A ses desseins sacrés employant les humains,
N'a-t-il pas de Jéhu lui-même armé les mains ?

JOAD

Jéhu, qu'avait choisi sa sagesse profonde,
Jéhu, sur qui je vois que votre espoir se fonde,
D'un oubli trop ingrat a payé ses bienfaits.
Jéhu laisse d'Achab l'affreuse fille en paix,
Suit des rois d'Israël les profanes exemples,
Du vil Dieu de l'Égypte a conservé les temples.
Jéhu, sur les hauts lieux enfin osant offrir
Un téméraire encens que Dieu ne peut souffrir,
N'a pour servir sa cause et venger ses injures
Ni le cœur assez droit ni les mains assez pures.

Non, non : c'est à Dieu seul qu'il nous faut attacher.
Montrons Éliacin; et loin de le cacher,
Que du bandeau royal sa tête soit ornée.
Je veux même avancer l'heure déterminée,
Avant que de Mathan le complot soit formé.

SCÈNE VII

JOAD, JOSABET, AZARIAS SUIVI DU CHŒUR ET DE PLUSIEURS LÉVITES

JOAD

Hé bien, Azarias, le temple est-il fermé ?

AZARIAS

J'en ai fait devant moi fermer toutes les portes.

JOAD

N'y reste-t-il que vous et vos saintes cohortes ?

AZARIAS

De ses parvis sacrés j'ai deux fois fait le tour.
Tout a fui, tous se sont séparés sans retour,
Misérable troupeau qu'a dispersé la crainte;
Et Dieu n'est plus servi que dans la tribu sainte.
Depuis qu'à Pharaon ce peuple est échappé,
Une égale terreur ne l'avait point frappé.

JOAD

Peuple lâche, en effet, et né pour l'esclavage,
Hardi contre Dieu seul! Poursuivons notre ouvrage.
Mais qui retient encor ces enfants parmi nous ?

UNE DES FILLES DU CHŒUR

Hé! pourrions-nous, Seigneur, nous séparer de vous ?
Dans le temple de Dieu sommes-nous étrangères ?
Vous avez près de vous nos pères et nos frères.

UNE AUTRE

Hélas! si pour venger l'opprobre d'Israël,
Nos mains ne peuvent pas, comme autrefois Jahel *,
Des ennemis de Dieu percer la tête impie,
Nous lui pouvons du moins immoler notre vie.

* *Jug.* c. 4.

Quand vos bras combattront pour son temple attaqué,
Par nos larmes du moins il peut être invoqué.

JOAD

Voilà donc quels vengeurs s'arment pour ta querelle,
Des prêtres, des enfants, ô Sagesse éternelle !
Mais si tu les soutiens, qui peut les ébranler ?
Du tombeau, quand tu veux, tu sais nous rappeler.
Tu frappes et guéris. Tu perds et ressuscites.
Ils ne s'assurent point en leurs propres mérites,
Mais en ton nom sur eux invoqué tant de fois,
En tes serments jurés au plus saint de leurs rois,
En ce temple où tu fais ta demeure sacrée,
Et qui doit du soleil égaler la durée.
Mais d'où vient que mon cœur frémit d'un saint effroi ?
Est-ce l'Esprit divin qui s'empare de moi ?
C'est lui-même. Il m'échauffe. Il parle. Mes yeux s'ouvrent,
Et les siècles obscurs devant moi se découvrent.
Lévites, de vos sons prêtez-moi les accords,
Et de ses mouvements secondez les transports.

LE CHŒUR *chante au son de toute la symphonie*
des instruments.

Que du Seigneur la voix se fasse entendre,
Et qu'à nos cœurs son oracle divin
Soit ce qu'à l'herbe tendre
Est, au printemps, la fraîcheur du matin.

JOAD

Cieux, écoutez ma voix. Terre, prête l'oreille.
Ne dis plus, ô Jacob, que ton Seigneur sommeille.
Pécheurs, disparaissez : le Seigneur se réveille.

Ici recommence la symphonie, et Joad aussitôt
reprend la parole.

Comment en un plomb vil * l'or pur s'est-il changé ?
Quel est dans le lieu saint ce pontife égorgé ** ?
Pleure, Jérusalem, pleure, cité perfide,
Des prophètes divins malheureuse homicide.
De son amour pour toi ton Dieu s'est dépouillé.
Ton encens à ses yeux est un encens souillé.
Où menez-vous ces enfants et ces femmes *** ?

* Joas.
** Zacharie.
*** Captivité de Babylone.

Le Seigneur a détruit la reine des cités.
Ses prêtres sont captifs, ses rois sont rejetés.
Dieu ne veut plus qu'on vienne à ses solennités.
Temple, renverse-toi; cèdres, jetez des flammes,
    Jérusalem, objet de ma douleur,
Quelle main en un jour t'a ravi tous tes charmes ?
Qui changera mes yeux en deux sources de larmes
      Pour pleurer ton malheur ?

AZARIAS

O saint temple !

JOSABET

   O David !

LE CHŒUR

     Dieu de Sion, rappelle,
Rappelle en sa faveur tes antiques bontés.

> *La symphonie recommence encore, et Joad,*
> *un moment après, l'interrompt.*

JOAD

   Quelle Jérusalem nouvelle*
Sort du fond du désert brillante de clartés,
Et porte sur le front une marque immortelle ?
    Peuples de la terre, chantez.
Jérusalem renaît plus charmante et plus belle.
    D'où lui viennent de tous côtés
Ces enfants qu'en son sein elle n'a point portés ** ?
Lève, Jérusalem, lève ta tête altière.
Regarde tous ces rois de ta gloire étonnés.
Les rois des nations, devant toi prosternés,
    De tes pieds baisent la poussière;
Les peuples à l'envi marchent à ta lumière.
Heureux qui pour Sion d'une sainte ferveur
    Sentira son âme embrasée !
    Cieux, répandez votre rosée,
   Et que la terre enfante son Sauveur.

JOSABET

Hélas ! d'où nous viendra cette insigne faveur,
Si les rois de qui doit descendre ce Sauveur...

* L'Église.
** Les gentils.

JOAD

Préparez, Josabet, le riche diadème
Que sur son front sacré David porta lui-même.

Aux lévites.

Et vous, pour vous armer, suivez-moi dans ces lieux
Où se garde caché, loin des profanes yeux,
Ce formidable amas de lances et d'épées
Qui du sang philistin jadis furent trempées,
Et que David vainqueur, d'ans et d'honneurs chargé,
Fit consacrer au Dieu qui l'avait protégé.
Peut-on les employer pour un plus noble usage ?
Venez, je veux moi-même en faire le partage.

SCÈNE VIII

SALOMITH, LE CHŒUR

SALOMITH

Que de craintes, mes sœurs, que de troubles mortels !
          Dieu tout-puissant, sont-ce là les prémices,
               Les parfums et les sacrifices
Qu'on devait en ce jour offrir sur tes autels ?

UNE FILLE DU CHŒUR

          Quel spectacle à nos yeux timides !
          Qui l'eût cru, qu'on dût voir jamais
Les glaives meurtriers, les lances homicides
          Briller dans la maison de paix ?

UNE AUTRE

D'où vient que pour son Dieu pleine d'indifférence,
     Jérusalem se tait en ce pressant danger ?
          D'où vient, mes sœurs, que pour nous protéger
Le brave Abner au moins ne rompt pas le silence ?

SALOMITH

Hélas ! dans une cour où l'on n'a d'autres lois
               Que la force et la violence,
               Où les honneurs et les emplois
Sont le prix d'une aveugle et basse obéissance,
               Ma sœur, pour la triste innocence
               Qui voudrait élever sa voix ?

UNE AUTRE

Dans ce péril, dans ce désordre extrême,
Pour qui prépare-t-on le sacré diadème ?

SALOMITH

Le Seigneur a daigné parler.
Mais ce qu'à son prophète il vient de révéler,
Qui pourra nous le faire entendre ?
S'arme-t-il pour nous défendre ?
S'arme-t-il pour nous accabler ?

TOUT LE CHŒUR *chante.*

O promesse ! ô menace ! ô ténébreux mystère !
Que de maux, que de biens sont prédits tour à tour !
Comment peut-on avec tant de colère
Accorder tant d'amour ?

UNE VOIX, *seule.*

Sion ne sera plus. Une flamme cruelle
Détruira tous ses ornements.

UNE AUTRE VOIX

Dieu protège Sion. Elle a pour fondements
Sa parole éternelle.

LA PREMIÈRE

Je vois tout son éclat disparaître à mes yeux.

LA SECONDE

Je vois de toutes parts sa clarté répandue.

LA PREMIÈRE

Dans un gouffre profond Sion est descendue.

LA SECONDE

Sion a son front dans les cieux.

LA PREMIÈRE

Quel triste abaissement !

LA SECONDE

Quelle immortelle gloire !

LA PREMIÈRE

Que de cris de douleur !

LA SECONDE

Que de chants de victoire ;

UNE TROISIÈME

Cessons de nous troubler. Notre Dieu quelque jour
Dévoilera ce grand mystère.

TOUTES TROIS

Révérons sa colère;
Espérons en son amour.

UNE AUTRE

D'un cœur qui t'aime,
Mon Dieu, qui peut troubler la paix ?
Il cherche en tout ta volonté suprême,
Et ne se cherche jamais.
Sur la terre, dans le ciel même,
Est-il d'autre bonheur que la tranquille paix
D'un cœur qui t'aime ?

ACTE IV

SCÈNE PREMIÈRE

JOAS, JOSABET, ZACHARIE, SALOMITH
UN LÉVITE, LE CHŒUR

SALOMITH

D'un pas majestueux, à côté de ma mère,
Le jeune Éliacin s'avance avec mon frère.
Dans ces voiles, mes sœurs, que portent-ils tous deux ?
Quel est ce glaive enfin qui marche devant eux ?

JOSABET, à Zacharie.

Mon fils, avec respect posez sur cette table
De notre sainte loi le livre redoutable.
Et vous aussi, posez, aimable Éliacin,
Cet auguste bandeau près du livre divin.
Lévite, il faut placer, Joad ainsi l'ordonne,
Le glaive de David auprès de sa couronne.

JOAS

Princesse, quel est donc ce spectacle nouveau ?
Pourquoi ce livre saint, ce glaive, ce bandeau ?

Depuis que le Seigneur m'a reçu dans son temple,
D'un semblable appareil je n'ai point vu d'exemple.

JOSABET

Tous vos doutes, mon fils, bientôt s'éclairciront.

JOAS

Vous voulez essayer ce bandeau sur mon front ?
Ah! Princesse, gardez d'en profaner la gloire.
Du roi qui l'a porté respectez la mémoire.
Un malheureux enfant aux ours abandonné...

JOSABET, *lui essayant le diadème.*

Laissez, mon fils : je fais ce qui m'est ordonné.

JOAS

Mais j'entends les sanglots sortir de votre bouche!
Princesse, vous pleurez! Quelle pitié vous touche ?
Est-ce qu'en holocauste aujourd'hui présenté,
Je dois, comme autrefois la fille de Jephté,
Du Seigneur par ma mort apaiser la colère ?
Hélas! un fils n'a rien qui ne soit à son père.

JOSABET

Voici qui vous dira les volontés des cieux.
Ne craignez rien. Et nous, sortons tous de ces lieux.

SCÈNE II

JOAS, JOAD

JOAS, *courant dans les bras du grand prêtre.*

Mon père!

JOAD

Hé bien, mon fils ?

JOAS

Qu'est-ce donc qu'on prépare ?

JOAD

Il est juste, mon fils, que je vous le déclare.
Il faut que vous soyez instruit, même avant tous,
Des grands desseins de Dieu sur son peuple et sur vous.
Armez-vous d'un courage et d'une foi nouvelle.

Il est temps de montrer cette ardeur et ce zèle
Qu'au fond de votre cœur mes soins ont cultivés,
Et de payer à Dieu ce que vous lui devez.
Sentez-vous cette noble et généreuse envie ?

JOAS

Je me sens prêt, s'il veut, de lui donner ma vie.

JOAD

On vous a lu souvent l'histoire de nos rois.
Vous souvient-il, mon fils, quelles étroites lois
Doit s'imposer un roi digne du diadème ?

JOAS

Un roi sage, ainsi Dieu l'a prononcé lui-même *,
Sur la richesse et l'or ne met point son appui,
Craint le Seigneur son Dieu, sans cesse a devant lui
Ses préceptes, ses lois, ses jugements sévères,
Et d'injustes fardeaux n'accable point ses frères.

JOAD

Mais sur l'un de ces rois s'il fallait vous régler,
A qui choisiriez-vous, mon fils, de ressembler ?

JOAS

David, pour le Seigneur plein d'un amour fidèle,
Me paraît des grands rois le plus parfait modèle.

JOAD

Ainsi dans leurs excès vous n'imiteriez pas
L'infidèle Joram, l'impie Ochosias ?

JOAS

O mon père !

JOAD

                 Achevez, dites, que vous en semble ?

JOAS

Puisse périr comme eux quiconque leur ressemble !
Mon père, en quel état vous vois-je devant moi ?

JOAD, *se prosternant à ses pieds.*

Je vous rends le respect que je dois à mon roi.
De votre aïeul David, Joas, rendez-vous digne.

* *Deut.* c.

JOAS

Joas ? Moi ?

JOAD

Vous saurez par quelle grâce insigne,
D'une mère en fureur Dieu trompant le dessein,
Quand déjà son poignard était dans votre sein,
Vous choisit, vous sauva du milieu du carnage.
Vous n'êtes pas encore échappé de sa rage.
Avec la même ardeur qu'elle voulut jadis
Perdre en vous le dernier des enfants de son fils,
A vous faire périr sa cruauté s'attache,
Et vous poursuit encor sous le nom qui vous cache.
Mais sous vos étendards j'ai déjà su ranger
Un peuple obéissant et prompt à vous venger.
Entrez, généreux chefs des familles sacrées,
Du ministère saint tour à tour honorées.

SCÈNE III

JOAS, JOAD, AZARIAS, ISMAEL, ET LES TROIS AUTRES CHEFS DES LÉVITES

JOAD *continue.*

Roi, voilà vos vengeurs contre vos ennemis.
Prêtres, voilà le roi que je vous ai promis.

AZARIAS

Quoi ? c'est Éliacin ?

ISMAEL

Quoi ? cet enfant aimable...

JOAD

Est des rois de Juda l'héritier véritable,
Dernier-né des enfants du triste Ochosias,
Nourri, vous le savez, sous le nom de Joas.
De cette fleur si tendre et sitôt moissonnée
Tout Juda, comme vous, plaignant la destinée,
Avec ses frères morts le crut enveloppé.
Du perfide couteau comme eux il fut frappé.
Mais Dieu du coup mortel sut détourner l'atteinte,
Conserva dans son cœur la chaleur presque éteinte,
Permit que des bourreaux trompant l'œil vigilant,
Josabet dans son sein l'emportât tout sanglant,

Et n'ayant de son vol que moi seul pour complice,
Dans le temple cachât l'enfant et la nourrice.

JOAS

Hélas! de tant d'amour et de tant de bienfaits,
Mon père, quel moyen de m'acquitter jamais?

JOAD

Gardez pour d'autres temps cette reconnaissance.
   Voilà donc votre roi, votre unique espérance.
J'ai pris soin jusqu'ici de vous le conserver:
Ministres du Seigneur, c'est à vous d'achever.
Bientôt de Jézabel, la fille meurtrière,
Instruite que Joas voit encor la lumière,
Dans l'horreur du tombeau viendra le replonger.
Déjà, sans le connaître, elle veut l'égorger.
Prêtres saints, c'est à vous de prévenir sa rage.
Il faut finir des Juifs le honteux esclavage,
Venger vos princes morts, relever votre loi,
Et faire aux deux tribus reconnaître leur roi.
L'entreprise, sans doute, est grande et périlleuse.
J'attaque sur son trône une reine orgueilleuse,
Qui voit sous ses drapeaux marcher un camp nombreux
De hardis étrangers, d'infidèles Hébreux.
Mais ma force est au Dieu dont l'intérêt me guide.
Songez qu'en cet enfant tout Israël réside.
Déjà ce Dieu vengeur commence à la troubler,
Déjà trompant ses soins, j'ai su vous rassembler.
Elle nous croit ici sans armes, sans défense.
Couronnons, proclamons Joas en diligence.
De là, du nouveau prince intrépides soldats,
Marchons en invoquant l'arbitre des combats;
Et réveillant la foi dans les cœurs endormie,
Jusque dans son palais cherchons notre ennemie.
   Et quels cœurs si plongés dans un lâche sommeil,
Nous voyant avancer dans ce saint appareil,
Ne s'empresseront pas à suivre notre exemple?
Un roi que Dieu lui-même a nourri dans son temple,
Le successeur d'Aaron de ses prêtres suivi,
Conduisant au combat les enfants de Lévi,
Et dans ces mêmes mains des peuples révérées,
Les armes au Seigneur par David consacrées?
Dieu sur ses ennemis répandra sa terreur.
Dans l'infidèle sang baignez-vous sans horreur.
Frappez et Tyriens, et même Israélites.

Ne descendez-vous pas de ces fameux lévites
Qui lorsqu'au Dieu du Nil le volage Israël
Rendit dans le désert un culte criminel,
De leurs plus chers parents saintement homicides,
Consacrèrent leurs mains dans le sang des perfides,
Et par ce noble exploit vous acquirent l'honneur
D'être seuls employés aux autels du Seigneur ?
    Mais je vois que déjà vous brûlez de me suivre.
Jurez donc, avant tout, sur cet auguste livre,
A ce roi que le ciel vous redonne aujourd'hui,
De vivre, de combattre, et de mourir pour lui.

AZARIAS

Oui, nous jurons ici pour nous, pour tous nos frères,
De rétablir Joas au trône de ses pères,
De ne poser le fer entre nos mains remis,
Qu'après l'avoir vengé de tous ses ennemis.
Si quelque transgresseur enfreint cette promesse,
Qu'il éprouve, grand Dieu, ta fureur vengeresse :
Qu'avec lui ses enfants, de ton partage exclus,
Soient au rang de ces morts que tu ne connais plus.

JOAD

Et vous, à cette loi, votre règle éternelle,
Roi, ne jurez-vous pas d'être toujours fidèle ?

JOAS

Pourrais-je à cette loi ne me pas conformer ?

JOAD

O mon fils, de ce nom j'ose encor vous nommer,
Souffrez cette tendresse, et pardonnez aux larmes
Que m'arrachent pour vous de trop justes alarmes.
Loin du trône nourri, de ce fatal honneur,
Hélas ! vous ignorez le charme empoisonneur,
De l'absolu pouvoir vous ignorez l'ivresse,
Et des lâches flatteurs la voix enchanteresse.
Bientôt ils vous diront que les plus saintes lois,
Maîtresses du vil peuple, obéissent aux rois ;
Qu'un roi n'a d'autre frein que sa volonté même ;
Qu'il doit immoler tout à sa grandeur suprême ;
Qu'aux larmes, au travail, le peuple est condamné,
Et d'un sceptre de fer veut être gouverné ;
Que s'il n'est opprimé tôt ou tard il opprime.
Ainsi de piège en piège, et d'abîme en abîme,
Corrompant de vos mœurs l'aimable pureté,

Ils vous feront enfin haïr la vérité,
Vous peindront la vertu sous une affreuse image.
Hélas! ils ont des rois égaré le plus sage.
　Promettez sur ce livre, et devant ces témoins,
Que Dieu fera toujours le premier de vos soins;
Que sévère aux méchants, et des bons le refuge,
Entre le pauvre et vous, vous prendrez Dieu pour juge,
Vous souvenant, mon fils, que caché sous ce lin,
Comme eux vous fûtes pauvre, et comme eux orphelin.

JOAS

Je promets d'observer ce que la loi m'ordonne.
Mon Dieu, punissez-moi si je vous abandonne.

JOAD

Venez : de l'huile sainte il faut vous consacrer.
Paraissez, Josabet : vous pouvez vous montrer.

SCÈNE IV

JOAS, JOAD, JOSABET, ZACHARIE, AZARIAS, etc.,
SALOMITH, LE CHŒUR

JOSABET, embrassant Joas.

O Roi, fils de David!

JOAS

　　　　　O mon unique mère!
Venez, cher Zacharie, embrasser votre frère.

JOSABET, à Zacharie.

Aux pieds de votre roi prosternez-vous, mon fils.

JOAD, pendant qu'ils s'embrassent.

Enfants, ainsi toujours puissiez-vous être unis!

JOSABET, à Joas.

Vous savez donc quel sang vous a donné la vie?

JOAS

Et je sais quelle main sans vous me l'eût ravie.

JOSABET

De votre nom, Joas, je puis donc vous nommer.

JOAS

Joas ne cessera jamais de vous aimer.

LE CHŒUR

Quoi ? c'est là...

JOSABET

C'est Joas.

JOAD

Écoutons ce lévite.

SCÈNE V

JOAS, JOAD, JOSABET, *etc.*, UN LÉVITE

UN LÉVITE

J'ignore contre Dieu quel projet on médite.
Mais l'airain menaçant frémit de toutes parts;
On voit luire des feux parmi des étendards;
Et sans doute Athalie assemble son armée.
Déjà même au secours toute voie est fermée;
Déjà le sacré mont, où le temple est bâti,
D'insolents Tyriens est partout investi.
L'un d'eux, en blasphémant, vient de nous faire entendre
Qu'Abner est dans les fers, et ne peut nous défendre.

JOSABET, *à Joas*

Cher enfant, que le ciel en vain m'avait rendu,
Hélas! pour vous sauver j'ai fait ce que j'ai pu.
Dieu ne se souvient plus de David votre père.

JOAD, *à Josabet*

Quoi ? vous ne craignez pas d'attirer sa colère
Sur vous et sur ce roi si cher à votre amour ?
Et quand Dieu, de vos bras l'arrachant sans retour,
Voudrait que de David la maison fût éteinte,
N'êtes-vous pas ici sur la montagne sainte
Où le père des Juifs * sur son fils innocent
Leva sans murmurer un bras obéissant,
Et mit sur un bûcher ce fruit de sa vieillesse,
Laissant à Dieu le soin d'accomplir sa promesse,
Et lui sacrifiant, avec ce fils aimé,
Tout l'espoir de sa race, en lui seul renfermé ?

* Abraham.

Amis, partageons-nous. Qu'Ismaël en sa garde
Prenne tout le côté que l'orient regarde;
Vous, le côté de l'ourse; et vous, de l'occident;
Vous, le midi. Qu'aucun, par un zèle imprudent,
Découvrant mes desseins, soit prêtre, soit lévite,
Ne sorte avant le temps et ne se précipite;
Et que chacun enfin, d'un même esprit poussé,
Garde en mourant le poste où je l'aurai placé.
L'ennemi nous regarde, en son aveugle rage,
Comme de vils troupeaux réservés au carnage,
Et croit ne rencontrer que désordre et qu'effroi.
Qu'Azarias partout accompagne le Roi.

A Joas.

Venez, cher rejeton d'une vaillante race,
Remplir vos défenseurs d'une nouvelle audace;
Venez du diadème à leurs yeux vous couvrir,
Et périssez du moins en roi, s'il faut périr.

A un Lévite.

Suivez-le, Josabet. Vous, donnez-moi ces armes.
Enfants, offrez à Dieu vos innocentes larmes.

SCÈNE VI

SALOMITH, LE CHŒUR

TOUT LE CHŒUR *chante.*

Partez, enfants d'Aaron, partez.
Jamais, plus illustre querelle
De vos aïeux n'arma le zèle.
Partez, enfants d'Aaron, partez.
C'est votre roi, c'est Dieu pour qui vous combattez.

UNE VOIX, *seule.*

Où sont les traits que tu lances,
Grand Dieu, dans ton juste courroux ?
N'es-tu plus le Dieu jaloux ?
N'es-tu plus le Dieu des vengeances ?

UNE AUTRE

Où sont, Dieu de Jacob, tes antiques bontés ?
Dans l'horreur qui nous environne,
N'entends-tu que la voix de nos iniquités ?
N'es-tu plus le Dieu qui pardonne ?

TOUT LE CHŒUR

Où sont, Dieu de Jacob, tes antiques bontés ?

UNE VOIX, *seule.*

C'est à toi que dans cette guerre
Les flèches des méchants prétendent s'adresser.
« Faisons, disent-ils, cesser
Les fêtes de Dieu sur la terre.
De son joug importun délivrons les mortels.
Massacrons tous ses saints. Renversons ses autels.
Que de son nom, que de sa gloire
Il ne reste plus de mémoire;
Que ni lui ni son Christ ne règnent plus sur nous. »

TOUT LE CHŒUR

Où sont les traits que tu lances,
Grand Dieu, dans ton juste courroux ?
N'es-tu plus le Dieu jaloux ?
N'es-tu plus le Dieu des vengeances ?

UNE VOIX, *seule.*

Triste reste de nos rois,
Chère et dernière fleur d'une tige si belle,
Hélas! sous le couteau d'une mère cruelle
Te verrons-nous tomber une seconde fois ?
Prince aimable, dis-nous si quelque ange au berceau
Contre tes assassins prit soin de te défendre;
Ou si dans la nuit du tombeau
La voix du Dieu vivant a ranimé ta cendre.

UNE AUTRE

D'un père et d'un aïeul contre toi révoltés,
Grand Dieu, les attentats lui sont-ils imputés ?
Est-ce que sans retour ta pitié l'abandonne ?

LE CHŒUR

Où sont, Dieu de Jacob, tes antiques bontés ?
N'es-tu plus le Dieu qui pardonne ?

UNE DES FILLES DU CHŒUR, *sans chanter.*

Chères sœurs, n'entendez-vous pas
Des cruels Tyriens la trompette qui sonne ?

SALOMITH

J'entends même les cris des barbares soldats,
Et d'horreur j'en frissonne.
Courons, fuyons; retirons-nous
A l'ombre salutaire
Du redoutable sanctuaire.

ACTE V

SCÈNE PREMIÈRE

ZACHARIE, SALOMITH, LE CHŒUR

SALOMITH

Cher Zacharie, hé bien ? Que nous apprenez-vous ?

ZACHARIE

Redoublez au Seigneur votre ardente prière.
Peut-être nous touchons à notre heure dernière.
Pour l'horrible combat, ma sœur, l'ordre est donné.

SALOMITH

Que fait Joas ?

ZACHARIE

Joas vient d'être couronné.
Le grand prêtre a sur lui répandu l'huile sainte.
O ciel! dans tous les yeux quelle joie était peinte
A l'aspect de ce roi racheté du tombeau!
Ma sœur, on voit encor la marque du couteau.
On voit paraître aussi sa fidèle nourrice,
Qui cachée en un coin de ce vaste édifice,
Gardait ce cher dépôt, et n'avait de ses soins
Que les yeux de ma mère et que Dieu pour témoins.
Nos lévites pleuraient de joie et de tendresse,
Et mêlaient leurs sanglots à leurs cris d'allégresse.
Lui, parmi ces transports, affable et sans orgueil,
A l'un tendait la main, flattait l'autre de l'œil,
Jurait de se régler par leurs avis sincères,
Et les appelait tous ses pères ou ses frères.

SALOMITH

Ce secret au-dehors est-il aussi semé ?

ZACHARIE

Ce secret dans le temple est encor renfermé.
Des enfants de Lévi la troupe partagée
Dans un profond silence aux portes s'est rangée.

Tous doivent à la fois précipiter leurs pas,
Et crier pour signal : « Vive le roi Joas! »
Mais mon père défend que le Roi se hasarde,
Et veut qu'Azarias demeure pour sa garde.
Cependant Athalie, un poignard à la main,
Rit des faibles remparts de nos portes d'airain.
Pour les rompre, elle attend les fatales machines,
Et ne respire enfin que sang et que ruines.
Quelques prêtres, ma sœur, ont d'abord proposé
Qu'en un lieu souterrain, par nos pères creusé,
On renfermât du moins notre arche précieuse.
« O crainte, a dit mon père, indigne, injurieuse!
L'arche, qui fit tomber tant de superbes tours,
Et força le Jourdain de rebrousser son cours,
Des Dieux des nations tant de fois triomphante,
Fuirait donc à l'aspect d'une femme insolente ? »
Ma mère, auprès du Roi, dans un trouble mortel,
L'œil tantôt sur ce prince et tantôt vers l'autel,
Muette, et succombant sous le poids des alarmes,
Aux yeux les plus cruels arracherait des larmes.
Le Roi de temps en temps la presse entre ses bras,
La flatte... Chères sœurs, suivez toutes mes pas;
Et s'il faut aujourd'hui que notre roi périsse,
Allons, qu'un même sort avec lui nous unisse.

SALOMITH

Quelle insolente main frappe à coups redoublés ?
Qui fait courir ainsi ces lévites troublés ?
Quelle précaution leur fait cacher leurs armes ?
Le temple est-il forcé ?

ZACHARIE

     Dissipez vos alarmes ·
Dieu nous envoie Abner.

SCÈNE II

ABNER, JOAD, JOSABET, ZACHARIE, SALOMITH,
ISMAEL, DEUX LÉVITES, <i>etc.</i>

JOAD

     En croirai-je mes yeux,
Cher Abner ? Quel chemin a pu jusqu'en ces lieux
Vous conduire au travers d'un camp qui nous assiège ?

On disait que d'Achab la fille sacrilège
Avait, pour assurer ses projets inhumains,
Chargé d'indignes fers vos généreuses mains.

ABNER

Oui, Seigneur, elle a craint mon zèle et mon courage.
Mais c'est le moindre prix que me gardait sa rage.
Dans l'horreur d'un cachot par son ordre enfermé,
J'attendais que, le temple en cendres consumé,
De tant de flots de sang non encore assouvie,
Elle vînt m'affranchir d'une importune vie,
Et retrancher des jours qu'aurait dû mille fois
Terminer la douleur de survivre à mes rois.

JOAD

Par quel miracle a-t-on obtenu votre grâce ?

ABNER

Dieu dans ce cœur cruel sait seul ce qui se passe.
Elle m'a fait venir, et d'un air égaré :
« Tu vois de mes soldats tout ce temple entouré,
Dit-elle. Un feu vengeur va le réduire en cendre,
Et ton Dieu contre moi ne le saurait défendre.
Ses prêtres toutefois, mais il faut se hâter,
A deux conditions peuvent se racheter :
Qu'avec Éliacin on mette en ma puissance
Un trésor dont je sais qu'ils ont la connaissance,
Par votre roi David autrefois amassé,
Sous le sceau du secret au grand prêtre laissé.
Va, dis-leur qu'à ce prix je leur permets de vivre. »

JOAD

Quel conseil, cher Abner, croyez-vous qu'on doit suivre ?

ABNER

Et tout l'or de David, s'il est vrai qu'en effet
Vous gardiez de David quelque trésor secret,
Et tout ce que des mains de cette reine avare
Vous avez pu sauver et de riche et de rare,
Donnez-le. Voulez-vous que d'impurs assassins
Viennent briser l'autel, brûler les chérubins,
Et portant sur notre arche une main téméraire,
De votre propre sang souiller le sanctuaire ?

JOAD

Mais siérait-il, Abner, à des cœurs généreux
De livrer au supplice un enfant malheureux,

Un enfant que Dieu même à ma garde confie,
Et de nous racheter aux dépens de sa vie ?

ABNER

Hélas! Dieu voit mon cœur. Plût à ce Dieu puissant
Qu'Athalie oubliât un enfant innocent,
Et que du sang d'Abner sa cruauté contente
Crût calmer par ma mort le ciel qui la tourmente!
Mais que peuvent pour lui vos inutiles soins ?
Quand vous périrez tous, en périra-t-il moins ?
Dieu vous ordonne-t-il de tenter l'impossible ?
Pour obéir aux lois d'un tyran inflexible,
Moïse, par sa mère, au Nil abandonné,
Se vit, presque en naissant, à périr condamné;
Mais Dieu le conservant contre toute espérance,
Fit par le tyran même élever son enfance.
Qui sait ce qu'il réserve à votre Éliacin,
Et si lui préparant un semblable destin,
Il n'a point de pitié déjà rendu capable
De nos malheureux rois l'homicide implacable ?
Du moins, et Josabet, comme moi, l'a pu voir,
Tantôt à son aspect je l'ai vu s'émouvoir;
J'ai vu de son courroux tomber la violence.
Princesse, en ce péril vous gardez le silence ?
Hé quoi ? pour un enfant qui vous est étranger
Souffrez-vous que sans fruit Joad laisse égorger
Vous, son fils, tout ce peuple, et que le feu dévore
Le seul lieu sur la terre où Dieu veut qu'on l'adore ?
Que feriez-vous de plus, si des rois vos aïeux
Ce jeune enfant était un reste précieux ?

JOSABET, *tout bas à Joad.*

Pour le sang de ses rois vous voyez sa tendresse :
Que ne lui parlez-vous ?

JOAD

                    Il n'est pas temps, Princesse.

ABNER

Le temps est cher, Seigneur, plus que vous ne pensez.
Tandis qu'à me répondre ici vous balancez,
Mathan près d'Athalie étincelant de rage,
Demande le signal et presse le carnage.
Faut-il que je me jette à vos sacrés genoux ?
Au nom du lieu si saint qui n'est ouvert qu'à vous,
Lieu terrible où de Dieu la majesté repose,
Quelque dure que soit la loi qu'on vous impose,

De ce coup imprévu songeons à nous parer.
Donnez-moi seulement le temps de respirer.
Demain, dès cette nuit, je prendrai des mesures
Pour assurer le temple et venger ses injures.
Mais je vois que mes pleurs et que mes vains discours
Pour vous persuader sont un faible secours :
Votre austère vertu n'en peut être frappée.
Hé bien ! rouvez-moi donc quelque arme, quelque épée,
Et qu'aux portes du temple, où l'ennemi m'attend,
Abner puisse du moins mourir en combattant.

JOAD

Je me rends. Vous m'ouvrez un avis que j'embrasse.
De tant de maux, Abner, détournons la menace.
Il est vrai, de David un trésor est resté.
La garde en fut commise à ma fidélité.
C'était des tristes Juifs l'espérance dernière,
Que mes soins vigilants cachaient à la lumière.
Mais puisqu'à votre reine il faut le découvrir,
Je vais la contenter, nos portes vont s'ouvrir.
De ses plus braves chefs qu'elle entre accompagnée ;
Mais de nos saints autels qu'elle tienne éloignée
D'un ramas d'étrangers l'indiscrète fureur.
Du pillage du temple épargnez-moi l'horreur.
Des prêtres, des enfants lui feraient-ils quelque ombre ?
De sa suite avec vous qu'elle règle le nombre.
Et quant à cet enfant si craint, si redouté,
De votre cœur, Abner, je connais l'équité.
Je vous veux devant elle expliquer sa naissance :
Vous verrez s'il le faut remettre en sa puissance,
Et je vous ferai juge entre Athalie et lui.

ABNER

Ah ! je le prends déjà, Seigneur, sous mon appui.
Ne craignez rien. Je cours vers celle qui m'envoie.

SCÈNE III

JOAD, JOSABET, ISMAEL, ZACHARIE, etc.

JOAD

Grand Dieu, voici ton heure, on t'amène ta proie.
Ismaël, écoutez.

Il lui parle à l'oreille.

JOSABET

Puissant maître des cieux,
Remets-lui le bandeau dont tu couvris ses yeux,
Lorsque lui dérobant tout le fruit de son crime,
Tu cachas dans mon sein cette tendre victime.

JOAD

Allez, sage Ismaël, ne perdez point de temps :
Suivez de point en point ces ordres importants.
Surtout qu'à son entrée et que sur son passage
Tout d'un calme profond lui présente l'image.
Vous, enfants, préparez un trône pour Joas.
Qu'il s'avance suivi de nos sacrés soldats.
Faites venir aussi sa fidèle nourrice,
Princesse, et de vos pleurs que la source tarisse.

A un lévite.

Vous, dès que cette reine, ivre d'un fol orgueil,
De la porte du temple aura passé le seuil,
Qu'elle ne pourra plus retourner en arrière,
Prenez soin qu'à l'instant la trompette guerrière
Dans le camp ennemi jette un subit effroi.
Appelez tout le peuple au secours de son roi ;
Et faites retentir jusques à son oreille
De Joas conservé l'étonnante merveille.
Il vient.

SCÈNE IV

JOAS, JOAD, JOSABET,
TROUPE DE PRÊTRES ET DE LÉVITES, *etc.*

JOAD *continue.*

Lévites saints, prêtres de notre Dieu,
Partout, sans vous montrer, environnez ce lieu ;
Et laissant à mes soins gouverner votre zèle,
Pour paraître attendez que ma voix vous appelle.

Ils se cachent tous.

Roi, je crois qu'à vos vœux cet espoir est permis,
Venez voir à vos pieds tomber vos ennemis.
Celle dont la fureur poursuivit votre enfance
Vers ces lieux à grands pas pour vous perdre s'avance.
Mais ne la craignez point. Songez qu'autour de vous
L'ange exterminateur est debout avec nous.

Montez sur votre trône, et... Mais la porte s'ouvre :
Permettez un moment que ce voile vous couvre.

Il tire un rideau.

Vous changez de couleur, Princesse ?

JOSABET

Ah ! sans pâlir,
Puis-je voir d'assassins le temple se remplir ?
Quoi ? ne voyez-vous pas quelle nombreuse escorte...

JOAD

Je vois que du saint temple on referme la porte.
Tout est en sûreté.

SCÈNE V

ATHALIE, JOAS, *caché derrière le rideau,*
JOAD, JOSABET, ABNER, SUITE D'ATHALIE

ATHALIE, *à Joad.*

Te voilà, séducteur,
De ligues, de complots pernicieux auteur,
Qui dans le trouble seul as mis tes espérances,
Éternel ennemi des suprêmes puissances.
En l'appui de ton Dieu tu t'étais reposé.
De ton espoir frivole es-tu désabusé ?
Il laisse en mon pouvoir et son temple et ta vie.
Je devrais sur l'autel, où ta main sacrifie,
Te... Mais du prix qu'on m'offre il faut me contenter.
Ce que tu m'as promis, songe à l'exécuter.
Cet enfant, ce trésor, qu'il faut qu'on me remette,
Où sont-ils ?

JOAD

Sur-le-champ tu seras satisfaite :
Je te les vais montrer l'un et l'autre à la fois.

Le rideau se tire.

Paraissez, cher enfant, digne sang de nos rois.
Connais-tu l'héritier du plus saint des monarques,
Reine ? De ton poignard connais du moins ces marques.
Voilà ton roi, ton fils, le fils d'Ochosias.
Peuples, et vous, Abner, reconnaissez Joas.

ABNER

Ciel !

ATHALIE, *à Joad.*

Perfide!

JOAD

Vois-tu cette Juive fidèle,
Dont tu sais bien qu'alors il suçait la mamelle?
Il fut par Josabet à ta rage enlevé.
Ce temple le reçut, et Dieu l'a conservé.
Des trésors de David voilà ce qui me reste.

ATHALIE

Ta fourbe à cet enfant, traître, sera funeste.
D'un fantôme odieux, soldats, délivrez-moi.

JOAD

Soldats du Dieu vivant, défendez votre roi.

*Ici le fond du théâtre s'ouvre. On voit le
dedans du temple, et les lévites armés
sortent de tous côtés sur la scène.*

ATHALIE

Où suis-je? O trahison! ô reine infortunée!
D'armes et d'ennemis je suis environnée.

JOAD

Tes yeux cherchent en vain, tu ne peux échapper,
Et Dieu de toutes parts a su t'envelopper.
Ce Dieu que tu bravais, en nos mains t'a livrée.
Rends-lui compte du sang dont tu t'es enivrée.

ATHALIE

Quoi? la peur a glacé mes indignes soldats?
Lâche Abner, dans quel piège as-tu conduit mes pas!

ABNER

Reine, Dieu m'est témoin...

ATHALIE

Laisse là ton Dieu, traître,
Et venge-moi.

ABNER, *se jetant aux pieds de Joas.*

Sur qui? Sur Joas! sur mon maître!

ATHALIE

Lui Joas? lui ton roi? Songez, méchants, songez
Que mes armes encor vous tiennent assiégés.
J'entends à haute voix tout mon camp qui m'appelle.
On vient à mon secours. Tremblez, troupe rebelle.

SCÈNE VI

ISMAEL, JOAS, JOAD, ATHALIE, *etc.*

ISMAEL, *à Joad.*

Seigneur, le temple est libre et n'a plus d'ennemis.
L'étranger est en fuite, et le Juif est soumis.
Comme le vent dans l'air dissipe la fumée,
La voix du Tout-Puissant a chassé cette armée.
Nos lévites, du haut de nos sacrés parvis,
D'Ochosias au peuple ont annoncé le fils,
Ont conté son enfance au glaive dérobée,
Et la fille d'Achab dans le piège tombée.
Partout en même temps la trompette a sonné;
Et ses sons et leurs cris dans son camp étonné
Ont répandu le trouble et la terreur subite
Dont Gédéon frappa le fier Madianite.
Les Tyriens, jetant armes et boucliers,
Ont par divers chemins disparu les premiers.
Quelques Juifs éperdus ont aussi pris la fuite;
Mais de Dieu sur Joas admirant la conduite,
Le reste à haute voix s'est pour lui déclaré.
Enfin d'un même esprit tout le peuple inspiré,
Femmes, vieillards, enfants, s'embrassant avec joie,
Bénissent le Seigneur et celui qu'il envoie.
Tous chantent de David le fils ressuscité.
Baal est en horreur dans la sainte cité.
De son temple profane on a brisé les portes.
Mathan est égorgé.

ATHALIE

Dieu des Juifs, tu l'emportes!
Oui, c'est Joas, je cherche en vain à me tromper.
Je reconnais l'endroit où je le fis frapper;
Je vois d'Ochosias et le port et le geste:
Tout me retrace enfin un sang que je déteste.
David, David triomphe; Achab seul est détruit.
Impitoyable Dieu, toi seul as tout conduit.
C'est toi qui me flattant d'une vengeance aisée,
M'as vingt fois en un jour à moi-même opposée,
Tantôt pour un enfant excitant mes remords,
Tantôt m'éblouissant de tes riches trésors,
Que j'ai craint de livrer aux flammes, au pillage.

Qu'il règne donc ce fils, ton soin et ton ouvrage;
Et que pour signaler son empire nouveau,
On lui fasse en mon sein enfoncer le couteau.
Voici ce qu'en mourant lui souhaite sa mère.
Que dis-je, souhaiter ? je me flatte, j'espère
Qu'indocile à ton joug, fatigué de ta loi,
Fidèle au sang d'Achab, qu'il a reçu de moi,
Conforme à son aïeul, à son père semblable,
On verra de David l'héritier détestable
Abolir tes honneurs, profaner ton autel,
Et venger Athalie, Achab et Jézabel.

JOAD

Qu'à l'instant hors du temple elle soit emmenée,
Et que la sainteté n'en soit point profanée.
Allez sacrés vengeurs de vos princes meurtris,
De leur sang par sa mort faire cesser les cris.
Si quelque audacieux embrasse sa querelle,
Qu'à la fureur du glaive on le livre avec elle.

SCÈNE VII

JOAS, JOAD, JOSABET, ABNER, *etc.*

JOAS

Dieu, qui voyez mon trouble et mon affliction,
Détournez loin de moi sa malédiction,
Et ne souffrez jamais qu'elle soit accomplie.
Faites que Joas meure avant qu'il vous oublie.

JOAD, *aux lévites.*

Appelez tout le peuple, et montrons-lui son roi :
Qu'il lui vienne en ses mains renouveler sa foi.
Roi, prêtres, peuple, allons, pleins de reconnaissance,
De Jacob avec Dieu confirmer l'alliance,
Et saintement confus de nos égarements,
Nous rengager à lui par de nouveaux serments.
Abner, auprès du Roi, reprenez votre place.
Hé bien ? de cette impie a-t-on puni l'audace ?

SCÈNE DERNIÈRE

UN LÉVITE, JOAS, JOAD, *etc.*

UN LÉVITE

Le fer a de sa vie expié les horreurs.
Jérusalem, longtemps en proie à ses fureurs,
De son joug odieux à la fin soulagée,
Avec joie en son sang la regarde plongée.

JOAD

Par cette fin terrible, et due à ses forfaits,
Apprenez, roi des Juifs, et n'oubliez jamais
Que les rois dans le ciel ont un juge sévère,
L'innocence un vengeur, et l'orphelin un père.

TABLE DES MATIÈRES

TITRES RÉCEMMENT PARUS

AMADO (JORGE)
Mar morto (388)

ARIOSTE
Roland furieux. Textes choisis et présentés par Italo CALVINO (380)

BALZAC
La Maison du chat-qui-pelote (414). Peines de cœur d'une chatte anglaise (445)

BECKFORD
Vathek (375)

BRONTÉ (EMILY)
Hurlevent-des-Monts (Wuthering Heights) (411)

CARROLL (LEWIS)
Tout Alice (312)

CAZOTTE
Le Diable amoureux (361)

CARRINGTON
Le Cornet acoustique (397)
* * *
Code civil (Le). Textes antérieurs et version actuelle. Éd. J. Veil (318)

COLETTE
La Fin de Chéri (390)

CRÉBILLON
Les Égarements du cœur et de l'esprit (393)

CROS
Le Coffret de Santal. Le Collier de griffes (329)

DAUDET
Contes du Lundi (308)

DESCARTES
Méditations métaphysiques (328)

DIDEROT
Le Neveu de Rameau (143)

DICKENS
David Copperfield 1 (310) - 2 (311)

DOSTOIEVSKI
Récits de la maison des morts (337). L'Idiot 1 (398) - 2 (399)

DUMAS fils
La Dame aux camélias. (Roman, théâtre, opéra. *La Traviata*) (381)
* * *
Farces du Moyen Âge (412)

FLAUBERT
L'Éducation sentimentale (432). Trois Contes (452)

FORT (PAUL)
Ballades du beau hasard (402)

GAUTIER
Voyage en Espagne (367). Récits fantastiques (383)

GOLDONI
La Manie de la villégiature. Baroufe à Chiogga et autres pièces (322)

HAMSUN
Victoria (422)

HAWTHORNE
La Lettre écarlate (382)

HOBBES
Le Citoyen (De Cive) (385)

HOFFMANN
Contes fantastiques 1 (330) - 2 (358) - 3 (378)

HÖLDERLIN
Hymnes-Élégies (352)

HUGO
Les Burgraves (437). L'Art d'être grand-père (438)

HUME
Enquête sur l'entendement humain (343)

JAMES
Les Deux Visages (442)

KADARÉ
Le Pont aux trois arches (425)

KAFKA
Le Procès (400). Le Château (428)

LABÉ (LOUISE)
Œuvres complètes : Sonnets. Élégies. Débat de Folie et d'Amour

LA BOÉTIE
Discours de la servitude volontaire (394)

LAGERKVIST
Âmes masquées. La Noce (424)
* * *
Lettres portugaises. Lettres d'une Péruvienne et autres romans d'amour par lettres (379)
* * *
Lettres édifiantes et curieuses de Chine (315)

LOCKE
Traité du gouvernement civil (408)

MACHIAVEL
Le Prince (317)
* * *
Le Mahabharata 1 (433). 2 (434)

MARGUERITE DE NAVARRE
L'Heptameron (355)

MANN
Mario et le magicien (403)

MAUPASSANT
Le Horla et autres contes d'angoisse (409)

MAURIAC
Un adolescent d'autrefois (387). L'Agneau (431)

MELVILLE
Moby Dick (236)

MÉRIMÉE
Carmen. Les âmes du purgatoire (263). La Vénus d'Ille et autres nouvelles (368).

GF GRAND-FORMAT

Vous trouverez chez votre libraire le catalogue complet de notre collection.

GF — TEXTE INTÉGRAL — GF

1770-VIII-1986. — Imp. Bussière, St-Amand (Cher).
N° d'édition 10975. — 1er trimestre 1965. — Printed in France.